L'OR DU BOUT
DU MONDE

Merice Briffa

L'OR DU BOUT
DU MONDE

Traduit de l'anglais (Australie) par Danièle Darneau

ÉDITIONS FRANCE LOISIRS

Titre original : *The Rebel Flag*

Édition du Club France Loisirs,
avec l'autorisation des Éditions Presses de la Cité.

Éditions France Loisirs,
123, boulevard de Grenelle, Paris
www.franceloisirs.com

© Merice Briffa, 2008
© Presses de la Cité, un département de place des éditeurs, 2010
pour la traduction française
ISBN : 978-2-298-04205-4

Prologue

Une douce lumière grise s'étendait lentement sur les champs aurifères, chassant les ombres de la nuit. Les tentes, jusqu'alors sombres et indistinctes, révélèrent leurs contours, et les mystérieuses flèches noires dressées dans l'obscurité prirent la couleur blanche des tuyaux de ventilation. Çà et là, un feu de camp jetait une lueur orangée contre la grisaille de l'aube. D'autres s'allumèrent à leur tour, signe que les chercheurs d'or se levaient, prêts à se lancer dans une nouvelle journée de dur labeur. Les arbres et les buissons retrouvèrent peu à peu le vert passé de leur feuillage estival.

Au loin, un coq chanta, bientôt imité par un autre. Tout près, un rire hystérique éclata. Plus que le chant du coq, c'était ce rire qui sonnait le réveil des chercheurs d'or. Ce cri tonitruant l'avait effrayée la première fois qu'elle l'avait entendu, mais il lui était maintenant familier.

Selena scruta les arbres à la recherche de son auteur et ne tarda pas à le découvrir : un *laughing jackass* fendait les airs en piqué pour rejoindre son compagnon perché non loin. Aussitôt, les deux oiseaux s'engagèrent dans un duo d'éclats de rire gutturaux. Dans les arbres alentour, leurs congénères firent chorus à qui mieux mieux, réduisant la volaille au silence.

Le surnom de *laughing jackass*, « crétin rieur », dont on l'avait affublé convenait parfaitement à ce martin-pêcheur au cri qui résonnait tel un rire idiot. Selena, pour sa part, préférait son nom d'origine : le kookaburra. Grâce à un vieux colon qui avait fait le trajet avec eux depuis Melbourne, elle connaissait maintenant le nom de bon nombre d'animaux australiens. Les arbres et les arbustes portaient-ils des noms aussi originaux que ceux qu'ils abritaient, comme le wombat, le koala, le kangourou, le currawong, le kookaburra ?

Devant les tentes, les feux prenaient vie les uns après les autres, des panaches de fumée s'élevaient des cheminées de celles pourvues d'un foyer intérieur. Bientôt, tout le monde serait debout, et les voix de milliers de personnes entamant une nouvelle journée rompraient le silence. Elle aussi devrait s'atteler à la tâche, allumer son feu, préparer son petit déjeuner et celui de son père. Mais avant cela, elle entendait bien profiter des quelques minutes qu'elle s'accordait chaque matin, ces instants magiques où elle sentait se lever en elle un sentiment indéfinissable, un frisson identique à celui qui l'avait parcourue au moment même où, atteignant le sommet de la dernière colline, ils avaient aperçu en contrebas cette ville de toile.

Il ne subsistait presque rien de la beauté naturelle du paysage, défiguré par la myriade de trous creusés dans le sol et les monticules de terre qui en avaient résulté. Le ruisseau qui, autrefois, avait dû posséder des eaux cristallines, était réduit à l'état d'un cours d'eau bourbeux. Sa beauté primitive avait été ravagée par les milliers d'hommes et la poignée de femmes qui, depuis plus d'un an, s'alignaient le long de ses rives pour laver avec acharnement leurs batées remplies de terre dans l'espoir d'y trouver des pépites d'or.

Les tentes et les abris de fortune des chercheurs d'or et de leurs familles étaient disséminés sur le plateau et sur les pentes des collines. Ceux qui bénéficiaient d'une présence féminine étaient parfois agrémentés de jardinets garnis de fleurs sauvages. Ailleurs, des chèvres étaient attachées à un piquet. Bien qu'en toile, bon nombre de ces installations ressemblaient à des habitations faites pour durer. L'ensemble avait plus de charme que la Ville de Toile de la rive sud de la Yarra où Selena et son père avaient été logés à leur arrivée à Melbourne. Depuis lors, leur foyer était une petite tente et leur seul confort les couvertures dans lesquelles ils se drapaient pour la nuit. Selena, qui ne se plaignait jamais, espérait malgré tout avoir bientôt un peu plus d'espace.

Un jour, même s'il devait trouver de l'or en quantité, son père reprendrait la mer. Elle ne le suivrait pas. Dès l'instant de leur arrivée, quatre jours auparavant, elle avait su que son destin se jouait dans cette étrange contrée.

Ses yeux se posèrent sur une habitation de pierre et de toile. Un jeune homme en sortit, s'étira et leva la tête vers le rose délicat du ciel. Selena sentit son cœur de seize ans battre un peu plus vite, en particulier lorsque le jeune homme tourna la tête dans sa direction et lui adressa un salut amical de la main. Même s'ils n'avaient pas encore fait officiellement connaissance, elle l'avait remarqué dès le premier jour...

Elle leva la main pour lui répondre, suspendit son geste à mi-chemin. Des coups de feu, suivis d'horribles cris de douleur, étaient venus briser le silence de l'aube. Le ciel rose pâle s'embrasa du rougeoiement des tentes en feu. La quiétude céda la place au chaos et à l'horreur. L'air matinal se satura de l'odeur âcre de la poudre, mêlée à celle du sang et de la toile brûlée. Le jeune homme qui lui avait fait signe tomba à terre. Épouvantée, elle vit un soldat se pencher sur lui, baïonnette levée, prêt à lui donner le coup de grâce.

Selena hurla. Elle s'élança en avant, s'arrêta au bout de quelques pas. Autour d'elle, tout était calme. Le paysage était aussi paisible que quelques secondes plus tôt. Le jeune homme, là-bas, était maintenant entouré de ses deux frères. Il n'y avait ni coups de feu ni agonisants à terre.

Une main plaquée sur la bouche, Selena s'éloigna en titubant et vomit, secouée de spasmes. Puis elle gagna la tente qu'elle partageait avec son père et se laissa tomber devant l'entrée. Elle enlaça ses genoux, y reposa sa tête, en proie au vertige, le corps inondé de sueur. Le vertige céderait bientôt la place à des maux de tête qui dureraient toute la journée.

Les mains solides de son père la relevèrent et ses bras la maintinrent le temps que cessent ses tremblements.

— Qu'est-ce qu'il y a, ma chérie ? Tu as vu quelque chose ?

Mais Selena se contenta de secouer la tête, incapable de décrire l'horreur de sa vision.

La sanglante bataille dont elle avait été témoin se passait dans le futur.

PREMIÈRE PARTIE

1

Le bruit, semblable à un roulement de tonnerre annonciateur d'orage, s'amplifiait à mesure que les voyageurs approchaient de sa source. Même s'ils l'entendaient pour la première fois, tous, hommes, femmes ou jeunes garçons, le reconnurent. C'était le vacarme produit par une activité frénétique, un labeur acharné mené à un rythme infernal pour éviter de gaspiller un temps précieux.

Ceux que le courage avait abandonnés au fil des jours eurent un regain d'optimisme. Ceux que leur longue marche avait vidés de leurs forces puisèrent en eux assez d'énergie pour terminer d'un pas vif les deux kilomètres qui les séparaient de l'Eldorado, aucun ne voulant laisser passer sa chance d'être le premier à tomber sur une fabuleuse pépite d'or.

Selena échangea un regard avec son père. Ce grondement qui pénétrait jusqu'à ses entrailles produisait sur lui une excitation comparable à la sienne.

Il lui fit un clin d'œil.

— Nous voilà presque arrivés, ma chérie.

— Enfin ! J'ai l'impression de marcher depuis toujours. Depuis combien de temps sommes-nous en route ?

— À peine six semaines, ce qui est peu, par comparaison avec certains de nos compagnons de voyage venus de pays lointains.

— C'est vrai. Nous avons juste traversé la mer de Tasmanie…

Elle se tut, essayant d'imaginer l'avenir qui les attendait. Une fois de plus, la tristesse qu'elle portait en elle lui serra le cœur. Seule la pensée que la douleur de son père était encore plus grande que la sienne rendait sa peine supportable.

Leur bonheur passé ne reviendrait jamais.

— J'aimerais retourner un jour en Nouvelle-Zélande, déclara-t-elle. Je crois que c'est un pays où j'aimerais vivre.

Il ne put cacher sa surprise :

— Tu préfères la Nouvelle-Zélande à Tahiti ?

— J'aimerai toujours Tahiti, bien sûr ! J'y ai vécu une enfance trop heureuse pour l'oublier.

Son père fronça les sourcils.

— Dans ce cas, pourquoi choisirais-tu de vivre ailleurs ? Tu as beaucoup d'amis à Tahiti, alors que tu ne connais personne en Nouvelle-Zélande.

Sa manière de s'exprimer confirmait ce qu'elle savait au plus profond d'elle-même : un jour, son père la quitterait. Il avait beau la chérir de tout son cœur, jamais il ne s'accommoderait de la terre ferme. Pour preuve, sa femme avait dû prendre la mer avec lui, car rien, pas même l'amour indéfectible qu'il lui vouait, n'avait eu le pouvoir de le retenir.

— Tu sais que là-bas tu pourrais t'installer dans la maison de grand-mère, reprit-il.

— Ce ne serait pas pareil sans grand-mère, objecta Selena.

Ou sans maman, ajouta-t-elle en pensée.

— Je grandis, père. Je dois commencer à penser à mon avenir.

— Ton avenir !... Tends l'oreille, Selena. Ce bruit que nous entendons, c'est le son de l'or, le son de la richesse. Voilà où est ton avenir, et le mien ! Tu as bien le temps de penser à l'endroit où tu veux vivre. Attends que nous soyons devenus riches.

Ils avaient gravi la dernière colline boisée. Devant eux s'étendaient les champs aurifères de Ballarat. Le grondement entendu de si loin était le vacarme émis par des centaines de berceaux californiens roulés et secoués de part et d'autre du ruisseau, mêlé de voix humaines et de sons de toute nature, le tout fondu en un seul bruit.

Selena en eut le souffle coupé.

— Père, regardez tous ces gens ! Et toutes ces tentes ! Jamais il n'y aura assez de place pour nous... Pour ceux qui sont arrivés avant nous et pour ceux qui nous suivent... Pour tous ces gens qui espèrent trouver de l'or... !

Elle se tut quelques instants, puis constata avec un petit rire :

— C'est une vraie fourmilière ! Ils n'arrêtent pas de faire des allées et venues, exactement comme des fourmis.

Le capitaine poussa un grognement, reposa sa charrette à bras et se débarrassa du sac de marin qu'il portait sur son dos. Selena détourna les yeux de la scène qui se déroulait à leurs pieds et interrogea son père du regard. Celui-ci semblait tout aussi incrédule.

Elle réfléchit. Il devait bien y avoir un soupçon d'ordre dans cet étrange chaos.

15

À quoi s'était-elle attendue ? À une terre vierge où l'on pouvait se promener sur les rives de ruisseaux clairs comme du cristal, parsemés de pépites d'or brillantes comme le soleil ?

— Ce n'est pas ainsi que j'avais imaginé Ballarat, avoua-t-elle.

Son père secoua la tête, la mine sombre.

— Moi non plus... Je suis désolé, Selena. Je n'aurais pas dû t'amener ici, dans ce... cet enclos à cochons, dit-il avec un geste de dégoût.

Il y avait du vrai dans ses paroles, mais, du fond d'elle-même, Selena sentit monter une onde d'excitation plus forte que sa déception initiale. Elle tenta de réconforter son père :

— Vous n'auriez pu me décider à m'installer ailleurs. Je n'aurais pas accepté. Je ne me suis pas plainte pendant le voyage, et ce n'est pas maintenant que je vais commencer. Mais... croyez-vous qu'il y aura assez d'or pour tout le monde ?

— S'il n'y en a pas suffisamment, nous aurons fait ce voyage pour rien... Et moi, je n'aurai rien.

Il avait baissé la voix pour prononcer les derniers mots, mais Selena les avait entendus. Ne sachant que dire, elle se contenta de lui saisir la main. Il se tourna vers elle et lui sourit en lui répondant par une pression des doigts.

— Ma chère enfant, nous ne pouvons plus revenir en arrière, alors, gardons espoir. Si la chance ne nous sourit pas à Ballarat, nous irons ailleurs, ce ne sont pas les champs aurifères qui manquent. On en découvre sans cesse de nouveaux. Tout de même, quel étrange spectacle ! Avec toutes les toiles montées au-dessus des puits, on pourrait équiper

16

une dizaine de bateaux. Je me demande à quoi elles peuvent servir. Nous allons l'apprendre sous peu. Cela, et bien d'autres choses encore.

Il remit son sac sur ses épaules et saisit les bras de sa charrette.

— Allons-y, Selena.

Du bruit, de la saleté et une épouvantable puanteur. Si quelqu'un me demande ma première impression des champs aurifères, voilà ce que je répondrai, se dit Selena. De près, le raclement des pelles, le couinement des treuils, le roulement des berceaux, devenaient des sons identifiables séparément. S'y joignaient les voix des hommes, les aboiements des chiens et le bruit mat des haches qui frappaient le bois.

Partout se dressaient d'innombrables buttes de terre glaise qui montaient plus haut au fur et à mesure que celui qui creusait à côté, à la recherche de l'or convoité, descendait plus bas. Ils passèrent devant une échoppe de boucher où des carcasses de mouton pendaient sous un auvent au toit d'écorce, entourées des milliers de mouches venues se repaître des abats que le boucher avait jetés à l'extérieur. La vue et l'odeur étaient si écœurantes qu'il y avait de quoi retourner l'estomac le mieux accroché.

Selena se boucha le nez et se recouvrit la bouche de la main en soufflant :

— C'est répugnant ! Il ne doit pas avoir beaucoup de clients !

— Les carcasses ont l'air fraîches, rétorqua le capitaine, qui avançait le nez froncé, ses deux mains étant prises. Je pense qu'il doit en vendre en quantité

17

suffisante pour abattre ses bêtes tous les jours. Les clients sont sûrement habitués à l'odeur.

— Dans ce cas, je vous laisserai le soin de venir acheter la viande ! J'accepterai de la faire cuire à condition de ne pas voir d'où elle provient.

Le capitaine éclata de rire.

— Deviendrais-tu délicate, toi que j'ai si souvent vue plumer la volaille et vider le poisson ?

Elle répondit avec un haussement d'épaules :

— Cela n'a aucun rapport !

Puis elle se hâta de changer de sujet :

— Je suis impatiente de voir comment les gens s'y prennent pour laver la terre !

Joignant le geste à la parole, elle prit les devants et courut jusqu'au ruisseau, où elle s'arrêta à côté d'un vieil homme au crâne recouvert d'un chapeau de feutre. S'échappant du couvre-chef, des cheveux gris allaient se mêler à une barbe broussailleuse.

— Est-ce que je peux vous regarder faire ? s'enquit poliment Selena. Nous venons d'arriver, mon père et moi.

L'homme détourna son attention de sa tâche, le temps de les dévisager.

— Alors comme ça, z'êtes des nouveaux ? fit-il avant de retourner à son pan qu'il remua douce-ment en lui imprimant un mouvement de rotation.

Selena se demanda si l'intonation avec laquelle l'homme avait prononcé les mots « des nouveaux » n'était pas une manière de ne pas leur souhaiter la bienvenue. Mais elle ne se découragea pas pour autant.

— Il y a de l'or, par ici ? insista-t-elle.

L'homme pressa un doigt contre son récipient, puis le souleva pour lui montrer la minuscule poussière d'or collée à sa peau.

— Ça, là, mam'zelle, c'est de l'or.

— Oh ! souffla-t-elle, stupéfaite.

Cette petite chose presque invisible ne ressemblait pas du tout à ce qu'elle avait imaginé. Combien de milliers de grains leur faudrait-il amasser pour devenir riches ?

— Je croyais que l'or se présentait en gros morceaux, s'étonna-t-elle.

— Oui, pour les petits veinards qui tombent sur des pépites. Y a plus grand-chose à trouver dans les alluvions. C'est pour ça que vous voyez tous ces puits. Mais creuser pour trouver les filons profonds, c'est pas possible pour un homme seul.

Selena embrassa du regard les petits groupes d'hommes qui paraissaient travailler ensemble.

— Et vous, vous êtes seul ? interrogea-t-elle.

— Ça, mam'zelle, c'est pas vos oignons. Et pourquoi que vous voulez le savoir ?

Devant l'air soupçonneux de l'orpailleur, Selena se rendit compte qu'elle avait posé une question déplacée.

— Excusez-moi, dit-elle. Je n'avais pas l'intention de vous offenser.

— Ouais, c'est bon.

Son interlocuteur se releva lentement et avec quelque difficulté, semblait-il, à en juger par son grognement de douleur.

— Les vieux genoux, ils aiment pas qu'on s'appuie dessus. Et le dos, il va pas fort non plus.

19

— Pourquoi continuez-vous, si vous ne trouvez pas d'or ?

— Qui c'est-y qui vous dit que j'en trouve pas ?

Il lui décocha un regard vindicatif, comme si elle avait proféré la pire des insultes en insinuant qu'il perdait son temps.

— Il n'y en avait pas dans ce pan, à part quelques grains. Combien de pans de boue vous faudra-t-il laver avant de trouver de gros morceaux d'or ?

Le vieil homme grogna :

— Dites, vous voulez en savoir, des choses !

— Selena ! s'interposa le capitaine, courroucé. On ne harcèle pas les gens comme tu le fais ! Excusez ma fille de vous avoir ennuyé, poursuivit-il à l'adresse du chercheur d'or. Elle est d'une curiosité incorrigible. Et, malheureusement, elle manque parfois de tact.

Devant cette flatteuse description, Selena foudroya son père du regard.

— J'aimerais simplement savoir si nous avons une chance de devenir riches, rien de plus ! protesta-t-elle.

— Ha ha ha ! Si je pouvais vous le dire, mam'zelle, je serais pas ici ! Je serais dans ma belle maison en train de me la couler douce avec des larbins pour me servir et je mènerais la grande vie !

Les vêtements du vieil orpailleur étaient raides de crasse, et une barbe de plusieurs jours garnissait ses joues. Il avait l'air de ne pas avoir pris de bain depuis son arrivée. Son haleine suggérait que son unique contact avec l'eau venait du récipient qu'il utilisait pour son ouvrage.

Pendant que le capitaine s'engageait dans une conversation avec lui, Selena en profita pour observer la cohorte des hommes massés sur les deux rives du ruisseau, armés d'une batée ou d'un berceau. Quelques femmes se trouvaient parmi eux, dont l'une avec un nourrisson sur les genoux et des bambins à ses pieds. Sur tous les visages, on lisait la même concentration, et tous les yeux étaient à l'affût de l'apparition d'un éclat jaune au milieu de la boue contenue dans les pans. Lorsque cela se produisait, la paillette jaune était prestement retirée et placée dans un seau ou une boîte de fer-blanc jalousement gardés.

Tous ces gens gonflés d'espoir attendaient la chance de leur vie. Et, bientôt, son père et elle en feraient partie. La chance les favoriserait-elle ?

— C'est bien différent de ce que j'avais imaginé, dit-elle. Quand on parle de l'État de Victoria…

— … on raconte des choses qui vous ont fait croire que vous auriez qu'à vous baisser pour ramasser les lingots d'or ! compléta le vieil orpailleur avec un nouveau grognement. Vous, les nouveaux, z'êtes tous pareils.

Le capitaine intervint alors :

— Si vous n'êtes pas trop fâché des manières directes de ma fille, vous pourriez peut-être avoir la gentillesse de donner quelques conseils à ces « nouveaux » que nous sommes ?

— Faut voir. Ça dépend. Quoi, comme conseils ?

— En premier lieu, nous aimerions savoir où planter notre tente. Nous vous serions aussi fort obligés si vous pouviez nous dire comment nous y prendre pour trouver de l'or.

21

— Y a aucun problème. Vous pouvez la planter partout où y a pas de trous, vot' tente. Moi, la mienne, je l'ai montée près de ces arbres, là-bas.

La tente qu'il indiquait se dressait une cinquantaine de mètres plus loin, sur une légère pente. « Dresser » était un bien grand mot. Cette construction primitive paraissait plutôt s'affaisser contre des mâts qui avaient dû être autrefois de jeunes arbres et offrait un aspect général de dangereuse instabilité.

Le père et la fille tournèrent la tête avec ensemble vers le vieil homme, lequel ne sembla pas remarquer l'incrédulité qui se lisait dans leurs yeux.

— Vous pouvez vous installer à côté de moi, y a la place. Mes voisins, ils ont levé le camp au début de l'été, comme quasiment tout le monde, et ils vont pas revenir tout de suite.

Le capitaine et Selena échangèrent un nouveau coup d'œil.

— Ils vont donc revenir ? s'étonna Selena.

Si quasiment tout le monde quittait Ballarat pour l'été, les champs aurifères devaient crouler sous des milliers et des milliers de personnes en hiver. L'imagination pourtant vive de la jeune fille fut impuissante à lui fournir une représentation du tableau.

— P't-êt' ben qu'oui, p't-êt' ben qu'non. P't-êt' qu'ils vont aller ailleurs sur le champ de Ballarat, ou p't-êt' qu'ils vont aller tenter leur chance à Clunes ou à Creswick ou au Mont Alexander ou à Eaglehawk ou... C'est pas les endroits qui manquent. Bon, vot' tente, vous voulez la planter là, oui ou non ?

La nuit ne tomba pas avec la soudaineté à laquelle Selena était accoutumée sous les tropiques. Même après le coucher du soleil, il restait assez de lumière pour faire la cuisine. Le vieil orpailleur – Bill Smith – invita les nouveaux venus à partager son repas.

– Juste du mouton et du *damper*. C'est à peu près tout ce qu'y a à manger ici, dans les mines d'or.

Ou tout ce que Bill voulait bien se donner la peine de préparer... Car l'échoppe du boucher n'était pas la seule boutique existante. Il y avait sûrement un endroit où se fournir en légumes et en œufs.

Selena résolut d'entreprendre un petit tour d'exploration le lendemain matin. S'ils restaient à la même place, peut-être le vieil homme serait-il prêt à partager les repas qu'elle cuisinerait...

Leur modeste dîner se révéla d'une qualité surprenante. Le mouton, frit dans une poêle à la flamme du foyer, était tendre. L'épaisse tranche de *damper* sur lequel il fut servi avait le goût du plus exquis des scones.

— C'est vous qui avez fait cuire le pain, monsieur Smith ?

— Et d'où vous voulez que je l'aie, mam'zelle ?

Décidément, cet homme était un véritable hérisson ! Alors qu'elle avait simplement voulu lui demander s'il accepterait de lui montrer comment obtenir un pain d'une texture aussi légère ! Sur le trajet, le *damper* qu'elle avait eu l'occasion de manger était si lourd qu'à chaque fois il lui était resté sur l'estomac et que deux ou trois tasses de thé étaient nécessaires pour le faire glisser.

— Votre *damper* est le meilleur que nous ayons jamais mangé, n'est-ce pas, père ?

23

— Je confirme. Je vous serais bien obligé de montrer à ma fille comment on obtient ce résultat.

— S'il vous plaît… renchérit Selena avec son sourire le plus enjôleur.

Mais le vieil homme la considéra avec une expression impassible.

— Vous savez faire à manger ?

— Oui, je fais bien la cuisine. J'ai appris quand j'étais petite.

— Bon, alors je vais p't-êt' vous montrer comment on fait le *damper*. La farine, c'est trop cher pour qu'on la gaspille. Alors, si vot' *damper*, il est comme du plomb, faudra l'manger quand même.

Le capitaine rit :

— Je ne m'inquiète pas. Selena s'en tirera bien, même si elle n'a jamais cuisiné sur un feu ouvert.

— J'apprendrai, promit la jeune fille. Je pense que ce sera très amusant.

Puis elle ajouta avec enthousiasme :

— C'est comme en ce moment ! J'ai l'impression de faire un pique-nique ! Assis autour du feu, avec le ciel au-dessus de nos têtes… Et tout le monde fait pareil. Comme la mine est différente, la nuit, avec tous ces feux de camp ! C'est comme dans un autre monde… On éprouve une liberté, une amitié et une paix que je n'ai jamais senties ailleurs.

— Jeune comme vous êtes, z'avez été dans beaucoup d'autres endroits, mam'zelle ?

Selena jeta un regard à son père. Il comprenait ce qu'elle voulait dire par « sentir », connaissait son don de clairvoyance. Mais elle le vit froncer légèrement les sourcils pour l'enjoindre à veiller à ses paroles. Un coup de fusil tiré à proximité lui évita de répondre à la question. Presque aussitôt, ce premier coup de feu fut suivi de plusieurs autres.

Son expression inquiète amusa le vieux Bill Smith :

— Alors, mam'zelle, vous trouvez toujours que l'endroit est paisible ?

— Que se passe-t-il ? Sur quoi tirent-ils ?

— Sont en train d'tirer sur les étoiles, comme tous les soirs.

Bill rit, d'un rire rauque.

Est-ce qu'il se moque de moi ? se demanda Selena.

— Père ? À votre avis ?

— Je suppose que c'est exactement ce qu'ils font, Selena. Ils vident leurs armes pour les recharger avec de la poudre fraîche.

Bill cessa de ricaner et attrapa son fusil. Une arme si vieille que, par prudence, Selena se boucha les oreilles, de crainte de devenir sourde. Intérieurement, elle se reprocha son mouvement d'inquiétude. Car son grand-père lui avait appris le maniement des armes avec autant de soin que sa grand-mère lui avait appris celui du fourneau.

Selena dormit à poings fermés, malgré la dureté du sol dont elle n'était séparée que par une simple toile. Elle fut réveillée par la main de son père sur son épaule.

— Réveille-toi, belle endormie ! Nous avons du travail.

— Quelle heure est-il ?

— Il fait grand jour. Tu dois être la seule personne du camp à être encore couchée. Notre ami

25

est déjà parti pour la journée. Tiens, je t'ai préparé ton thé.

— Je vous promets que, demain, c'est moi qui vous ferai le vôtre.

Selena se redressa pour prendre la tasse en fer-blanc que lui tendait son père assis sur son tapis de couchage.

— Qu'allons-nous faire en premier ? s'enquit-elle.

— Je pense que nous allons nous contenter de regarder, nous faire une opinion. J'avoue que je suis un peu perplexe à l'idée de devoir creuser à vingt mètres sous terre, ou plus, pour trouver un filon qui vaille le coup.

— Je sais. C'est pareil pour moi. Que pensez-vous de l'idée de M. Smith quand il parle de s'associer avec d'autres ?

— J'y réfléchis. Le fait est, Selena, qu'aucun vrai marin n'aime à descendre sous terre, pas même une fois mort. Quand mon temps viendra, ma fille, tu feras en sorte qu'on me donne la mer pour sépulture.

— Vous me l'avez répété tellement souvent que je ne risque pas d'oublier. Mais pensez que nous pourrions tomber sur quelque chose comme la *Canadian Nugget* !

La simple mention de ce nom déclencha en elle la même onde d'excitation que la veille au soir, quand le vieux Bill Smith leur avait parlé de cette pépite de 134 livres trouvée la semaine précédente.

Son père eut un petit rire.

— Quand je vois briller tes yeux ainsi, je me dis que tu serais prête à creuser la terre à mains nues si tu étais sûre qu'une telle récompense se trouvait au bout !

— Vous aussi ! Cela vous ferait oublier que vous détestez être sous terre !

— Encore faudrait-il en être sûrs ! Bien. Pour aujourd'hui, nous allons donc regarder comment se présentent les choses. Je déciderai ce soir si nous restons ou si nous changeons d'endroit.

— Joe ! Joe !

Le cri d'avertissement, repris par les mineurs un à un, se propagea rapidement. Ils n'étaient arrivés que depuis peu mais, déjà, Selena et son père avaient eut droit à moult récits sur la chasse à la licence et sur les moyens utilisés pour éviter d'être pris. Selena, assise sur un tronc devant la tente, vit les mineurs changer brusquement d'activité.

Certains semblèrent faire peu de cas de l'avertissement et restèrent près de leur trou ou au bord du ruisseau avec leurs berceaux. Quelques-uns coururent se cacher dans le bush. D'autres détalèrent vers leur tente, peut-être pour aller quérir le précieux bout de papier. D'autres encore se hâtèrent d'extraire leur licence de la poche d'une veste jetée par terre. Plusieurs se dépêchèrent de descendre au fond du puits où ils travaillaient.

En effet, un puits profond paraissait être un endroit aussi bon qu'un autre pour échapper à l'amende.

Selena saisit un échange entre un policier et un mineur :

— Sors-toi de là et viens me montrer ta licence.

27

La réponse indistincte qui lui parvint semblait être :

— ... pas d'temps à perdre.

Selena se leva et se rapprocha de la scène pour mieux entendre.

— Elle est où, ta licence ?

— Dans la poche de mon pantalon. J'ai pas les mains assez propres pour la sortir.

— Je t'ordonne de sortir de là et de me montrer ta licence, sinon ton compte est bon.

— Ben alors, t'as qu'à descendre, moi, j'sors pas de là.

Le policier lâcha un juron qui aurait choqué Selena si elle n'avait passé la majeure partie de sa vie en compagnie de marins. La femme corpulente qui était venue se planter à côté d'elle éclata de rire.

— Jamais vu un cogne dégringoler au fond d'un puits de dix ou douze mètres pour vérifier une licence, rigola-t-elle. Alors, vous êtes bien installés ? Vous venez d'arriver y a quelques jours, pas vrai ?

— Nous sommes arrivés il y a quatre jours. Nous avons passé une semaine à Warrenheip Gully avant de venir à Ballarat. Nous avons fait équipe avec un vieil orpailleur pour laver la terre des puits abandonnés.

Elle sourit au souvenir de leur compagnon crasseux.

— Il m'a appris à faire un *damper* délicieux. Ensuite, père a entendu dire qu'il y avait de l'or près de la surface sur les Gravel Pits, et il a décidé de venir ici.

— Il est où, ton père, en ce moment ?

28

— Il est parti chercher sa licence. Il ne s'en était pas encore occupé. Mais hier, il a entendu quelqu'un dire que c'était bientôt le moment de la chasse à la licence. Cette personne ne s'était pas trompée

La femme opina du chef.

— Tous les mois, c'est réglé comme du papier à musique. Y en a beaucoup qui la prennent pas, la licence, parce qu'ils refusent de payer les trente shillings de redevance. Et puis y en a d'autres qu'ont pas de quoi. Ils font pas tous fortune, les chercheurs d'or. Y en a qui ont jamais été aussi pauvres qu'avant d'arriver ici.

— C'est vrai ? Nous, nous avons trouvé l'équivalent de quatre livres la semaine dernière. On nous a dit que les puits profonds étaient les plus riches.

— Y a des pépites, et des bonnes, qui attendent au fond des puits. Sauf qu'il faut bien qu'un homme ait de quoi vivre pendant tous les mois que ça lui prend pour toucher le gros lot.

— Oh, je n'avais pas pensé à cela.

Quelle naïve elle faisait !

— Mes hommes, continuait la femme, ils font comme des tas d'autres, ils lavent toutes les couches de terre. Le meilleur or, il est toujours dans l'argile bleue, au fond. Mais dans la rouge, y en a aussi un peu et y en a même un peu dans la terre noire et le gravier. Ça rapporte pas beaucoup plus que les travaux de main-d'œuvre normaux, mais ça nous donne de quoi vivre.

— Tout cela, c'est encore très nouveau pour moi. Je suis ici depuis plus d'un mois, mais j'apprends des choses nouvelles tous les jours.

— Faut le temps pour s'habituer à c't'endroit. Allons, viens donc, petite, on va boire une bonne tasse de thé. J'en ai pour une minute à faire bouillir l'eau. Moi, c'est Marjory Baxter. On va tailler une bavette en attendant qu'il revienne, ton papa.

— Merci.

Cette invitation arrivait à point nommé. Car Selena regrettait de ne pas avoir accompagné son père. Malgré ses maux de tête persistants, elle ne parvenait pas à rester au calme. Un peu de compagnie était exactement ce qu'il lui fallait pour chasser de son esprit l'horrible vision qu'elle avait eue à l'aube.

— Vous me direz tout ce que je dois connaître pour pouvoir me débrouiller ici ? pria-t-elle la brave femme.

— Bien sûr ! Vu que t'es à peine sortie de l'œuf, m'est avis que t'as des tas de choses à apprendre.

Elle en savait déjà beaucoup trop. Mais ce qu'elle savait, elle ne pouvait le partager.

Will Collins, à trois mètres sous terre dans le nouveau puits qu'ils étaient en train de creuser, entendit le cri d'avertissement juste à temps pour se hisser à la surface, sortir sa licence de là où il l'avait rangée et la fourrer dans la poche de son pantalon. Il jeta un coup d'œil vers le ruisseau où Hal et Tommy étaient en train de nettoyer le dernier chargement de marne rouge extrait. Malgré la chaleur, ils avaient revêtu leurs manteaux. Car on ne déclarait pas aux policiers qu'on avait laissé sa licence dans sa tente, ou son autre pantalon, voire dans la

30

veste qui était à portée de main. Ceux qui ne la conservaient pas sur eux étaient arrêtés.

Les policiers s'approchaient en tirant une corde à laquelle une demi-douzaine de malchanceux étaient attachés comme des criminels. Will sentit monter en lui une vieille colère. Un jour, le gouvernement irait trop loin. LaTrobe, le gouverneur, devait se préparer à ce que les chercheurs d'or ne supportent plus les brutalités policières. Car le traitement réservé à ceux qui n'avaient pas de licence confinait à l'inhumanité.

Les deux policiers s'arrêtèrent devant son puits. Will leur tendit sa licence sans mot dire, avec un regard dur à celui qui conduisait les prisonniers. Autrefois, l'agent de police Tom Roberts avait été son ami, jusqu'à ce qu'il commence à suivre les traces de son père, violent et ivrogne. Roberts était devenu une sombre brute qui maltraitait les femmes et avait délibérément laissé la sienne se noyer dans une rivière en crue.

Ce secret était toujours entre eux, lourd de menaces. Certes, si la vérité éclatait un jour, ce serait la parole de Will contre celle de Tom. Il n'y avait pas eu d'autres témoins. Tous les autres avaient été bien trop occupés à sauver leur peau et leurs possessions dans l'inondation de Burra Creek en cette terrible nuit de juin 1851.

Le document officiel lui fut rendu de mauvaise grâce et avec un air revêche. Will haussa légèrement un sourcil, dans une mimique significative. « Tu aimerais bien m'attraper, mais tu ne m'auras pas. » Même si cela représentait une charge financière, les

31

frères Collins paieraient toujours scrupuleusement leurs trente shillings mensuels.

Will but au goulot de sa bouteille d'eau avant de reprendre le collier. Alors qu'il replaçait le bouchon, il vit Tom s'arrêter près de la tente de Mme Baxter. Il fronça les sourcils. Les hommes de la famille Baxter travaillaient dans leur puits, et les femmes n'étaient pas soumises à l'obligation de licence. Puis il aperçut la jeune fille et comprit. Ce gredin n'avait pas changé. C'était toujours un insatiable coureur de jupons, prompt à faire la connaissance de toute nouvelle venue. Cet homme possédait le don de charmer les filles et de faire tourner la tête à n'importe quelle innocente. Mais on pouvait faire confiance à Mme Baxter pour prévenir celle qui était auprès d'elle contre la vraie nature de Tom Roberts.

Will s'essuya le front, remit son chapeau en feuilles de palmiste et descendit le long du ruisseau, pour voir où Hal et Tommy en étaient avec le lavage avant de retourner à son puits.

De la tente des Baxter, Selena vit le jeune homme brun rejoindre le ruisseau. Son estomac gargouilla, et elle pressa une main dessus, tout en ouvrant de grands yeux. Surtout, ne pas les fermer, car cela permettrait à sa migraine de prendre le dessus… Elle avait découvert qu'il était parfois possible, par le seul pouvoir de sa volonté, de barrer la route aux choses qu'elle ne voulait pas voir.

Son léger vertige l'avait prise quand le policier s'était arrêté pour la saluer ; quand, l'espace d'une fraction de seconde, la scène d'horreur sanglante avait resurgi devant ses yeux. Lui aussi serait partie

32

prenante dans cette bataille. C'était tout ce qu'elle avait vu sur cet homme. Presque aussitôt, le second policier l'avait appelé, et elle en avait été soulagée.

— Voilà, c'est prêt, petite. Une bonne tasse de thé bien chaud ! annonça Mme Baxter, chassant les miasmes du mauvais présage. J'espère que ça sera pas trop chaud pour toi. Y a pas de lait, alors je mets une cuiller de sucre en plus.

— Merci. J'ai l'habitude de boire mon thé sans lait.

Car le lait n'était pas une denrée que l'on trouvait facilement à bord d'un bateau...

La femme s'installa sur un siège grossièrement taillé dans le bois.

— Assieds-toi, petite, l'invita-t-elle, et dis-moi comment tu t'appelles.

Selena s'exécuta et répondit :

— Selena.

— Selena ? Dieu qu'il est joli, ce nom ! D'où ça vient ?

La jeune fille eut un geste d'ignorance.

— Je crois que mon père l'a entendu au cours de l'un de ses voyages.

— Ah bon ? Il a beaucoup voyagé ?

— Mon père est capitaine de navire. Il a passé presque toute sa vie en mer.

Mme Baxter eut un petit rire entendu.

— Il est descendu sur le plancher des vaches assez longtemps pour se trouver une femme et faire une fille. Tu es enfant unique ?

— Oui.

— Et... ta mère ?...

— Ma mère est morte l'année dernière.

33

Selena eut conscience de son ton coupant, furieux. La peine, la colère, la culpabilité l'abandonneraient-elles un jour ?

Elle vit Mme Baxter avoir un mouvement de recul et une expression choquée envahir ses traits naturellement affables.

Elle se mordit les lèvres. Il était temps qu'elle apprenne à contrôler l'émotion qui s'emparait d'elle immanquablement dès qu'on abordait le sujet.

— Excusez-moi, madame Baxter. Je ne voulais pas être aussi abrupte.

Son hôtesse se pencha et lui posa la main sur le bras.

— Je comprends. T'as pas envie de parler d'elle.

— Non.

Pourquoi, alors qu'elle voyait tant d'autres choses, n'avait-elle pas vu le danger suffisamment tôt pour prévenir sa mère ?

Pour chasser ces idées, elle avala une gorgée d'un thé trop fort et trop sucré. Mieux valait ne pas se souvenir.

— Et vous, madame Baxter, il y a longtemps que vous êtes sur les champs aurifères ?

— Nous, la mine, ça nous connaît, vu qu'on a tenté notre chance un peu partout depuis qu'ils ont trouvé de l'or pour la première fois à Bathurst, à l'ouest de Sydney. À Ballarat, on y est depuis l'hiver dernier. Il faisait un froid de canard. En novembre, comme maintenant, il fait une chaleur qu'on en peut plus, et en février, ça sera encore pire. Mais en hiver, on pèlera de froid.

— Nous serons peut-être partis avant l'hiver.

— Parce que tu penses que ton papa, il aura trouvé assez d'or d'ici là ?

Serena se demanda si la question de son interlocutrice ne contenait pas un soupçon d'ironie.

— Je vous avoue que j'imaginais qu'il suffirait de se baisser pour le ramasser. Mais ça ne paraît pas être le cas.

— C'était un peu comme ça au début. Il était là, par terre, ou juste sous la surface. Maintenant qu'il y a presque plus d'or alluvionnaire, il faut creuser profond pour en trouver.

— Oh ! souffla Selena en fronçant les sourcils. Vous pensez que nous perdons notre temps, qu'il vaut mieux creuser un puits ?

— Enfin... on peut jamais savoir. Y a quelque temps de ça, y a trois marins qui ont eu de la veine. Je m'en vais te raconter l'histoire, mais c'est pas la dernière fois que tu l'entendras.

La brave femme but une gorgée de thé à grand bruit avant de se lancer dans son récit :

— Ça s'est passé l'hiver dernier. Les trois marins se sont amenés comme des fleurs en s'imaginant comme tous les nouveaux qu'ils allaient faire fortune du jour au lendemain. Ils ont commencé par se balader un peu, et quand ils se sont retrouvés devant un puits abandonné, ils sont descendus au fond, comme ça, juste pour voir. Tout le monde savait que le puits, il avait été fermé...

— Fermé ?

— Oui, on avait creusé jusqu'au fin fond de l'endroit où on pouvait trouver de l'or.

— Je comprends.

— Bon, alors les vieux de la vieille, ils se sont mis à rigoler quand ils ont vu les trois marins attaquer le fond du puits avec leurs pioches. Et puis ils ont arrêté de rire quand ils ont vu que leurs pioches elles passaient à travers le fond. C'était pas le vrai fond ! Y avait de l'or en dessous, et pas qu'un peu ! Une journée de travail, et ces marins, ils sont devenus plus riches qu'ils l'avaient jamais rêvé.

— Quelle chance ! C'est une histoire qui va intéresser mon père, mais j'ai peur qu'elle ne suffise pas à le décider à creuser sous terre. Il a horreur de ça. Pour lui, un trou d'un mètre, c'est déjà un bon trou.

— Oui, à ce qu'il paraît, les marins, ils ont peur d'aller sous la terre. Le meilleur moyen, pour un homme tout seul, c'est de se mettre en cheville avec deux ou trois autres. Comme ça, ils partagent à la fois le travail et l'or. M. Baxter, il travaille avec nos trois garçons, comme ça, tout va bien. Et pareil pour les jeunes Collins.

— Qui sont les jeunes Collins ?

Mme Baxter parut surprise :

— Tu les connais pas ? Je croyais que si, vu la façon dont tu regardais Will Collins, tout à l'heure.

La brave femme dévisagea Selena d'un air malicieux.

— Oh ! s'exclama la jeune fille en sentant s'empourprer ses joues. Je ne savais pas son nom.

— Bon, maintenant, tu le sais. Will Collins, c'est un gars bien, un gars régulier. Pareil pour ses jeunes frères. Toi et ton père, vous feriez bien de vous en faire des amis, parce que vous pourriez plus mal tomber. Sur les champs, y a des gens qu'il faut éviter comme la peste, comme cet agent Roberts, par exemple. Te laisse pas avoir par sa belle tête et son charme, c'est du faux.

Selena secoua la tête en souriant.

— Je savais que son charme était factice.

— Si jeune, et déjà si sage ! s'exclama son interlocutrice, impressionnée. Y a tellement de filles qui tombent dans le panneau. Elles se laissent embobiner par des types dans son genre, et après, il leur reste plus que les yeux pour pleurer.

— Je suis peut-être jeune, madame Baxter, mais je ne me laisse embobiner par personne. Racontez-moi, pourquoi déteste-t-on autant la police ?

— Oh ! C'est une sale engeance, tous autant qu'ils sont, répondit Mme Baxter avec un reniflement dédaigneux. À ton avis, pourquoi qu'ils se contentent de leur petite solde de policier au lieu de creuser pour trouver de l'or ?

— Je ne me suis jamais posé la question. Je suppose que le maintien de l'ordre leur tient à cœur.

La brave femme émit un son encore plus méprisant.

— Dis plutôt que ce qui leur tient à cœur, c'est de se remplir les poches, oui ! Tous des filous. Ils se font tous graisser la patte. Les amendes qu'ils encaissent, et les biens qu'ils confisquent, ils atterrissent jamais chez le commissaire. À chaque chasse à la licence, ils arrêtent autant de monde que possible.

— Pour toucher les amendes ?

— Tout juste, petite. Rappelle-toi ce que je te dis : faut jamais faire confiance à un Joe.

— Pourquoi les appelle-t-on des « Joe » ? Ça a l'air d'être une insulte.

— T'as raison. Le gouverneur Joseph LaTrobe, c'est lui qui mène la vie dure aux chercheurs d'or.

Et comme les policiers font la sale besogne pour lui, et que les chercheurs d'or, ils détestent Joe LaTrobe, on les appelle les Joe.

— Je vois. Mais je ne comprends rien à la politique...

— La politique, c'est pas une affaire de femmes, c'est aux hommes de s'en occuper. Mais je reconnais que la vérité, c'est qu'y a pas un homme, pas une femme et pas un enfant sur les champs aurifères qui soutiennent le gouverneur. Bon, maintenant, parlons d'affaires plus pratiques. Quand on aura fini notre thé, je m'en vais te montrer comment on a monté notre tente. Dans la vôtre, ça doit pas être le grand confort, pas vrai ?

Selena fit la grimace.

— Nous dormons sur des couvertures à même le sol, confirma-t-elle. Nous possédons une casserole, une poêle, deux couteaux, deux fourchettes, une grande cuiller et deux tasses en fer-blanc. Plus les sacs de marin où nous serrons nos vêtements.

Mme Baxter opina du chef.

— Vous êtes mieux lotis que pas mal de nouveaux, commenta-t-elle. Y en a des centaines qui sont arrivés avec juste une pelle et une poêle à laver. Ah, c'est pas facile pour ceux qui sont pas préparés.

Comme elle disait vrai !

— Mon père et moi, nous n'avions aucune idée de ce que nous allions trouver, confirma Selena.

— Comme presque tout le monde. Mais ça va pas tarder à s'arranger. Nous, pour commencer, on n'avait rien que notre grande tente. L'été dernier, on a rajouté les auvents de chaque côté pour faire des chambres à nos garçons et une pour M. Baxter et moi. Et mes garçons, ils m'ont fait un vrai foyer pour la cuisine et ils ont fabriqué des meubles en bois. En ce moment, ils parlent de construire un toit en écorce pour donner un peu de fraîcheur en été.

En pénétrant à l'intérieur de la tente des Baxter, Selena ouvrit de grands yeux incrédules. La toile qui recouvrait le sol de terre battue était agrémentée d'un tapis aux couleurs éclatantes. Une nappe en lin drapait la table, sur laquelle trônait un vase de fleurs sauvages jaunes et rouge vif. Sur un dressoir, des assiettes et des tasses de porcelaine fleurie apportaient une note de gaieté supplémentaire à l'ensemble.

— C'est ravissant, madame Baxter ! Votre tente est une vraie maison ! Je serais enchantée si mon père et moi pouvions avoir un logis comme celui-ci.

— Je suis sûre que M. Baxter et nos garçons seront prêts à vous donner un coup de main pour vous installer plus confortablement. Bon, passe donc avec ton père, ce soir après le souper, comme ça, vous ferez connaissance avec ma famille. Et je vais aussi inviter les garçons Collins.

— Oh, merci ! Nous viendrons sans faute.

À nouveau, elle sentit la rougeur envahir ses joues devant le sourire entendu et les yeux pétillants de sa nouvelle amie. Cette dernière avait sûrement une idée derrière la tête. Ce n'était pas pour déplaire à Selena. Oui, elle brûlait d'envie de faire la connaissance de ce jeune homme brun...

Will Collins, en se rendant au ruisseau, avait déjà oublié la fille qu'il avait aperçue devant la tente des Baxter. Il eût été bien surpris d'apprendre que celle-ci, au contraire, avait beaucoup pensé à lui au cours

39

des derniers jours. Les gens qui vivaient sur les champs aurifères se comptaient par milliers et changeaient fréquemment d'endroit ; aussi, quand on était un ancien, ne prêtait-on que peu d'attention aux nouveaux arrivants.

Les frères Collins se considéraient comme des anciens. Ils étaient arrivés à Ballarat le jour de Pâques 1852, bien mieux équipés pour leur nouvelle vie que la majorité des gens qui se ruaient pleins d'espoir à l'assaut des mines d'or. Dix mois plus tard, la petite tente de leurs débuts était remplacée par une vaste tente munie d'un plancher, d'une charpente, d'une porte en bois et de deux fenêtres. Elle comprenait un grand foyer en rondins, avec un socle de pierre et une cheminée faite de pieux recouverts d'une peau de vache. Ils dormaient désormais sur des lits de fer garnis de matelas, rangeaient leurs affaires sur des étagères en bois dans la chambre et le salon, et ils pouvaient s'asseoir sur de solides bancs autour d'une bonne table. Un mur de toile séparait les deux chambres.

Des poteaux munis d'un grillage formaient une clôture qui barrait l'accès aux chèvres errantes et aux mineurs en état d'ivresse, et leur charrette ainsi que leurs chevaux étaient abrités dans une cour fermée par des buissons. Les chevaux étaient des biens de valeur sur les champs aurifères...

Aujourd'hui, ils n'étaient pas véritablement riches, mais ils avaient de quoi vivre confortablement. Ils pourraient retourner à la vie civilisée de Melbourne ou de toute autre ville sans avoir à travailler dur. Pourtant, ils restaient à la mine, retenus non par l'appât du gain, mais simplement parce qu'ils s'étaient attachés à ce coin de terre. Seul Hal forgeait des plans pour un avenir où il aurait les moyens de s'acheter son propre bateau. Il portait toujours en lui le rêve qui ne l'avait pas quitté depuis Burra, alors que l'enthousiasme de Tommy qui, à l'époque, envisageait de s'associer avec lui et de vivre de la pêche, avait faibli.

— Vous avez trouvé du jaune ? demanda Will.

Ses frères levèrent les yeux à son approche.

— Quelques pépites, répondit Hal. De quoi nous permettre de tenir la semaine.

— Plus on creusera, plus on aura des chances de tomber sur des gros morceaux. Je le sens bien, ce puits.

— Plus que d'habitude ? demanda Hal, plaisantant à moitié.

Sans l'instinct infaillible de Will, jamais ils ne seraient parvenus à d'aussi bons résultats. Déjà, à la mine de cuivre de Burra, il en avait été ainsi. Will avait toujours été capable de prédire la direction du filon.

Will confirma d'un hochement de tête :

— C'est profond, peut-être qu'il faudra creuser jusqu'à six mètres. Mais c'est là, j'en suis sûr. Il va bientôt falloir faire une pause pour aller couper des madriers de consolidation.

— Et si on prenait deux associés ? Comme ça, on pourrait avancer plus vite. Si le filon est aussi riche que tu le dis, ça pourra nous rapporter gros.

— Je préfère qu'on reste entre nous.

— Tom Roberts travaillait bien avec nous, à Burra, objecta le jeune Tommy avec une absence de malice évidente.

Il avait prononcé ces paroles sans regarder son frère aîné, et ne vit donc pas le mépris furieux qui accueillit son commentaire.

— Nous ne sommes pas à Burra et Tom n'est plus ni un mineur ni l'ami des mineurs, répliqua Will.

Hal se raffermit sur ses talons et le regarda d'un air interrogateur :

— Qu'est-ce qui s'est passé entre vous, juste avant que Tom quitte brusquement Burra ? Il s'est bien passé quelque chose !

— Oui, mais ça ne te regarde pas.

Will avait vu Milly Roberts se faire emporter par les flots gonflés du fleuve. Mais il avait mis des semaines à comprendre ce qu'il avait vu exactement. Lorsqu'il avait mis Tom au pied du mur, celui-ci avait reconnu la vérité avec une insupportable arrogance, sonnant définitivement le glas de leur amitié.

La journée s'écoula rapidement pour Selena. Mme Baxter était allée réquisitionner ses deux plus jeunes fils, Jimmy, âgé de quatorze ans, et Johnny, onze ans. Ces deux solides garçons avaient été enchantés d'échapper pour quelque temps à la mine. Sur injonction de leur mère, ils partirent à la recherche de bois adéquat, la hache sur l'épaule. Au milieu de l'après-midi, ils avaient achevé la fabrication de deux couchettes rudimentaires, constituées de deux bâtons fourchus plantés dans le sol, supportant chacun deux longues perches posées dans les fourches. Sur les perches, ils avaient placé des sacs de jute coupés aux angles pour former la base.

Selena se coucha dans l'un des nouveaux lits et fut surprise de son confort.

— C'est merveilleux ! Merci à vous deux.

— Plus tard, on vous fabriquera des vrais lits. Bon, maintenant, on va chercher des souches pour vous faire des sièges. Ce soir, vous reconnaîtrez plus rien dans votre tente.

Ils ne s'arrêtèrent pas à de simples souches. Ils placèrent deux blocs de pierre devant la tente, à côté du foyer ouvert. Puis le mobilier fut complété par une petite table en bois flanquée de deux souches en guise de sièges. Selena ne se sentait plus de joie devant tout ce confort. Comme son père serait ravi à son retour ! Elle caressa l'idée d'aller le rejoindre dans la tente où on délivrait les licences, puis y renonça : non, mieux valait lui faire la surprise de lui cuisiner un vrai dîner qu'ils dégusteraient dans leur logis transformé.

Dans l'une des boutiques de la Grand-Rue, elle avait vu des rayonnages chargés d'épices. Son père, qui avait navigué pour la Compagnie des Indes orientales durant sa jeunesse, avait un penchant pour le curry. Elle glissa donc son porte-monnaie dans la poche de sa jupe et se dirigea vers les boutiques.

Dès le début, Selena avait été fascinée par la diversité des marchandises proposées aux résidents des champs aurifères, particulièrement les épices. Aussi s'attarda-t-elle dans la boutique. Elle dénicha le cumin et la coriandre dans de petits sachets à côté d'un tonneau de harengs. Le curcuma était presque caché sous une pile de pantalons d'homme, tandis que les sacs de riz étaient entassés à côté des pelles et des pans.

Ses emplettes terminées, elle flâna un peu dans la rue et s'aventura dans d'autres boutiques, par pure curiosité. Elle s'apprêtait à regagner le logis familial lorsque, un peu plus loin, elle aperçut un jeune homme qui sortait d'une boutique. Son cœur manqua un battement. C'était lui ! Et il lui souriait, s'arrêtait à sa hauteur en disant :

— Bonjour, vous êtes la jeune fille de la nouvelle tente.

À quoi elle répondit avec un sourire :

— Oui, et vous, vous êtes l'un des frères Collins, m'a dit Mme Baxter.

— Will Collins, se présenta le jeune homme. Mes frères s'appellent Hal et Tommy.

— Lequel est Hal, et lequel est Tommy ?

— C'est Tommy le plus jeune. Celui qui boite.

— Ah, oui, je l'ai remarqué. Il a eu un accident ?

— Hélas, oui.

Il la dévisagea, un léger sourire aux lèvres, et, dans les yeux, une lueur d'intérêt qui accéléra ses battements de cœur.

— Puis-je connaître votre nom ?

— Selena. Selena Trevannick.

La soudaineté avec laquelle son sourire disparut et la dureté qui vint remplacer l'étincelle de ses yeux la firent presque reculer d'un pas.

— Trevannick ? répéta-t-il.

— Oui. Il y a quelque chose qui ne va pas ? s'inquiéta la jeune fille.

Devant son absence de réponse, une certaine irritation envahit Selena.

— Pourquoi me regardez-vous ainsi ?

Il cligna des paupières, comme s'il faisait un effort pour revenir au présent.

— Excusez-moi, dit-il. J'ai connu autrefois quelqu'un qui portait ce nom.

— Ah oui ? Où donc ?

Elle n'avait aucune famille, hormis son père. Et si, par chance, elle apprenait l'existence de parents inconnus d'elle ?

— En Cornouailles. Il y a très longtemps.

— Mon père est né en Cornouailles ! L'homme que vous connaissez est peut-être un membre de ma famille !

Will Collins se contenta de hausser les épaules. Puis :

— Je vois que vous avez fait des emplettes.

Selena, elle-même maîtresse en l'art de l'esquive lorsqu'elle n'avait pas envie d'aborder certains sujets, sentit croître sa curiosité. Elle se promit de revenir à la charge le soir même, à propos de ce Trevannick.

Avec son plus charmant sourire, elle répondit :

— Les boutiques sont parfaites. J'ai pu me procurer toutes les épices dont j'ai besoin pour préparer un curry à mon père.

— Un curry ?

La perplexité de son interlocuteur l'amusa.

— C'est un plat très épicé qu'on mange en Inde, expliqua-t-elle.

— Vous venez d'Inde ?

— Non, non. Mon père y est allé plusieurs fois quand il était jeune marin, avant de devenir capitaine de son propre navire.

— Le capitaine Trevannick ?

— Oui, certes. Pourquoi ?

45

Son intuition ne la trompait pas. Aussi affirma-t-elle d'un ton péremptoire :

— Quelque chose vous trouble à propos de notre nom.

— C'est qu'il n'est pas commun, votre nom, voilà tout. Au plaisir de bavarder avec vous une autre fois, dit-il, s'apprêtant à se détourner.

Mais elle le retint en insistant :

— Aurons-nous l'occasion de reparler ensemble ?

— Certainement. Les gens se parlent entre eux, dans les mines d'or.

Il la quitta en la gratifiant d'un sourire qui lui fit souhaiter voir les heures s'écouler plus vite, afin de hâter le moment de leurs retrouvailles chez Mme Baxter.

Jamais jusqu'alors elle n'avait ressenti le besoin d'être aimée. Et voilà que pour la première fois elle comprenait ce besoin. Elle avait envie d'être aimée par Will Collins. Elle forma le vœu que les pensées du jeune homme continuent à tourner autour d'elle.

Et, effectivement, les pensées de Will étaient si intensément tournées vers la jeune fille qu'il passa sans la voir devant la boutique où il avait prévu de se rendre. Il poursuivit sa route et s'arrêta près d'un groupe d'arbres, à l'écart de l'agitation des mines. Là, il s'assit, adossé à un tronc, et entreprit de mettre de l'ordre dans ses pensées.

Cette fille ne ressemblait pas à l'homme qu'il connaissait, sauf par la couleur foncée de ses cheveux et de ses yeux. Sans le nom de son père, il n'eût jamais fait le rapprochement. Il ne pouvait y avoir qu'un seul capitaine Trevannick au monde. Elle était donc la sœur de Connor Trevannick. Ou plutôt, sa demi-sœur. Will savait que la mère de Connor était morte quand il était enfant. Son père était reparti en mer et avait laissé le bébé chez son oncle, le propriétaire terrien Phillip Tremayne, qui l'avait élevé.

Ne seraient-ils donc jamais délivrés de cette famille ?

Il se releva et reprit le chemin de sa tente, plongé dans ses souvenirs. Après le suicide de Caroline, qui s'était jetée au fond d'un puits de mine, la famille avait émigré en Australie méridionale pour entamer une nouvelle vie. Mais Burra, où ils s'étaient établis, n'était encore pas assez éloigné de la Cornouailles : Connor Trevannick et Jenny Tremayne y avaient fait irruption, perturbant une fois de plus leur existence.

Sa sœur Meggan avait trompé son mari avec Connor Trevannick, tandis que Jenny Tremayne faisait le siège des barrières qu'il avait érigées autour de son propre cœur. Quel fou il était, de penser encore à elle deux ans plus tard ! Ce qui était fait était fait ! Elle était repartie en Cornouailles, et tant mieux ! Il se demanda si elle avait épousé Connor Trevannick comme prévu, et s'aperçut que cette idée lui déplaisait. De contrariété, il donna un coup de pied dans une pierre.

Et voilà qu'à Ballarat, se trouvait l'homme qui était certainement le père de Connor Trevannick. Il ne savait trop qu'en penser. Car il y avait cette fille, avec ses manières directes et sa beauté sortant de l'ordinaire. Sa peau était plus foncée que celle d'une Anglaise, et ses cheveux brillants jetaient des reflets du plus beau noir. Elle avait une manière de parler un peu

47

particulière, comme un accent. Peut-être l'anglais n'était-il pas sa langue maternelle.

Il s'aperçut qu'il avait envie d'en savoir plus long sur elle. Ses souvenirs pouvaient retourner là où était leur place : dans le passé. Même s'il existait un lien du sang, il n'y avait aucun contact, à sa connaissance, entre le père et la fille de Ballarat et la famille de Cornouailles.

Le curry répandait sa fragrance partout à la ronde en suscitant la curiosité ou, parfois, le dégoût, sur les visages des voisins. En ce qui concernait Mme Baxter, ce fut la curiosité qui la poussa jusqu'à la tente des Trevannick.

— Bonjour, petite. Qu'est-ce donc qui mijote dans ta marmite ? Jamais rien senti de pareil.

— J'ai préparé un curry, madame Baxter. Vous voulez goûter ?

La brave femme saisit un lourd crochet de fer pour soulever le couvercle de la marmite, puis, à la vue du ragoût nappé de jaune, renifla hardiment. Mal lui en prit, car, aussitôt, elle se retrouva aveuglée de larmes et à demi suffoquée.

— Bonté divine ! Non, grand merci, petite.

D'une main, elle reposa le couvercle tout en s'essuyant les yeux de l'autre.

— Pour moi, rien de tel qu'un bon vieux ragoût de mouton des familles, ajouta-t-elle. Il est pas encore revenu, ton papa ?

— Je l'attends d'un moment à l'autre. Je suppose qu'il s'attarde à bavarder avec des gens qui ont trouvé de l'or, et qu'il a peut-être eu envie d'y jeter un coup d'œil. J'ai hâte de lui montrer nos nou-

48

veaux meubles. Je suis sûre qu'il voudra remercier les garçons lui-même.

— Oui, venez donc, comme je te le disais tout à l'heure. Je vais de ce pas demander aux jeunes Collins de se joindre à nous.

— J'ai fait la connaissance de Will Collins dans la Grand-Rue, annonça Selena.

— Ah oui ? Dis-moi, tu n'aurais pas rougi, par hasard ?

La jeune fille se tâta les joues et constata avec soulagement qu'elles étaient fraîches.

— J'espère que non, répondit-elle. C'est vrai, je le trouve très beau.

— Peut-être que, lui aussi, il a été impressionné par un beau brin de fille comme toi.

— Madame Baxter... ! protesta Selena, un soupçon de remontrance dans la voix.

— Allez, allez, sois pas si modeste. Mes garçons, ils ont pas arrêté de parler de toi depuis que t'es arrivée. Ils disent tous qu'ils aimeraient bien être un poil plus vieux.

— Vous me gênez !

— Y a pas de quoi. Ils vont te traiter comme une sœur, et moi, comme ma fille. Ici, dans les mines d'or, tu seras peut-être bien contente que je te donne quelques conseils de femme.

— Merci, madame Baxter, vous êtes très gentille.

Après le départ de son aimable voisine, une sourde inquiétude se glissa dans l'esprit de Selena. Pourquoi son père tardait-il tant ?

Lorsque le soleil eut disparu derrière les collines, son inquiétude céda la place à l'anxiété. Jamais il ne l'aurait laissée seule une fois la nuit tombée.

Elle mit la marmite sur le coin du foyer afin de la maintenir au chaud, puis s'assit sur un bloc de pierre, les yeux rivés sur la colline, dans la direction d'où son père allait certainement arriver.

À plusieurs reprises, elle se leva, prête à partir à sa recherche. Chaque fois, elle se raisonna. Mais lorsque la nuit fut bien installée, l'angoisse lui serra le cœur. Elle posa les yeux sur la tente des Baxter. Sans doute la famille était-elle réunie à l'intérieur, autour de la table du dîner.

Dans le secteur où se trouvait sa propre tente, ils n'étaient pas nombreux à faire cuire leur repas dehors. Personne ne la remarquait, assise sur sa pierre. Tant mieux, car elle n'avait aucune envie d'attirer l'attention.

Elle se recroquevilla sur elle-même et, les bras passés autour des jambes, le front sur les genoux, tenta de chasser ses idées noires. Son père était sain et sauf. S'il lui était arrivé malheur, elle l'aurait senti.

Mais rien ne lui venait à l'esprit, à l'exception d'un tragique souvenir. Elle se revoyait attendant le retour de l'*Island Princess*. Elle n'avait eu aucune prémonition du sort réservé au bateau qui gisait au fond de l'océan Pacifique, pas plus que de celui de sa mère, dont le corps était resté dans l'épave. Si elle n'avait pas su, à l'époque, comment saurait-elle cette fois ?

Un léger bruit de pas la fit se redresser brusquement.

— Père ?

— C'est Will Collins. Mme Baxter m'a envoyé vous chercher tous les deux. Vous aviez promis de venir faire une visite ce soir.

— Mon père n'est pas rentré.

L'incertitude, l'inquiétude prirent le dessus et ce fut d'une voix étranglée qu'elle répéta :

— Mon père n'est pas rentré. Il lui est arrivé quelque chose.

Le jeune homme lui saisit les mains pour la calmer :

— Chut... Dites-moi où il est allé.

— Il est allé chercher sa licence de mineur. Il est parti depuis ce matin. Je me suis dit qu'il s'était attardé avec d'autres mineurs. Jamais il ne m'aurait laissée seule !

— Venez, allons chez les Baxter. Vous pourrez rester auprès de Mme Baxter pendant qu'on ira à la recherche de votre père. À votre avis, est-ce qu'il pourrait être allé boire un coup dans un hôtel ?

Selena fit non de la tête.

— Mon père boit rarement de l'alcool.

Il la prit par le coude et la guida jusqu'à la cabane des Baxter. Mais l'anxiété remplaçait le plaisir qu'elle eût ressenti à son contact dans d'autres conditions.

Mme Baxter n'eut pas besoin d'explications. À la vue du visage défait de la jeune fille, elle s'avança vers elle et l'entoura d'un bras compatissant. Tous échangèrent un regard, ce qui n'échappa pas à Selena.

— Je sais ce que vous pensez, dit-elle. J'ai entendu dire qu'on pouvait tomber dans les puits abandonnés, ou se faire attaquer et tuer.

— Non, non, petite, faut pas penser à ce genre de choses ! s'exclama Mme Baxter en lui tapotant les mains, avant de la faire asseoir. M'est avis qu'il a peut-être été obligé d'attendre toute la journée pour avoir sa licence.

51

M. Baxter – Selena supposa que c'était lui – opina du chef.

— Oui, c'est sûrement ça. Les Joe étaient de sortie aujourd'hui, à rechercher ceux qu'avaient pas de licence. Sans doute qu'il y avait personne dans la tente du commissaire.

— Mon père n'aurait pas passé toute la journée à attendre. Il n'est pas assez patient pour cela. Il est sûrement allé ailleurs.

Will annonça alors :

— Je vais monter jusqu'au camp du gouverneur. S'il est sur le chemin du retour, je tomberai sur lui. Sinon, quelqu'un me dira peut-être où il est.

— Je vous accompagne ! s'écria Selena en se relevant d'un bond.

— Non, non.

— Si ! rétorqua-t-elle en lui décochant un regard furibond. Il s'agit de mon père !

— Allez, petite, intervint Mme Baxter en lui prenant le bras. Tu ferais mieux de rester ici. Et si ton père rentrait avant que Will soit de retour ?

— Dans ce cas, vous lui diriez où je suis. S'il vous plaît, madame Baxter… la supplia-t-elle d'une voix douce. Eh bien, Will Collins, m'emmenez-vous avec vous, ou me laisserez-vous vous suivre à la trace ?

L'apostrophé lâcha un soupir exaspéré. Selena attendit sa réponse, prête à réagir vivement. Mais Will se contenta d'émettre un nouveau son, cette fois d'agacement amusé.

— Vous, on peut dire que vous êtes une jeune personne qui sait ce qu'elle veut ! lança-t-il.

— C'est exact. Alors, partons-nous ?

En chemin, ils abordèrent tous ceux qu'ils rencontrèrent pour s'enquérir du capitaine, que Selena décrivait en ces termes :

« Il mesure un mètre quatre-vingts et il est solidement bâti. Il est brun, il commence à grisonner, il a une petite barbe. Il porte un pantalon noir, une chemise bleue et une casquette de marin. »

La réponse ne variait jamais :

« Non, mam'zelle. »

Quelqu'un crut l'avoir vu de bon matin se dirigeant vers Warrenheip Gully.

— À votre avis, il a pu prendre cette direction ? demanda Will à Selena.

— Oui, c'est possible. Nous avons passé quelques jours à Warrenheip Gully à notre arrivée.

— Vous avez des amis là-bas qu'il aurait pu aller voir ?

— Seulement un vieil homme, Bill Smith. C'est un homme étrange. Pas désagréable, mais pas aimable pour autant.

— Vous croyez que vous pourrez retrouver son campement ?

— Non, pas de nuit. Dans la journée, peut-être. Pourquoi ?

— Si nous n'avons pas de nouvelles de votre père ce soir, il faudra nous rendre à Warrenheip Gully demain matin. Voici le camp du gouvernement là, juste devant vous. Je crois que le mieux, c'est que vous m'attendiez ici.

— Pourquoi ?

— La vérité, c'est que je ne leur fais pas confiance, à ces gars de la police. Pas un pour relever l'autre. Et vous êtes une jolie fille.

Selena sourit faiblement. Ses paroles lui faisaient plaisir, même si elles ne se voulaient pas un compliment.

— Vous voulez dire que je pourrais être importunée ? demanda-t-elle.

— Vous pourriez être choquée par certaines choses.

— Je n'écouterai pas. Je les ignorerai.

Will poussa un soupir.

— Si vous le dites… marmonna-t-il. Selena, il y a des prisonniers dans le camp.

— Où donc ?

— Regardez, là-bas, vers ces arbres. Des hommes enchaînés.

Selena les vit, sans toutefois pouvoir distinguer leurs traits.

— Vous pensez que mon père est parmi eux ?

Will confirma d'un signe de tête, lèvres pincées. Lui et ses frères n'étaient pas les seuls à connaître le nom de Trevannick, à Ballarat.

Malgré ses paroles bravaches, Selena eut du mal à ignorer les regards lubriques, les signes et les paroles obscènes des policiers. Refrénant son envie de fondre sur le groupe le plus bruyant pour lui exprimer sa façon de penser, elle garda la tête haute et les yeux fixés droit devant elle.

— Les marins, sur le bateau de mon père, dit-elle à voix basse, traitaient toujours les dames avec respect. Ils gardaient leurs grossièretés pour les moments où ils étaient entre eux.

— Je vous avais prévenue !

Puis, comprenant tout à coup ce que cela impliquait, il s'arrêta de marcher pour la regarder en face.

— Comment savez-vous ce que se racontaient les marins ?

Elle hésita sur l'attitude à adopter : devait-elle rire ou balayer sa question d'un haussement d'épaules ?

— Je m'y entendais pour me promener sur le bateau sans me faire voir, finit-elle par répondre.

À ces mots, elle vit le visage de son interlocuteur changer d'expression.

— Vous me trouvez vulgaire ? s'inquiéta-t-elle.

Will répondit par un signe de tête négatif et précisa :

— Je trouve simplement que vous êtes la fille la plus étonnante que j'aie jamais vue…

Puis, sans transition, il ajouta :

— Selena, préparez-vous à voir celui qui a sans doute arrêté votre père.

La jeune fille se retourna et aperçut l'agent qui lui avait adressé la parole le matin même. L'homme la salua de la tête et, s'adressant à Will, s'enquit :

— Qu'est-ce qui t'amène ici avec cette charmante personne ?

— Cette jeune fille est à la recherche de son père. Nous sommes venus voir si…

Selena, sentant l'antipathie qu'elle avait éprouvée dès la première rencontre se transformer en véritable animosité, le coupa en apostrophant le policier :

— Vous l'avez arrêté ?

— Y en a une cinquantaine qui ont été arrêtés aujourd'hui, répondit l'agent. Ils ont presque tous été relâchés puisqu'ils ont payé leur amende.

Son sourire hypocrite augmenta encore la fureur de Selena.

— Mon père, lui, est justement venu acheter une licence ! protesta-t-elle.

Cette fois, les lèvres souriantes se tordirent un peu sous l'effet d'une légère agressivité.

— Ah oui ? Eh bien, mam'zelle, il aurait dû acheter sa licence sitôt arrivé, jeta le policier.

Will, de son côté, avait quelque difficulté à juguler sa propre colère.

— Tom, est-ce que le capitaine Trevannick est prisonnier ?

— Ah… C'est donc comme ça qu'il s'appelle ? Bien, bien…

Les deux hommes se mesurèrent du regard. Inutile de formuler en paroles ce qu'ils savaient l'un et l'autre. Leur défi muet se prolongea quelques instants, tandis qu'autour d'eux les agents attardés autour des feux de camp manifestaient leur curiosité.

Selena ressentit alors le picotement caractéristique de la prémonition.

Vite, elle se détourna et se dirigea rapidement vers l'endroit où étaient détenus les prisonniers. Cinq hommes étaient enchaînés côte à côte au pied d'un arbre. Elle s'arrêta dans son élan en entendant une voix venue d'une autre direction l'appeler par son nom.

— Père ! s'écria-t-elle.

Il était séparé des autres, entravé à un rondin qui promettait d'être en plein soleil le lendemain, ne lui épargnant pas la brûlure de ses rayons.

Relevant ses jupes, elle courut le rejoindre et, se jetant à genoux, l'enlaça et posa sa tête sur son épaule en versant des larmes amères. Son père lui tapota le dos de sa main libre pour la consoler :

— Ne pleure pas, mon cœur. Ce n'est pas pire que d'être encalminé sous les tropiques avec seulement deux gouttes d'eau potable.

— Ils vous ont enchaîné comme un animal ! protesta-t-elle au milieu de ses larmes.

— Oui, parce que j'ai été arrêté par des animaux.

— Pour quelle raison ? C'est bien pour acheter votre licence que vous êtes monté au camp !

— Oui, mais je suis d'abord allé à Warrenheip Gully pour prendre ce vieux Bill qui n'avait jamais eu de licence. Nous avons été arrêtés ensemble.

— Où est-il maintenant ?

Mais son père ne l'écoutait plus. Selena suivit son regard et sécha ses yeux.

— Père, je vous présente Will Collins. C'est lui qui m'a amenée jusqu'ici.

— Bonjour, capitaine Trevannick.

Will se fit la réflexion qu'il avait devant lui Connor Trevannick tel qu'il serait vingt ou trente ans plus tard.

Les deux hommes se serrèrent la main.

— Merci, jeune homme, dit le capitaine.

— Je vais payer votre amende, monsieur, pour vous faire relâcher, proposa Will.

Le capitaine poussa un grognement.

— S'ils acceptent…

— Père, que voulez-vous dire ? s'exclama Selena, alarmée.

— Pourquoi crois-tu que je sois toujours enchaîné à ce rondin ? J'ai sur moi assez d'argent pour payer les cinq livres d'amende.

Le capitaine désigna Tom Roberts d'un mouvement de tête.

57

— Cet agent préfère me garder ici pendant un jour ou deux.

— Il n'a pas le droit de faire une chose pareille ! Nous allons parler de ce pas au commissaire.

Tendant la main à Will afin qu'il l'aide à se relever, Selena le pria :

— Vous voulez bien m'accompagner auprès du commissaire Rede ?

— Le commissaire ne vous recevra pas à une heure pareille, objecta Will. Restez auprès de votre père. Je m'occupe de l'agent.

Selena s'assit sur le rondin et réfléchit, en proie à une colère muette. Si Will n'obtenait pas la libération de son père, personne ne l'empêcherait d'aller voir le commissaire Rede.

Will et le policier s'étaient éloignés. Ils tournaient le dos aux prisonniers, de sorte qu'il était impossible de saisir fût-ce une bribe de leur conversation.

Au bout d'un certain temps, les deux hommes interrompirent leur conciliabule et se dirigèrent vers le capitaine.

L'agent se pencha sur la chaîne pour la déverrouiller, tandis que Will, bras croisés sur la poitrine, l'observait attentivement comme pour vérifier que l'opération était bien menée. Lorsque le policier se releva, il lui dit :

— Va-t'en, Tom. Nous n'avons pas besoin d'escorte pour sortir du camp.

À nouveau, ils se défièrent des yeux. Un jour, ils en viendraient aux coups, ou pire encore.

Selena aida son père à se remettre debout, tandis que l'ex-prisonnier massait son poignet meurtri.

— Nous pouvons partir, dit Will. Il n'y aura pas d'amende.

— Pas d'amende ? s'étonna Selena.

— Pas d'amende ? répéta le capitaine en écho.

Le visage de Will arborait une expression dure, furieuse, qui n'échappa pas à la jeune fille.

— Tom et moi, nous avons grandi ensemble, expliqua-t-il.

— C'est tout ?

— Oui.

Selena échangea un regard avec son père.

Will se détourna et se mit en route d'un bon pas, prenant la tête de leur groupe. Selena en profita pour chuchoter à l'oreille de son père :

— Il ne nous a pas dit la vérité.

— J'ai l'impression qu'il n'a pas envie de nous répéter la conversation qu'il a eue avec l'agent. Mais tu ne peux pas le lui demander, ma chère enfant.

— Will ! cria Selena. Vous ne voulez donc pas marcher avec nous ?

Le jeune homme se retourna.

— Vous êtes sous la protection de votre père, maintenant. Vous n'avez plus besoin de ma compagnie. Je m'en vais annoncer la nouvelle aux Baxter.

Sur ce, il s'apprêtait à poursuivre son chemin, mais un nouveau cri de Selena l'arrêta :

— Will !

— Bonne nuit, Selena, bonne nuit, capitaine, se contenta de répondre Will.

Le capitaine prit sa fille par les épaules pour prévenir toute nouvelle protestation de sa part.

— Laisse-le partir, mon cœur. Il a besoin d'être seul. Raconte-moi plutôt ta journée.

— Je préférerais que vous me parliez de votre arrestation.

— Plus tard. Qu'as-tu fait depuis ce matin ?

— Pendant la chasse à la licence, j'ai rencontré l'une de nos voisines, Mme Baxter. Elle m'a invitée à prendre le thé. Puis elle a chargé deux de ses fils de rendre notre tente un peu plus confortable. Vous serez enchanté du résultat !

— Qu'est-ce qu'ils ont fait ?

— C'est une surprise… Ensuite, j'ai fait quelques emplettes. C'est encore une surprise.

— Il me tarde d'arriver ! Eh bien, parle-moi donc des Baxter.

Selena s'exécuta, puis ils bavardèrent à bâtons rompus durant tout le trajet. Lorsqu'ils arrivèrent à proximité de leur tente, le capitaine huma l'air.

— Selena… Serait-ce une odeur de curry ? s'étonna-t-il.

La jeune fille passa son bras sous le sien.

— Eh oui ! s'exclama-t-elle. C'est ma surprise !

— Mmm… J'en salive d'avance.

Pendant que Selena s'occupait des derniers préparatifs du repas, son père découvrait les travaux de menuiserie des garçons Baxter.

— Simple, mais pratique. Je vais aller les remercier avant notre départ.

— Comment cela, notre départ ? Que voulez-vous dire ?

— Mangeons d'abord, Selena, je t'en parlerai après.

Le dîner se déroula en silence. Le capitaine resta plongé dans ses pensées, sous le regard de Selena qui se posait mille questions.

— Vous avez aimé le curry ? lui demanda-t-elle alors qu'il sauçait son assiette avec un morceau de *damper*.

— C'était délicieux. Merci, ma chère enfant.

— Maintenant, dites-moi exactement ce qui s'est passé.

— Je suis allé à Warrenheip Gully, dans l'intention de prévenir le vieux Smith des rumeurs de chasse à la licence qui couraient et de me rendre ensuite au camp, à la tente des licences. Selena, tu connais notre ami. Soit il ne lâche qu'un ou deux mots, soit c'est un véritable moulin à paroles.

— Donc, vous étiez toujours avec lui quand les policiers sont arrivés ?

— Oui. Quel fou ! Il a essayé de s'enfuir, alors qu'il aurait dû savoir qu'il n'était pas de taille à faire la course avec de jeunes gars vigoureux.

Le capitaine s'interrompit et tapa du poing sur la table.

— Bon Dieu ! tempêta-t-il. Ils l'ont jeté à terre comme un chien et l'ont bourré de coups de pied. De vraies bêtes sauvages ! Ils nous ont attachés à une corde avec d'autres pauvres diables. Puis ils nous ont forcés à marcher à la queue leu leu, comme une file de malfaiteurs, de Warrenheip à Eureka, ensuite jusqu'à Black Mountain, et retour aux Gravel Pits.

— Ils vous ont obligés à marcher toute la journée ?

— Oui. Sans une goutte d'eau pour étancher notre soif, sans tenir compte de nos autres besoins. Quand l'un de nous tombait, ils le remettaient debout et le forçaient à avancer à la pointe de la baïonnette. À notre arrivée au camp, les familles ou les compagnons nous attendaient avec l'argent de l'amende.

61

— Pourquoi la police ne vous a-t-elle pas permis de payer votre amende ?

— C'est bien la question que je me pose. J'ai l'impression que l'agent, ce Roberts, je crois que c'est comme ça qu'il s'appelle, eh bien, qu'il a changé d'avis en entendant mon nom. Il s'est approché de moi pour me regarder plus attentivement, et il a décidé que je resterais entravé jusqu'au matin.

Le capitaine marqua une pause.

— Tu as l'air troublée, Selena, fit-il remarquer.

— Qu'est-ce qu'il a de particulier, votre nom ?

Le capitaine, qui ne s'attendait pas à cette question, en fut stupéfait :

— Que veux-tu dire ?

— Vous, vous avez l'impression que c'est en entendant votre nom que ce Roberts a décidé de vous garder enchaîné. Moi, cet après-midi, j'ai rencontré Will Collins dans la Grand-Rue, c'est là que nous nous sommes parlé pour la première fois. Lui aussi a eu une réaction étrange en entendant mon nom.

— Comment cela ?

— Il a paru... recevoir un choc. C'est la seule façon de décrire sa réaction. Il a pris congé de moi presque immédiatement.

— Ton Will Collins ne m'a pas semblé embarrassé du tout, ce soir.

— Père ! Ce n'est pas mon Will Collins.

— Certes, mais tu aimerais bien qu'il le soit, répliqua le capitaine avec un petit rire. Tu as rougi d'une façon qui te va très bien.

— Non, je n'ai pas rougi et vous n'avez pas répondu à ma question.

Le capitaine haussa les épaules.

— La réponse, je ne la connais pas, dit-il. Peut-être y a-t-il une personne, ou des personnes du même nom qui se sont trouvées sur les champs aurifères par le passé.

— Non, ce n'est pas la raison. Will nous a dit qu'il avait grandi avec l'agent Roberts. Ils se détestent, et je crois que quelqu'un qui porte notre nom est mêlé à leur différend d'une façon ou d'une autre.

— C'est une supposition à laquelle je peux encore moins répondre. Cesse de torturer ta jolie tête, Selena. Nous allons bientôt quitter Ballarat. Celui qui marchait devant moi dans la file des prisonniers est mineur à Creswick. Il m'a dit qu'on pouvait trouver du bon or alluvionnaire le long du ruisseau. Pour l'instant, il n'y a que deux cents orpailleurs sur le site. Eh bien, Selena, nous allons nous joindre à eux.

— Quand ? s'enquit-elle, au désespoir à l'idée de quitter Ballarat.

— Demain ou après-demain. Bien, il est temps d'aller se coucher. J'avoue que l'idée de dormir dans une couchette me sourit bien après une pareille journée.

2

— Qu'est-ce que t'as, Tom ? T'as l'air mauvais comme si tu t'étais fait filouter.

Tom se tourna vers Mickey Rourke, la mine sombre.

— Pour ça oui. Je me suis fait filouter, et en beauté, confirma-t-il.

Il avait en effet perdu une amende de cinq livres, dont la moitié aurait dû tomber dans sa poche. Si seulement il avait pensé à prendre l'argent avant d'annoncer au prisonnier qu'il ne le relâchait pas...

Maussade, il retourna à sa contemplation des flammes du foyer.

Trevannick, vivant et éclatant de santé, alors qu'à Pengelly, on n'en avait plus entendu parler depuis plus de vingt ans ! Aucun doute, cet homme-là était le père de Connor Trevannick. Et la fille, sa demi-sœur. C'était là un point intéressant. Parce que, s'il n'avait pu se venger des Tremayne et de Trevannick à Burra, il avait à présent une chance de se rattraper d'une façon différente. Oui, il allait y réfléchir, et sérieusement. Mais pour l'heure, tout était trop embrouillé dans son esprit. Il verrait plus tard.

Il se leva, mit son couvre-chef de policier et attrapa son fusil.

Rourke s'enquit :

— Tu t'en vas ?

— Ouais, juste visiter une dame de ma connaissance.

— Hé hé ! Cette connaissance, c'est pas une dame. Faut dire qu'elle gagne son argent sans se fatiguer, suffit qu'elle se mette sur le dos.

Avec un rire gras, Rourke poursuivit :

— C'est pour ça qu'elle est devenue si grosse !

Tom émit un grognement. Les grosses, ce n'était pas sa tasse de thé, mais quand le choix était limité, il fallait bien se contenter de ce qu'on avait. Sur les champs aurifères, où on ne trouvait pratiquement que des épouses respectables et des filles modèles, Mme Boyd, comme toutes les femmes de son espèce, faisait des affaires en or. Sans parler du petit extra que lui rapportait la vente clandestine d'alcool. Non seulement elle soulageait les besoins sexuels de Tom, mais de plus, elle le payait en or afin qu'il la protège des tracasseries policières, garantissant ainsi la pérennité de son commerce.

Le mari était à la maison quand il atteignit la cabane en écorce où elle exerçait. Le bonhomme, un personnage malpropre, leva des yeux injectés de sang, avala d'un trait le contenu de sa chope et sortit. Tom le suivit des yeux avec mépris. Prématurément vieilli par l'alcool, l'homme semblait plus proche des soixante ans que de ses quarante. Il trouverait bien un autre endroit où se soûler pendant que sa femme était à la tâche. Un matin, quelqu'un le retrouverait mort par terre, ou noyé au fond d'un puits. C'était souvent ainsi que les alcooliques finissaient leurs jours.

Quelque deux heures plus tard, Tom quitta une Mme Boyd qui, allongée sur son lit dans le plus simple appareil, ronflait comme un sonneur. C'était traditionnel. Sa fatigante besogne terminée, elle s'endormait immanquablement. Le spectacle des plis adipeux de sa chair pâle le dégoûta, alors que, pendant qu'il s'activait, il n'en avait cure.

En proie à un agréable vertige, les sens apaisés grâce à l'hospitalité de Mme Boyd, Tom s'accorda une pause de quelques instants devant la cabane pour inspirer une bonne bouffée d'air nocturne. À présent qu'il s'était détendu, il se sentait capable de réfléchir.

Il retourna lentement au camp plongé dans le silence. Ses collègues dormaient déjà dans les tentes, et les feux de camp étaient réduits à l'état de braises rougeoyantes. Les deux seules personnes éveillées étaient les hommes qui gardaient la tente où était entreposé l'or, attendant qu'une escorte puisse s'en charger jusqu'à Melbourne. Les prisonniers eux-mêmes s'étaient endormis contre leur arbre.

Tom s'assit sur une souche près d'un feu. Il sortit sa blague à tabac et bourra sa pipe. À l'aide d'une brindille qu'il enflamma aux braises, il l'alluma.

Les yeux fixés sur le feu, il s'efforça de réfléchir pour s'apercevoir rapidement que son esprit était encore en ébullition. Le meilleur moyen de faire le tri était de reprendre tout depuis le début.

C'était en 1845, quand il travaillait sous terre avec Will Collins à la mine de Wheal Pengelly. La mine appartenait à M. Tremayne, un propriétaire terrien qui ne s'en approchait jamais. Il en laissait la direction à son pupille, Connor Trevannick. C'était la belle époque, pour Tom, celle où il aimait Caroline Collins

66

et l'avait demandée en mariage… Sauf qu'elle avait fauté avec Rodney Tremayne, et s'était jetée, elle et le bébé qu'elle portait, dans l'ancien puits de la mine.

C'était lui, Tom, qui avait remonté le corps. À dater de ce jour, il avait juré de se venger des Tremayne. Il pensait avoir perdu toute chance de le faire lorsque cette traînée de Milly l'avait pris au piège en le forçant à l'épouser, et qu'ils avaient suivi la famille Collins en Australie méridionale pour travailler dans la grande mine de cuivre de Burra. À cette époque, Will et lui étaient toujours amis. Ils formaient une équipe, Will, Hal, Tommy et lui-même ; ils gagnaient du bon argent.

Mais un jour de 1851, Connor Trevannick et Jenny Tremayne avaient débarqué à Burra et le goût de la revanche avait refait surface. Jenny Tremayne était trop innocente pour comprendre que, s'il lui faisait du charme, c'était avec une idée derrière la tête. D'avance, il savourait sa victoire. Il lui ferait un enfant puis abandonnerait la fille à son désespoir. Peut-être même, comme Caroline, se donnerait-elle la mort. Malheureusement, il n'avait pas eu le temps de mettre son projet à exécution, car elle avait quitté Burra.

Mais maintenant, il tenait une deuxième chance : le père de Connor Trevannick et sa demi-sœur étaient à Ballarat. Will Collins les connaissait. Là se trouvait peut-être l'occasion de satisfaire ce besoin de vengeance qui ne l'avait jamais complètement quitté. La fille était séduisante. Puisque Jenny Tremayne était repartie en Cornouailles, et donc hors d'atteinte, la fille Trevannick ferait tout aussi bien l'affaire.

Assis dans le noir au cœur de la nuit, devant le feu qui mourait à ses pieds, Tom songea au moyen d'approcher la fille de plus près. D'abord trouver les mots pour la convaincre qu'il regrettait d'avoir arrêté son père. Quand elle cesserait ses regards assassins, il entamerait une cour assidue jusqu'à ce qu'elle lui tombe toute rôtie dans les bras.

Une nouvelle idée le fit éclater d'un rire mauvais. Pour peu que le hasard guide les pas de Connor Trevannick jusqu'à Ballarat, cet arrogant personnage serait témoin du désespoir de sa sœur, et sa vengeance à lui n'en serait que meilleure.

Selena, étendue sur sa couche, se demanda ce qui l'avait réveillée. Peut-être était-ce seulement le trouble de son esprit, le malaise qui l'avait maintenue dans un état de demi-sommeil. Son père ronflait doucement de l'autre côté de la tente. Des bruits auxquels elle s'était rapidement accoutumée lui parvenaient de l'extérieur : le cri d'un oiseau nocturne, le *boum boum* sourd d'un wallaby qui passait, le bourdonnement des insectes.

Tout était calme, paisible, en ces petites heures du matin. Elle repensa aux nuits tranquilles sur l'*Island Princess*, lorsque les seuls bruits audibles étaient le doux clapotis des vagues contre la coque et les grincements du gréement. Bien souvent, alors, elle se faufilait hors de sa cabine pour gagner son endroit préféré près de la poupe. Là, elle s'asseyait pour mieux savourer la caresse de la brise de mer sur son visage, les yeux levés vers le ciel pour contempler les étoiles. Parfois, la traîne lumineuse de quelque étoile filante lui faisait la surprise de traverser la nuit et lui offrait le plaisir secret de formuler un vœu. Il arrivait qu'il se réalise.

Obéissant à une impulsion, elle se leva avec précaution et marcha nu-pieds jusqu'au seuil de la tente. Elle repoussa le rabat et sortit. Çà et là, telles de gigantesques lucioles, les vestiges d'un feu de camp luisaient doucement.

Le soir, masquées par les lueurs orangées jetées par des centaines de feux, les étoiles demeuraient discrètes. Mais à cette heure, le ciel de velours bleu nuit offrait un merveilleux écrin aux astres qu'elle aimait.

Là-bas, c'étaient la Croix du Sud et ses deux étoiles en flèches. Un jour, elle serait capable d'en identifier bien d'autres, dans ce ciel du Sud ; elle les connaîtrait aussi bien que celles avec lesquelles elle avait grandi. Son père lui avait appris le nom de celles de l'hémisphère nord quand elle était toute petite. Allongée à côté de lui sur le pont de l'*Island Princess*, elle suivait la ligne de son doigt lorsqu'il lui désignait les constellations. À quatre ans, elle avait déjà fait son premier vœu devant une étoile filante. Si cette nuit, elle avait la chance d'en apercevoir une, elle formulerait celui que son père trouve de l'or, afin qu'il puisse remplacer son cher bateau et retrouver cette mer qu'il aimait tant.

Une sorte de grognement, étranger aux autres bruits de la nuit, l'arracha à ses pensées. Elle tourna la tête vers la tente des Baxter. Un bruit mat fut suivi d'un nouveau grognement. Elle perçut le mouvement d'ombres sombres et distingua alors les silhouettes de deux hommes. Ils étaient en train de se battre.

Avec angoisse, la jeune fille jeta des regards alentour. Dans les autres tentes, c'était le silence, tous semblaient dormir. Mais dormaient-ils vraiment ? Ne préféraient-ils pas suivre la lutte à l'abri, oreille tendue ? Les anciens, forts de leur expérience, leur avaient conseillé, à son père et elle, de ne jamais intervenir, fût-ce devant le crime le plus odieux, sous peine de subir le même sort que la victime.

Dans leur lutte acharnée, les deux hommes s'étaient déplacés dans son champ de vision. Selena se recroquevilla sur elle-même. Si l'un d'eux regardait de son côté, il ne manquerait pas de voir sa chemise de nuit blanche. Mieux valait écouter les conseils et rentrer. Cette bagarre ne la regardait pas.

Au moment où elle tendait la main vers le rabat, elle entendit le bruit à nul autre identifiable d'un corps qui heurtait le sol.

Le picotement familier de la prémonition la parcourut. La mort planait, toute proche. Selena se retourna et vit un homme à terre, inerte, son adversaire dressé au-dessus de lui, jambes écartées. Pendant quelques secondes, il n'y eut aucun mouvement. Puis, brusquement, l'homme debout s'avança, donna un violent coup de pied dans les côtes de l'homme étendu de tout son long. Il le frappa une nouvelle fois, puis une troisième. Ensuite l'homme à terre roula sur lui-même et disparut.

La jeune fille porta les mains à sa bouche pour étouffer un cri d'horreur. La mort était là, au fond de ce puits profond. Elle avait été témoin d'un meurtre.

Au même moment, le meurtrier tourna la tête dans sa direction. D'un mouvement vif, elle s'accroupit, dans l'espoir vain que sa chemise de nuit se fondrait avec le blanc de la tente, et tourna la tête pour éviter que ses yeux ne luisent dans les ténèbres. L'assassin était trop loin pour qu'elle distingue son visage, mais elle le vit en esprit, et sut qu'elle le reconnaîtrait s'ils devaient se rencontrer.

Ce qu'elle avait vu la mettait en danger de mort.

Le meurtrier regarda dans sa direction pendant de longues secondes, au cours desquelles elle resta parfaitement immobile, tout en le surveillant du coin de l'œil. Combien de temps resterait-il ainsi ? Combien de temps pourrait-elle tenir dans cette position inconfortable, le cœur battant si fort qu'elle en avait la poitrine douloureuse ?

À pas lents, il se dirigea vers elle. À cet instant, un martèlement sourd arracha un petit cri de surprise à la jeune fille sur les nerfs. L'homme tourna la tête, attiré par le bruit. Elle en profita pour se glisser dans la tente, pleine de reconnaissance envers ce kangourou qui était apparu à point nommé.

Dans la tente, elle s'allongea par terre, à l'affût. En entendant l'homme se rapprocher, elle sentit la sueur jaillir par tous les pores de sa peau. Son cœur cognait dans sa poitrine, sa gorge était contractée à l'étouffer, mais son esprit était d'un calme mortel. Elle roula sur le côté, attrapa le revolver de son père. Les pas stoppèrent. Elle s'assit avec précaution, tenant à deux mains le revolver pointé vers l'entrée. À l'extérieur, elle distingua ce qui était sûrement l'ombre de l'homme. Son cœur bondit et ses doigts se resserrèrent autour de la crosse du revolver. L'ombre bougea. Elle relâcha la pression sur la détente. Il y eut un bruit de pas qui s'éloignaient.

Pendant une bonne minute, elle resta immobile, aux aguets. Rien. À bout de forces, elle se laissa aller sur le dos, sans pour autant lâcher son arme.

Elle la garda en main jusqu'à ce que la sueur eût séché. Elle se tourna sur le côté pour se reposer – inutile de retourner se coucher, elle ne dormirait pas –, la main près du revolver qu'elle avait posé par terre, à côté d'elle.

Malgré sa terreur, elle avait dû s'endormir car elle fut réveillée par l'agitation qui régnait dehors. La tente était vide.

Elle s'habilla rapidement et sortit en hâte, surprise de constater que le soleil était déjà haut dans le ciel. Comme elle s'y attendait, un groupe de gens était massé autour d'un puits. Son père était parmi eux. Elle n'avait nul besoin d'aller rejoindre les curieux.

Tournant le dos à la scène, elle entreprit d'allumer le feu pour préparer un petit déjeuner tardif.

Le thé était prêt et le *damper* coupé en tranches et grillé lorsque son père revint. Il remplit sa tasse et remercia Selena de l'assiette de toasts et de jambon qu'elle lui tendait. Mais il ne souffla mot de ce qu'il avait vu.

Selena attendit qu'il eût fini ses toasts et se fût servi une deuxième tasse de thé avant de déclarer :

— J'ai vu cet homme se faire tuer cette nuit.

Il réagit vivement :

— Tuer ? Ce n'était pas un accident ?

— Non.

Son père scruta son visage.

— De quelle manière as-tu vu la scène ?

Selena secoua la tête en réponse à la question qu'il n'avait pas formulée.

— Je m'étais réveillée et j'étais sortie pour aller voir les étoiles. J'ai vu deux hommes en train de se battre dans l'ombre. L'un d'eux est tombé, et l'autre l'a poussé à coups de pied dans le puits.

— On t'a vue ? interrogea son père d'une voix brève, inquiète, les sourcils froncés.

— Je ne sais pas, répondit-elle en fronçant les sourcils à son tour. J'ai entendu quelqu'un s'approcher de notre tente juste après.

Son père lui saisit la main.

— Selena, si tu as vu le meurtre, tu es peut-être en danger, surtout si tu as vu le visage de l'assassin.

— J'ai vu son visage, père... Mais il ne se doute pas que je peux l'identifier.

— Ah ! Je comprends. Tu veux parler à la police une fois qu'elle sera là ?

— Non, père. Je veux que nous fassions nos bagages et que nous partions immédiatement. Je n'aurais pas vu son visage aussi clairement si je n'étais pas appelée à le revoir un jour.

— Tu as peut-être raison. Parfois, ma chère enfant, souvent même, j'aurais préféré que tu n'aies pas hérité du don de ta grand-mère maternelle.

— Pas autant que moi ! La seule fois où j'aurais été heureuse de prévoir l'avenir, cela m'a été refusé.

Elle tourna la tête afin de cacher à son père l'amère culpabilité dont elle ne parvenait pas entièrement à se débarrasser.

Mais cela n'avait pas échappé au capitaine, lequel lui prit les deux mains.

— Selena, nous en avons parlé très souvent. Il faut que tu cesses de te faire des reproches.

— Mais j'aurais dû prévoir que le danger rôdait sur l'*Island Princess* !

73

Les larmes jaillirent. Elle cligna des yeux pour les chasser.

— Allons, allons, je t'interdis de parler ainsi.

Sans lui lâcher les mains, son père attendit qu'elle se ressaisisse avant de poursuivre :

— Nous allons nous contenter de penser à l'or qui nous attend, et au nouveau bateau que je vais construire.

La jeune fille parvint à sourire.

— Mon don de clairvoyance serait le bienvenu si je pouvais savoir exactement où trouver une grosse pépite.

Le sourire de son père répondit au sien.

— Tu dis vrai. Peut-être la chance nous attend-elle à Creswick Creek.

Le démantèlement de leur tente et le chargement de leurs sacs et de leurs autres possessions sur la charrette à bras ne prirent que peu de temps. Mme Baxter, déçue de les voir partir, leur souhaita bonne chance.

— Tu es une petite bien courageuse pour te rendre à pied à Creswick Creek. Mais je vois que tu as de bonnes chaussures aux pieds et un bon chapeau sur la tête.

— Nous avons marché pendant des centaines de kilomètres lorsque nous sommes venus de Melbourne, madame Baxter. Les trente-cinq petits kilomètres qui nous séparent de Creswick Creek ne sont rien en comparaison.

— Tu en remontrerais à bien des hommes, ma brave petite. Capitaine, prenez bien soin de votre fille !

— Ne craignez rien, madame Baxter. Il ne lui arrivera rien de mal, j'y veillerai !

— Eh bien, bonne chance, et que Dieu vous protège.

Leur départ n'éveilla pas plus d'intérêt parmi la population des mineurs que leur arrivée. Tous étaient trop affairés pour y prêter attention.

Selena espérait ardemment revoir Will, l'homme qui alimentait ses rêves secrets. Mais, lorsqu'ils passèrent devant le puits des Collins, ils n'aperçurent nulle trace des trois frères. Selena tenta de chasser sa déception. Il lui fallait être patiente. Un jour, leurs routes se croiseraient à nouveau. Elle le savait, non parce qu'elle possédait le don de prévoir l'avenir, mais parce qu'elle le sentait dans son cœur.

Ils s'approchaient d'une boutique lorsqu'une idée soudaine lui traversa l'esprit. Elle attrapa son père par le bras.

— Père !

Il s'arrêta net.

— Qu'est-ce qu'il y a ? Tu as vu le… l'homme ?

— Non. Mais la boutique, là, m'a donné une idée. Si le meurtrier est à mes trousses, il recherche une femme. Je vais donc acheter des vêtements d'homme, ainsi je deviendrai un garçon !

Le capitaine réfléchit quelques instants avant d'accepter.

— Oui… Peut-être aurais-tu dû naître garçon, d'ailleurs, à en juger par ta hardiesse. Bien. Je suis sûr que tu seras plus à l'aise en pantalon qu'en jupe. Mais je pense qu'il vaut mieux que ce soit moi qui me charge des achats. Attends-moi dehors.

Son père ne mit pas longtemps avant de ressortir. Il ajouta ses emplettes au contenu de la charrette et donna le signal du départ. Ils n'avaient pas fait plus de vingt pas lorsque Selena ressentit le besoin de regarder en arrière. Un homme était en train d'entrer dans la boutique. Son visage était celui qu'elle ne devait jamais oublier.

Elle fit vivement volte-face, de crainte qu'il ne tourne la tête vers eux.

— Père, dépêchons-nous ! dit-elle en hâtant le pas.

Son père comprit aussitôt.

— Tu as vu le meurtrier !

— Oui. Quelle chance vous avez eue d'être servi aussi rapidement, autrement, il m'aurait vue devant la boutique !

— Dès que nous aurons trouvé un endroit propice, tu changeras de vêtements.

Au bout d'une heure de marche, ils parvinrent à la hauteur d'un petit bois touffu. Le capitaine relégua la charrette à l'ombre des arbres.

— Si d'aventure quelqu'un passait, il penserait simplement que je me repose et que toi, tu satisfais un besoin naturel.

— Je vais faire vite. Pendant que je me change, essayez de trouver les ciseaux dans mon sac.

Devant le visage interrogateur de son père, Selena précisa en souriant :

— Il va falloir que vous me coupiez les cheveux. Je ne peux pas les cacher sous un chapeau pour l'éternité.

Le capitaine émit un soupir, cachant mal sa tristesse :

— Si ta mère était vivante, elle serait horrifiée de voir tes beaux cheveux sacrifiés ainsi.

Puis il s'arma de courage et s'attela à la tâche, cependant qu'à chaque coup de ciseaux, la jeune fille luttait plus âprement contre les larmes qui menaçaient de prendre le dessus.

— Si maman était vivante, nous ne serions pas dans cette situation, ni l'un ni l'autre.

L'opération se déroula en silence.

— Quand je déciderai de redevenir une fille, ils ne mettront pas longtemps à repousser, se rassura Selena en passant ses doigts dans ses cheveux coupés à hauteur d'oreille.

Puis, regardant ses cheveux amassés sur le sol, elle ajouta :

— Qu'allons-nous en faire ?

— Nous allons les garder, bien sûr, décréta son père. Si l'argent venait à te manquer, tu pourrais vendre tes tresses.

Aussi ramassèrent-ils les cheveux de Selena pour les attacher soigneusement avec une bande de tissu. Avant de reprendre la route, le capitaine scruta le visage de sa fille.

— Tu passeras sans problème pour un jeune garçon aux joues fraîches. Dis-moi, comment s'appelle mon fils ?

Selena réfléchit, la tête penchée sur le côté. Puis :

— Je pense qu'il devrait s'appeler Selwyn. Lorsque vous vous tromperez, vous pourrez vous reprendre facilement : Selen... Selwyn !

— Allez, viens, jeune filou. La route est encore longue jusqu'à Creswick.

Joshua Winton était bien trop plongé dans ses pensées pour prendre garde à l'homme et à la fille qui

77

s'éloignaient de la boutique. Il lui fallait un pantalon neuf. Les traces de sang qui maculaient celui qu'il portait étaient généreusement recouvertes de boue. Lorsqu'il l'aurait troqué contre un neuf, il le jetterait dans l'un des puits qui servaient de cabinets d'aisances communaux. Ainsi, la preuve de sa culpabilité serait enterrée là où personne n'irait la chercher.

Le dernier reste d'humanité qu'il conservait en lui était consterné par la mort qu'il avait causée la nuit précédente. Mais ce vieil imbécile aurait dû rester dans sa tente au lieu d'intervenir.

Il avait passé des jours entiers à observer les mouvements des deux mineurs qui remontaient l'un après l'autre les seaux de marne riche en or. Lui qui frôlait l'indigence avait vu là une occasion d'améliorer sa condition. Pourquoi s'échiner à creuser quand l'or était là, à portée de main ?...

Joshua sortit de sa poche sa bourse remplie de petites pépites et la fit claquer sur le comptoir.

— J'ai de l'or à vendre. Vous m'en donnez combien ?

Le boutiquier saisit le sac sans mot dire et l'ouvrit.

— Y en a quelques bonnes onces. Voyons voir combien ça pèse.

Il entreprit de poser les pépites sur l'un des plateaux de la balance.

— Attendez ! l'arrêta Joshua, qui avait été grugé par un acheteur au Mont Alexander et connaissait la manigance.

Il reprit ses pépites, ce qui lui valut un regard vindicatif de la part du marchand.

— Qu'est-ce que vous faites ? Votre or, vous voulez le vendre, oui ou non ?

— J'en veux un prix honnête.

Joshua plaça un poids d'une once sur chaque plateau. L'un d'eux s'affaissa légèrement plus bas que l'autre.

Il regarda le commerçant derrière son comptoir.

— Alors comme ça, tu veux voler un gars qui gagne son or à la sueur de son front ?

Le marchand poussa de hauts cris :

— Non, non ! Je comprends pas. La dernière fois que j'ai utilisé la balance, elle était juste. Mais c'est rien, ça, la différence est pas bien grande.

Ses protestations étaient accompagnées de regards nerveux vers la clientèle présente.

— On peut peut-être s'arranger, monsieur.

— Certainement. Quand t'auras pesé mon or, tu rajouteras dix pour cent de poids en plus pour ta peine.

Le visage du boutiquier vira au cramoisi. Il semblait au bord de l'apoplexie.

— Impossible !

— C'est ce qu'on va voir !

Joshua sortit son revolver de sa poche et le fit tourner entre ses mains comme pour le vérifier, puis le fit passer dans sa main droite et sourit au commerçant qui le regardait, tétanisé.

— Je vais t'acheter quelques petites choses si tu m'en donnes un bon prix. Sinon…

Il termina sa phrase par un haussement d'épaules.

— Vous êtes un criminel ! Menacer un honnête homme ! Je vais appeler la police.

Joshua ne se départit pas de son sourire.

— Pendant que tu pèses mon or et que tu comptes mon argent, je goûterais bien un verre de cet alcool que t'as caché sous le comptoir.

L'homme lui décocha un regard furibond, se baissa et refit surface avec un petit verre d'alcool. Joshua en avala une lampée et suivit de près la pesée tout en observant avec satisfaction les effets du pouvoir de l'intimidation. L'autre n'avait aucune envie que la police vienne tourner autour de sa boutique. Les représentants de l'ordre, même corrompus, étaient implacables vis-à-vis de ceux qui vendaient de l'alcool sous le manteau. Ils confisquaient sans distinction toute la marchandise du fautif avant de mettre le feu à la baraque.

Peu après, Joshua quitta la boutique avec un lot de vêtements neufs, bottes et chapeau compris, un pantalon de rechange avec une chemise à porter pour les sorties, et assez d'argent pour s'installer à l'hôtel pendant plusieurs jours. Il avait tout prévu. Afin d'éviter les questions dérangeantes, il change- rait d'hôtel toutes les semaines. Les acheteurs d'or ne manquaient pas. Il n'aurait pas à avoir recours deux fois de suite au même. Tout ce qu'il avait à faire, c'était éviter d'éveiller les soupçons. Il aurait bientôt assez d'argent pour mettre le cap sur Melbourne et mener la grande vie.

Par pure perversité, après avoir pris une chambre au *Star Hotel*, s'être lavé et changé, il retourna aux Gravel Pits, convaincu que la fille qui avait été témoin du crime ne le reconnaîtrait pas. Elle ne pouvait pas l'avoir clairement distingué dans l'obscurité, mais lui l'avait bien vue. Et ce n'était pas la première fois. Car en même temps qu'il épiait les gars qui travaillaient dans leur puits, il l'avait observée. Il avait été intrigué par la couleur légèrement foncée de sa peau. Il aimait les filles au teint sombre, les filles aux cheveux noirs. Surtout les Aborigènes.

Plusieurs personnes entouraient le puits qu'il avait dévalisé pendant la nuit. On avait donc mis toute la matinée à remonter le corps...

Une femme recula avec un cri. Joshua se détourna. Il n'avait aucune envie de regarder le visage de l'homme qu'il avait tué. Il se demanda si la fille était parmi les gens qui se pressaient autour du puits. C'est alors qu'il s'aperçut avec incrédulité qu'il y avait un emplacement vide à l'endroit où la tente s'élevait encore la nuit précédente.

L'intensité de son soulagement lui révéla combien il craignait que la fille pût l'identifier. Le père et la fille n'étaient sûrement pas partis loin. Il allait devoir ouvrir l'œil. Mais, pour le moment, il n'avait pas à s'inquiéter.

D'un pas nonchalant, Joshua descendit au ruisseau les mains dans les poches, en sifflotant.

Will et Hal Collins étaient en train de travailler au berceau. Tommy était retourné au puits pour rajouter une pièce à la cheminée de toile. En effet, c'était à leur jeune frère, qui avait appris le travail du cuir durant leur séjour forcé à Harvey's Run, que revenait la tâche de coudre les toiles.

Ils avaient atteint le sommet de la marne rouge. En dessous, ils trouveraient la strate de marne bleue qui contenait les plus grosses pépites. Jusqu'alors, l'argile rouge leur avait livré plusieurs pépites de la taille d'un petit pois. Hal était en train d'en montrer une assez grosse à son frère lorsqu'il reconnut de loin Joshua Winton.

81

— Regarde qui voilà, chuchota-t-il.

Will suivit son regard et ses yeux s'étrécirent. Joshua Winton n'était pas en odeur de sainteté chez les Collins.

— Je me demande si Adam est là aussi, dit-il.

Au contraire de Joshua, voir Adam lui aurait fait plaisir. Ils s'étaient liés d'amitié, Adam et lui, lors du voyage qui les avait amenés d'Angleterre, des années auparavant. Les jeunes des familles Collins et Winton avaient tous à peu près le même âge, et cette similitude les avait rapprochés. Will et Adam, Hal et Joshua, Meggan et Anne.

Chacune des deux familles avait suivi sa propre route une fois à Adélaïde, les Winton s'établissant sur les rives du Murray, et les Collins à Burra, pour travailler dans la grande mine de cuivre. Leurs chemins s'étaient à nouveau croisés à Adélaïde plusieurs années plus tard. C'était là que Joshua avait révélé le mauvais côté de sa nature lors d'une équipée désastreuse, pour le malheur de Hal qui en avait subi les rudes conséquences.

Ce dernier, qui devinait le cours qu'avaient pris les pensées de son frère, était heureux que Will n'ait jamais su tous les détails de la nuit de débauche qu'ils avaient passée à Adélaïde. La nuit où il avait été entraîné à boire jusqu'à plus soif, et à faire une chose qu'il regretterait sa vie durant.

Lui qui avait espéré ne plus jamais se retrouver en face de Joshua Winton le voyait à présent approcher, s'attendant visiblement à être accueilli à bras ouverts.

— Hal ! Will ! Quelle bonne surprise ! Je me demandais si j'aurais la chance de tomber sur vous un jour, fit-il tout en se penchant sur le berceau.

Hal enfouit prestement au fond de sa poche la pépite qu'il tenait.

— Alors, vous avez trouvé de l'or ? s'enquit Joshua.

— Ça va, ça vient, répondit Will avec prudence. Qu'est-ce que tu fais à Ballarat ?

— La même chose que tout le monde. J'espère tomber sur le filon qui me rendra riche.

Hal lui jeta un regard dénué d'aménité.

— À te voir, tu n'as pas l'air de creuser beaucoup.

— Ah, tu me trouves trop propre, c'est ça ? À la vérité, je reviens du Mont Alexander. J'ai eu pas mal de chance là-bas. J'ai assez d'or pour tenir, le temps que je voie un peu ce qu'y a de bon à prendre à Ballarat.

— Où est Adam ?

Joshua répondit à la question avec un haussement d'épaules qui signifiait qu'il n'en savait rien et que ça lui était égal :

— À la maison, à Riverview, je suppose.

Will s'abstint de commentaire.

Par les lettres de Meggan, sa sœur, qui lui donnait parfois des nouvelles de la famille Winton, il avait appris que Joshua avait quitté Riverview après une grave altercation avec ses parents. Peut-être la plaie n'avait-elle jamais guéri.

Joshua s'accroupit, une main tendue vers un reflet d'or émanant du berceau. Il fut rudement remis sur pied par Hal.

— Touche pas à notre or.

— T'as retrouvé ta langue ? persifla Joshua. Je croyais que t'étais devenu muet.

— J'ai rien à te dire. Je préfère que tu fiches le camp d'ici et que tu t'approches plus jamais de nous.

L'autre parut sincèrement abasourdi :

— Qu'est-ce que je t'ai fait ? Hé, on était amis !

— Depuis l'histoire d'Adélaïde, c'est terminé.

— Ah, cette histoire de jeu ? Je vois pas le problème. Y a rien eu de cassé.

L'expression de Joshua donna à Hal l'envie de lui envoyer son poing dans la figure.

— Si, y a eu beaucoup de choses de cassées, répliqua-t-il, avant de regretter aussitôt ses paroles en voyant une lueur de mauvais aloi s'allumer dans les yeux de Joshua.

Une vague de panique le parcourut à l'idée de ce qu'il pouvait révéler. Aucun de ses frères n'avait connaissance des actes répréhensibles qu'il avait commis, entraîné par Joshua, pendant leur nuit de beuverie à Adélaïde.

Will reprit alors la parole :

— Hal a raison. Tu as fait beaucoup de mal à notre famille. Plus personne ne veut être ton ami, chez nous.

Toute l'amertume qui rongeait Joshua depuis l'instant où ses parents l'avaient flanqué à la porte remonta tel un flot de bile.

— C'est à moi que vous jetez la pierre, alors que c'est Hal qui a joué votre argent ! hurla-t-il. Ton frère, c'est pas un saint. Je peux...

Le poing de Hal s'abattit sur son menton et envoya Joshua au sol. Une seconde plus tard, il s'était redressé et chargeait son adversaire, lequel l'esquiva prestement. Il trébucha et s'étala à plat ventre, sous les rires de deux mineurs qui s'étaient arrêtés de creuser pour assister au spectacle. Bouillant de rage, il se releva lentement et se tourna vers les deux frères.

Hal se tenait prêt à frapper à nouveau.

Will regardait Joshua avec mépris.

— Va-t'en, dit-il.

— Très bien. Mais je vais par là ! cracha-t-il.

Les deux frères le regardèrent s'avancer vers eux, prêts à parer une agression. Hal recula d'un pas sur son passage. À peine avait-il reculé que Joshua pivota sur lui-même et lui envoya son poing dans la figure. Hal répliqua aussitôt. Les choses devenaient sérieuses.

De même carrure, en parfaite santé l'un comme l'autre, les deux belligérants étaient à égalité. Ils se battirent en rendant coup pour coup. L'un des deux tombait-il à terre que, déjà, l'autre était sur lui pour le relever. Les spectateurs qui s'étaient amassés autour d'eux les encourageaient, allant jusqu'à prendre des paris.

Joshua se battait à la loyale, mais peu à peu, la colère qui l'animait prit le dessus. Il envoya son poing sous la ceinture de son adversaire, qui recula en chancelant.

La douleur était si vive que Hal n'avait aucune chance de garder son équilibre sur la rive glissante et s'écroula à plat dos dans l'eau. Aussitôt, l'autre se jeta sur lui, l'écrasant de tout son poids. Hal comprit alors que Joshua tentait de le noyer et se débattit avec l'énergie du désespoir jusqu'à ce que Will, épaulé par deux mineurs, vole à son secours. Son assaillant fut repoussé.

Hal se redressa à moitié et se frotta les yeux pour chasser l'eau boueuse. Il vit Joshua s'éloigner après s'être débarrassé de l'emprise d'un Will fou de rage retenu par une grappe humaine. Incapable de se relever, il resta assis dans le ruisseau en attendant que son frère l'aide à se remettre debout.

— Mais quel bougre d'imbécile tu fais, Hal ! Quelle mouche t'a piqué de le frapper ?

— Y a longtemps que je lui devais ça.

Hal lâcha un gémissement et fit jouer son épaule douloureuse.

— Nom d'un chien, j'ai mal partout ! se plaignit-il.

— Allez, viens, on rentre.

Sur ces entrefaites, Tommy accourut aussi vite que le lui permettait sa jambe abîmée.

— Hal, on m'a dit que t'étais en pleine bagarre ! Tu es blessé ?

— Me voilà dans un drôle d'état. Bon Dieu ! Demain, je serai incapable de lever le petit doigt !

— J'aide Will à porter le berceau, et après, je file chez l'apothicaire t'acheter un onguent.

— T'occupe pas du berceau, intervint Will. Va chez l'apothicaire.

Hal suivit des yeux son jeune frère qui s'éloignait en boitant.

— Peut-être que Tommy serait pas devenu infirme, si on n'avait pas rencontré les Winton à Adélaïde, dit-il avec amertume.

— Hein ? Pourquoi tu dis ça ?

— Si on a quitté Adélaïde plus tôt que prévu, c'est à cause de Joshua. Si on l'avait pas fait, peut-être que le cheval qui tirait la charrette aurait pas été effrayé par les wallabys et que Tommy se serait pas cassé la jambe.

Will signifia son désaccord par un grognement :

— On croirait entendre Meggan ! Elle est toujours en train de parler de destin et de chance.

— Ah, Meggan... J'aimerais bien la revoir, elle et notre petite-nièce... Et Ma aussi, ajouta pensivement Hal.

— Oui, je sais. Mais Burra, c'est loin. On n'y est même pas allés pour l'enterrement de Pa, et Ma, on ne la verra pas avant que Meggan l'emmène en Cornouailles.

— Je me demande si Meggan reviendra en Australie, une fois qu'elle se sera chargée de l'installation de Ma.

— Elle restera peut-être en Angleterre pour chanter à l'opéra, c'est son rêve. Je vais lui écrire ce soir. Lui raconter ce qu'on fait en ce moment.

Lui parlerait-il de l'arrivée du capitaine Trevannick et de Selena ? Il risquait de réveiller des souvenirs douloureux pour sa sœur. Même s'il n'avait jamais approuvé leur liaison, il savait que Meggan avait sincèrement aimé Connor Trevannick. Mais il n'avait jamais été véritablement convaincu que l'amour était réciproque.

Hal interrompit ses pensées.

— Regarde, Will, ils sont partis.

— Qui donc ?

— L'homme et la fille. Ceux qui sont des Trevannick, comme tu l'as dit.

Will considéra l'emplacement vide avec surprise.

— Selena ne m'a pas dit qu'ils prévoyaient de partir, s'étonna-t-il.

Quelle pouvait être la cause de ce départ soudain ?.

— Selena, hein ? répéta son frère, le visage barré d'un large sourire. Et vous vous connaissez que depuis hier soir !

— Ferme-la, Hal !

— Eh bien ! Si ça te contrarie autant, c'est qu'elle doit vraiment être à ton goût.

— Si ça te fait plaisir…

En vérité, oui, elle lui plaisait, cette fille. Elle était directe, intelligente, courageuse, possédait une beauté particulière. Malgré ses liens familiaux avec les Trevannick, s'ils existaient, il aurait aimé la connaître mieux. Il se demanda s'il la reverrait un jour.

Plus tard dans la soirée, pendant que Hal soignait ses plaies et ses bosses au lit et que Tommy réparait une selle pour l'un de leurs voisins, Will écrivit à Meggan.

Chère Meggan,

Tes frères sont en bonne santé et espèrent qu'il en va de même pour toi, Ma et ta petite Etty. L'or facile à trouver sous la surface a été pris presque entièrement mais il y a des couches plus riches qui se trouvent loin sous la surface. Les chasseurs de chimères qui espèrent devenir riches par un coup de chance se ruent vers les terres aurifères découvertes dernièrement, persuadés qu'ils vont trouver la pépite de leur vie. Il y en a toujours un qui tire le gros lot. Mais la plupart, non.

Après avoir creusé dur dans notre puits pendant dix semaines, nous avons enfin atteint la marne rouge. Tout du long, même dans le sol noir et le gravier, nous avons trouvé un peu d'or. Cet après-midi, nous avons lavé nos premiers berceaux de marne rouge et nous en avons récolté six onces. Je suis sûr que, quand nous fermerons ce puits, nous serons devenus riches.

On parle souvent entre nous de ce qu'on fera quand ce moment arrivera. Hal a toujours l'ambition d'avoir son propre bateau. Tommy n'est pas très enthousiaste pour se joindre à lui dans cette aventure. Il rêve de s'installer comme sellier.

Moi, j'ai envie de continuer à chercher de l'or. J'aime la vie dans les mines aurifères, elle est tellement différente de celle des mines de cuivre. Ici, il n'y a pas de chefs. Nous travaillons comme nous l'entendons, nous allons où nous voulons. Le pays autour de nous est très plaisant, avec des belles forêts sur le mont Warrenheip et le mont Buninyong. Les collines ne sont pas nues comme autour de Burra.

Les arbres autour des mines disparaissent rapidement. On les abat pour élever des cabanes et étayer les puits. Le ruisseau est devenu boueux à force de laver la terre dans les berceaux. L'eau propre à boire est rare. Nous avons creusé une rigole autour de la tente en mettant de la toile au fond pour recueillir la pluie. Tous ceux qui sont ici depuis un an ou plus sont bien installés.

C'est une bonne vie, Meg, malgré la chaleur, la poussière et les mouches en été. Il y a de plus en plus de femmes qui viennent vivre ici. On construit sans arrêt de nouveaux hôtels. Les boutiques proposent une grande variété de marchandises. Tu ne vas pas me croire, mais j'ai même vu un piano ! Je suppose qu'il y aura bien un imbécile de mineur qui l'achètera juste parce qu'il aura les moyens de se le payer. J'ai vu des chanceux partir pour Melbourne habillés comme des messieurs, et leurs femmes en robe de soie et de satin. Il y en a beaucoup qui

89

reviennent au bout de quelques mois, sans un sou en poche. Nous, nous ne jetterons pas stupidement notre or par les fenêtres.

Quand partez-vous pour l'Angleterre ?
Réponds-moi vite, s'il te plaît.
Ton frère affectionné,

Will

Will posa sa plume et plia la lettre. Quelques instants plus tard, il la déplia et ajouta :

P.-S. : Tu seras intéressée d'apprendre que j'ai rencontré un certain capitaine Trevannick et sa fille Selena. Je n'ai pas posé la question, mais je suis sûr que c'est le père de Connor Trevannick. Ils ont quitté la mine ce matin. Je ne sais pas pour où.

Cet après-midi, nous avons revu Joshua Winton. J'en déduis qu'il est toujours indésirable dans sa famille.

W

3

Selena avait découvert Creswick avec ravissement. Ils avaient accompli les derniers kilomètres sous une brise légère qui tempérait la chaleur de l'après-midi. Là-haut, bruissant dans les arbres, les feuilles avaient semblé leur murmurer des paroles de bienvenue.

Tout ce vert était rafraîchissant après le brun poussiéreux qu'ils laissaient derrière eux. En dehors des rives du ruisseau, le sol n'avait pas encore été ravagé par la recherche du précieux métal.

La vie était plus agréable qu'à Ballarat. Une dizaine de boutiques approvisionnaient les deux cents personnes qui vivaient dans leurs tentes sur la colline dominant le cours d'eau. Là, nul puits ne défigurait le paysage, ni aucun monticule de terre. Il subsistait encore de l'or alluvionnaire pour ceux qui prospectaient le long des rives du ruisseau et dans les rigoles. Les orpailleurs n'étaient l'objet d'aucune chasse à la licence ou de harcèlement policier. Le commissaire n'éprouvait pas le moindre plaisir à poursuivre de paisibles chercheurs d'or au comportement irréprochable.

Au début d'avril, quand les nuits commencèrent à se faire fraîches, les Trevannick remplacèrent leur petite tente par une cabane sommaire en écorce. La tente avait été découpée et la toile utilisée pour doubler le toit. Ils possédaient maintenant de vrais lits, quelques étagères rudimentaires pour y ranger leurs affaires et, surtout, un foyer intérieur. Plus besoin de faire la cuisine sous la pluie, et grâce au feu, il faisait bon dans la cabane.

Selena était toujours déguisée en garçon, ce qui posait peu de problèmes. Son agilité d'esprit la sortait des difficultés potentielles. Elle se prit à apprécier la liberté que lui procurait sa transformation en Selwyn et faisait la sourde oreille à son père lorsqu'il lui disait qu'il était temps de remettre des vêtements qui seyaient à son sexe.

— Que diraient les gens si je me mettais à porter une robe ? objecta-t-elle un jour. On m'accepte en garçon, et je resterai un garçon jusqu'à ce que nous quittions les champs aurifères pour de bon. D'ailleurs, j'aime beaucoup porter le pantalon. Il me permet de faire des choses auxquelles je n'aurais pas droit en tant que fille.

— J'aimerais que tu te souviennes que tu es une fille quand tu vas vagabonder seule dans la nature.

— Ne craignez rien, père. Je suis en parfaite sécurité.

— Je n'en suis pas aussi sûr que toi. N'importe quel danger peut te guetter sous le couvert des arbres.

— Il n'y a aucun danger. Je le sais ! affirma-t-elle en se touchant la poitrine pour souligner sa conviction. Ne vous inquiétez pas pour moi... Père, si vous n'avez pas besoin de mon aide ce matin, je pars faire des emplettes chez Henry. La semaine dernière, j'ai vu qu'il avait des raisins secs, ils feront merveille dans un *damper*. Avec un peu de sucre, cela pourra donner un gâteau. Il nous faut aussi du thé et des bougies.

— Très bien. Profites-en pour m'acheter du tabac et vois si tu trouves une pelle plus petite. Si tu dois prouver que tu es un garçon en maniant la pelle, je préférerais que tu le fasses avec un outil plus léger.

— Dois-je aussi acheter une *petite* hache pour faire du *petit* bois ?

Comme elle s'y attendait, son père ne put s'empêcher de sourire devant son air espiègle.

— Tu es incorrigible. Je crains que tu n'aies pas reçu assez de fessées quand tu étais petite.

Selena s'approcha de lui pour l'enlacer et poser sa joue contre la sienne.

— Vous n'aimeriez pas que je sois différente, n'est-ce pas ? Je vous aime.

— Moi aussi, je t'aime.

Ils se tinrent embrassés, l'un et l'autre conscients qu'ils songeaient tous deux à la femme aimée qu'ils avaient perdue.

Selena n'avait aucune tâche urgente à accomplir, aussi put-elle flâner comme bon lui semblait. Les boutiques la fascinaient toujours avec leurs marchandises hétéroclites exposées au petit bonheur la chance.

Son déguisement masculin ne supprimait en rien sa féminité, aussi, en apercevant une jolie robe dans une boutique, fut-elle incapable de résister et poussa-t-elle la porte.

La robe était en soie rose foncé et les trois volants de la jupe, bordés de velours marron. Le même velours garnissait les manches et le corsage.

Selena tomba aussitôt amoureuse de ce ravissant vêtement. Elle s'apprêtait à demander son prix lorsque le commerçant s'approcha d'elle.

— Comment ça se fait qu'un jeune gars s'intéresse à une robe de dame ?

— Je l'ai vue de dehors. C'est à cause de la couleur. C'est une belle robe.

L'homme la dévisagea en plissant les yeux.

— T'es de ceux qui aiment s'habiller avec des vêtements de femme ? T'es un garçon plutôt joli. T'inquiète pas, précisa-t-il en voyant Selena ouvrir la bouche sous le coup de la surprise, moi, j'aime les jolis garçons.

— Et moi, je n'aime pas les hommes comme vous ! répliqua la jeune fille. Je voulais acheter une robe pour ma sœur, mais j'irai ailleurs !

Elle sortit de la boutique la tête haute, tout en tremblant comme une feuille. Plus jamais elle n'entrerait là ! Et elle éviterait ce boutiquier comme la peste.

Malgré son jeune âge, elle était au courant des vices de ce monde. Une observation attentive combinée à une vive intuition lui avait fait comprendre certaines choses. Choses que son père serait horrifié d'apprendre qu'elle les connaissait. Voilà qui remettait en question sa certitude d'être plus en sécurité si les gens la prenaient pour un garçon. Apparemment le danger existait sous toutes sortes de formes...

Elle hésita devant la boutique suivante. Le plaisir de déambuler parmi les étals l'avait abandonnée. Cet horrible personnage avait gâché sa journée.

Un inconnu la salua. Elle marmonna une réponse, un peu effrayée à l'idée que, lui aussi, pût être inté-ressé par les jolis garçons. Très contrariée, elle s'engagea dans la pente menant vers l'échoppe où elle trouverait ses raisins secs et le tabac pour son père.

Une charrette était arrêtée près de la boutique de M. Henry. Deux hommes étaient en train de déchar-ger des sacs et des caisses. Le cheval, qui n'avait pas été détaché, mangeait tranquillement, la tête plongée dans un sac de son. Curieuse, Selena pressa le pas pour aller voir quelles marchandises on était en train de livrer.

M. Henry, le commerçant, et l'autre homme, sans doute le conducteur de la charrette, étaient occupés à poser une lourde caisse sur le sol. Lorsqu'ils se relevèrent, Selena oublia l'incident précédent. Oublia les achats à faire. Une vague de joie l'inonda.

— Will !

Le jeune homme se retourna, la regarda, recula légèrement, l'examina encore... et ouvrit la bouche.

Selena prit soudain conscience du danger. Elle prononça alors d'une voix rapide :

— Je suis Selwyn Trevannick. Vous me reconnais-sez sûrement.

Son cœur battait à tout rompre : avait-il compris le message muet que lui lançaient ses yeux ?

— Ah ! Oui, bien sûr ! Comment va ton père ?

Selena applaudit intérieurement. Il avait su se contrôler. Il avait réussi à ne rien montrer de sa stupéfaction et de son impatience à apprendre les raisons de son accoutrement. Car il était stupéfait et impatient, elle en était convaincue.

— Je suis sûre que mon père serait heureux de vous revoir, dit-elle.

C'était la seule façon de lui faire comprendre qu'elle était prête à répondre à toutes les questions qu'il se posait

— Avez-vous le temps de lui rendre visite ? ajouta-t-elle.

À la manière qu'il eut de la regarder, elle comprit qu'il prendrait le temps. À moins qu'elle ne confonde ses désirs avec des réalités ?...

— Le déchargement est bientôt terminé, répondit-il.

— C'est votre charrette qui est là ?

— Oui.

— Dans ce cas, je vais faire mes achats et je vous attends dehors ensuite.

Son sourire lui chavira le cœur. Elle regretta de ne pouvoir se mettre à danser de joie, ce qui eût été très peu masculin, et encore moins digne d'une dame.

Une fois qu'elle eut choisi les raisins secs, le tabac et une bouteille de cordial, elle vit M. Henry entrer avec une série de pelles.

— Monsieur Henry, avez-vous des pelles qui ne pèsent pas trop lourd ?

— Regarde toi-même.

Selena constata qu'elles étaient toutes aussi lourdes que celles que possédait son père.

— Tu as besoin de te faire les muscles, mon garçon ! lança le commerçant tout en faisant jouer ses biceps pour les lui montrer. Creuse encore quelques semaines, et tu verras, ces pelles te paraîtront légères comme des plumes !

— Vous avez sûrement raison, répondit-elle.

Après tout, il n'y avait rien de mal pour une femme à être musclée. Peut-être le jour viendrait-il où sa force lui rendrait service.

Dehors, elle s'adossa à la barrière en feignant d'ignorer Will et M. Henry, de crainte de faire preuve d'un intérêt incompatible avec son déguisement. Mais elle sentait les fréquents regards lancés par Will dans sa direction et s'amusait à l'idée des questions qui se bousculaient sans doute dans sa tête.

Une fois la dernière caisse déchargée, Will vint se poster devant elle, les bras croisés sur la poitrine.

— Quand est-ce que vous avez commencé à vous faire passer pour un garçon ?

— Le jour où nous avons quitté Ballarat.

— Pourquoi ?

Selena éluda la question. Elle lui expliquerait plus tard.

— Êtes-vous content de me voir ? demanda-t-elle à la place.

— J'ai été surpris.

— Content ? insista-t-elle.

Il sourit.

— Oui, content, même si j'aurais préféré rencontrer la jeune fille dont je me souviens.

Selena lui rendit son sourire.

— Voulez-vous descendre jusqu'au ruisseau voir mon père ? proposa-t-elle.

— Plus tard. Je voudrais une explication avant.

— Nous ne pouvons pas parler ici. Trop d'oreilles indiscrètes pourraient nous entendre.

— Où allons-nous, alors ?

— Vous pourriez m'emmener faire un tour dans votre charrette, suggéra Selena, tout en se demandant s'il ne la prendrait pas pour une effrontée.

Il sembla réfléchir à sa proposition.

— Oui, je pourrais.

Le cœur de la jeune fille eut un raté.

— Ne dites pas que vous ne le ferez pas ! s'exclama-t-elle.

Il secoua la tête avec résignation.

— Eh bien, allons-y.

Selena grimpa prestement sur le siège, ivre de joie, n'osant croire à son bonheur d'avoir Will pour elle seule pendant quelque temps.

Ils s'engagèrent sur la route de Clunes et s'arrêtèrent au bord d'un ruisseau dont la beauté n'avait pas encore été détruite par les chercheurs d'or.

Will mit pied à terre et laissa les rênes sur l'encolure du cheval pour lui permettre de brouter à sa guise. Selena sauta à terre d'un bond léger, ce qui lui valut une remarque :

— Je m'apprêtais à vous aider à descendre comme une dame.

Selena éclata de rire.

— Mais je suis un garçon, maintenant !

— Non, vous êtes une jeune fille habillée en garçon.

Elle lui décocha un regard en biais.

— Vous n'approuvez pas, n'est-ce pas ?

— Non.

— Vous comprendrez quand je vous aurai expliqué.

Ils se rapprochèrent du ruisseau et s'assirent dans l'herbe grasse de la rive. Selena cueillit une petite fleur bleue et la fit tourner entre ses doigts. Will attendait ses explications, mais Selena hésitait : jusqu'où pouvait-elle aller dans ses confidences ?

Enfin, elle se lança :

— Vous vous rappelez le jour où nous avons quitté Ballarat ?

— Oui, c'était le lendemain de l'arrestation de votre père.

— Oui. Père avait entendu dire qu'il restait encore beaucoup d'or facile à découvrir à Creswick. Après le traitement infligé par la police, il avait décidé de venir ici.

— Peut-être, mais vous êtes partis soudainement, sans un adieu.

Elle le regarda. S'intéressait-il à elle suffisamment pour avoir été déçu ?

— Nous ne pouvions pas attendre, expliqua-t-elle.

À son tour, il scruta son visage baissé sur la fleur avec laquelle elle jouait. Elle ne dirait rien de plus s'il ne posait pas d'autres questions.

— Vous ne m'avez pas tout dit, insista-t-il.

— Non.

Selena se débarrassa de la fleur et se tourna vers lui en le regardant bien en face. Puis :

— J'ai vu un homme se faire assassiner.

— Quoi ? Selena… lâcha-t-il, horrifié.

— J'ai vu un homme se faire tuer, répéta-t-elle. Je crois que le meurtrier m'a vue aussi. Nous avons décidé de partir immédiatement. C'est en voyant un jeune gars sortir d'une boutique que j'ai eu l'idée de m'habiller en garçon.

— Et vous n'avez rien dit à la police ?

Selena répondit, moqueuse :

— Après la manière dont ils ont traité mon père ?

Il hocha la tête en signe de compréhension.

— Est-ce que vous reconnaîtriez le meurtrier en le revoyant ? s'enquit-il.

— J'en suis absolument certaine.

Un silence s'installa entre eux. Will s'étendit sur le dos, les mains sous la tête.

Au bout d'un moment, Selena se leva et s'avança jusqu'au bord du ruisseau. L'eau était cristalline, engageante.

Elle retourna s'asseoir pour enlever ses bottes et ses bas, sous l'œil étonné de Will, qui lui demanda :

— Qu'est-ce que vous faites ?

— Je vais patauger un peu, répondit-elle avec le sourire espiègle dont elle gratifiait son père lorsqu'elle le taquinait.

Puis elle remonta ses jambes de pantalon jusqu'aux genoux et entra dans l'eau. Le choc initial que lui causa la température glaciale s'atténua au bout de quelques secondes. En regrettant de ne pouvoir se déshabiller et se plonger entièrement dans l'eau, elle en recueillit dans ses mains en coupe et se rafraîchit le visage.

— Allez, venez me rejoindre ! cria-t-elle à Will. L'eau est si bonne !

Il refusa d'un mouvement de tête. Elle trempa alors la main dans l'eau et lui en envoya une giclée sur le pied. Will replia prestement la jambe.

— Arrêtez ! Je suis trop vieux pour jouer avec l'eau comme un marmot.

— Donc, pour vous, je suis un marmot ?

Pour le remercier de ses paroles, elle lui arrosa la poitrine. Il se leva avec un cri, ce qui la combla de joie. Le regard furieux qu'il lui décocha augmenta

100

encore son hilarité. Elle riait de si bon cœur qu'elle en perdit l'équilibre… et tomba à la renverse, la tête sous l'eau.

Elle sentit une main agripper son bras. Will la releva, l'expression aussi inquiète que si elle avait été sur le point de se noyer.

— Petite idiote ! siffla-t-il entre ses dents, tout en la maintenant fermement.

Dans son regard, la colère avait remplacé l'inquiétude.

Puis la lueur de ses yeux changea. Selena riva son regard au sien. Le moment était arrivé. Il allait l'embrasser. Elle entrouvrit légèrement les lèvres dans un geste d'invite. Elle attendit pendant ce qui lui sembla une éternité lorsqu'il la lâcha.

— Vous feriez bien d'aller vous asseoir au soleil pour vous sécher, dit-il en rejoignant la terre ferme.

Selena le suivit, déçue, et cependant heureuse malgré tout. Will Collins avait été sur le point de l'embrasser ! La prochaine fois qu'ils se retrouveraient – car elle savait qu'il y aurait une prochaine fois –, elle ferait en sorte qu'il aille jusqu'au bout.

Elle alla se planter dans une flaque de soleil. Ses vêtements mouillés lui collaient désagréablement à la peau. Après tout, elle avait bien mérité cette punition, pour avoir ainsi fait l'enfant. Mais la désapprobation muette de Will avait éveillé son espièglerie. Et il continuait à la regarder d'un air si acerbe qu'elle éclata d'un nouveau rire.

— Will, quel grognon vous faites ! Vous n'avez jamais joué dans l'eau quand vous étiez petit ?

Il se détendit et sourit.

— Si, mais il y a très, très longtemps.

— Vous n'êtes pas si vieux, si ?

— J'aurai vingt-cinq ans cette année. Je suis bien plus âgé que vous.

— Je fêterai mon dix-septième anniversaire le mois prochain. Le quinze, exactement.

— Vraiment ? dit-il, l'air agréablement surpris. Mon anniversaire, c'est le dix-huit mai.

Selena poussa une exclamation joyeuse :

— Fêtons nos anniversaires ensemble ! Il faut venir nous voir !

— Dans environ deux semaines, je dois rapporter des marchandises à M. Henry. Mais maintenant, je vous ramène chez vous pour que vous puissiez vous changer.

— Oh, j'aimerais rester encore un peu... Mes vêtements commencent à sécher.

Will pinça les lèvres, puis soupira avant d'expliquer :

— Je dois prendre le chemin du retour, si je veux être revenu avant la nuit.

Elle répondit par une moue.

D'une voix teintée d'exaspération, il reprit :

— Selena, j'ai eu tort de vous amener ici. Ce n'est pas bien d'être seuls ensemble comme ça.

C'est alors que la jeune fille s'aperçut qu'il évitait soigneusement de la regarder en face, et que, s'il agissait ainsi, c'était pour échapper à la tentation qu'elle représentait, avec ses vêtements qui moulaient ses formes.

— Vous avez peur de ce que penseraient les gens ? Vous oubliez qu'ici, je suis un garçon pour tout le monde. Personne ne verra de mal à cela. Deux garçons peuvent parfaitement passer du temps ensemble.

102

— Mais moi, je sais que vous êtes une fille.

Selena baissa les yeux et, de la pointe de sa botte, envoya un coup de pied dans un caillou. Que dirait-il s'il savait que les sentiments qu'elle éprouvait pour lui étaient ceux d'une femme ?

Will poursuivait :

— Je viendrai vous voir, vous et votre père, la prochaine fois.

— Bientôt ?

— Je ne sais pas encore exactement.

Et Selena dut se contenter de cette vague promesse.

Les jours s'étirèrent avec lenteur, et les deux semaines annoncées passèrent. Chaque matin, Selena se réveillait avec l'espoir que la nouvelle journée serait celle où elle reverrait Will. Trois semaines s'écoulèrent. Le découragement s'empara d'elle.

Son père en avait très vite deviné la raison.

« Tu as donné ton cœur trop facilement, ma chère enfant. Will Collins est le premier homme qui te fait rêver. Tu es encore jeune. Tu éprouveras sans nul doute de tendres penchants pour d'autres jeunes gens avant de rencontrer celui avec lequel tu te marieras.

— Je n'aimerai jamais personne d'autre. J'ai eu envie de me marier avec Will dès la première fois que mes yeux se sont posés sur lui.

— La question est de savoir s'il en a envie aussi. Selena, il est ton aîné de huit ans... Tu crois qu'il n'a jamais été amoureux ?

— Il ne s'est jamais marié. »

103

Mais cette belle assurance n'était que de façade. Elle découvrit qu'elle n'aimait pas l'idée que son cher Will ait pu un jour aimer une autre femme. Les doutes s'insinuèrent dans son esprit. Peut-être, après tout, n'avait-il pas songé à l'embrasser, l'autre fois... Avait-elle mal interprété son expression et pris ses désirs pour des réalités ? S'était-elle raconté des histoires, à cause de son don de clairvoyance, en se persuadant que Will et elle étaient faits l'un pour l'autre ?

Son anniversaire approchait. Ainsi que celui de Will. Selena proposa à son père d'aller les fêter à Ballarat. Le capitaine Trevannick refusa.

— Si ce jeune homme est intéressé, il viendra à Creswick. Tu ne vas pas lui courir après.

Selena fit la moue.

Au lieu d'aller aider son père avec une batée, comme elle l'avait fait toute la matinée, elle mit le cap sur la Grand-Rue. Peu importait ce que penserait M. Henry, elle lui demanderait s'il savait la date à laquelle Will lui livrerait des marchandises. Elle pouvait inventer une excuse. Dire que son père voulait voir le jeune homme. Mais si le capitaine découvrait son mensonge, il risquait de se fâcher. Si seulement Ballarat n'était pas aussi loin ! Si seulement elle n'avait pas été témoin d'un assassinat ! Si seulement ils n'avaient pas été obligés de partir !

Elle était en train d'égrener les « si seulement » lorsqu'elle vit un cavalier descendre la rue. C'était un étranger, aussi Selena le dévora-t-elle des yeux avec curiosité. Son cheval, même si elle ne connaissait pas grand-chose à ces animaux, paraissait de bonne race. L'inconnu n'avait pas l'apparence d'un nouvel arrivant tenté par l'or.

Parvenu à sa hauteur, il toucha son chapeau en guise de salut, mais Selena ne répondit pas, frappée de stupeur. Elle avait devant elle une version de son père en plus jeune. Elle ferma les yeux et essaya, pour la première fois de sa vie, de faire appel à son don de clairvoyance. En vain. Seules ses pensées se bousculaient dans son esprit.

Elle rouvrit les yeux et vit le cavalier traverser les rangées de tentes pour prendre la direction de l'ouest. Qui était cet homme qui ressemblait tellement à son père ?

Elle était toujours à se poser mille questions lorsqu'elle vit s'approcher par la route de Ballarat le cheval et la charrette qu'elle attendait avec tant d'impatience. Elle eut le plus grand mal à refréner sa première impulsion, se rappelant qu'elle était censée être un garçon : non, elle ne pouvait se permettre de s'élancer à la rencontre de celui qu'elle aimait. Un tel comportement, répréhensible chez une jeune fille, eût été encore plus mal accepté chez un garçon ! Aussi brida-t-elle sa fougue et s'achemina-t-elle d'un pas tranquille vers la boutique de M. Henry.

Lorsqu'il entra et la vit, Will lui adressa un sourire qui eût étonné n'importe quel spectateur. Selena, pour sa part, retint celui, radieux, qu'elle sentait se dessiner sur ses lèvres.

— Bonjour, Will, je pensais que vous reviendriez plus tôt, dit-elle.

— Moi de même, mais le puits nous a pas mal occupés. Le transport de marchandises, c'est une activité que je fais seulement de temps en temps, pour me faire un peu plus d'argent.

— Vous allez bien ?

— Oui, fort bien. Et vous ?

— Nous allons bien, nous aussi, même si mon père préférerait voir notre richesse arriver plus vite.

— Comment va-t-il ?

— Il va bien. Aurez-vous assez de temps pour lui faire une visite avant de repartir ?

— C'est bien mon intention. J'espère qu'il m'autorisera à dérouler mon tapis de couchage près de votre tente.

— Oh ! s'exclama-t-elle, n'en croyant pas ses oreilles. Vous comptez rester pour la nuit ?

Il sourit.

— Nous sommes bien le quinze, demain ? Il y a un anniversaire à fêter.

Selena rougit.

— Vous vous en êtes souvenu… murmura-t-elle.

— Vous avez cru que j'oublierais ?

— J'espérais bien que non.

M. Henry, qui avait fini de servir son client, mit un terme à leur échange :

— Alors, Will, tu as pu m'avoir toute ma commande ?

— Oui. Nous pouvons décharger, répondit Will.

Puis, s'adressant à Selena :

— Dis à ton père que je viens le voir sous peu.

Selena retourna au ruisseau en sautillant, trop surexcitée pour regarder de près les pépites dorées qui brillaient dans le pan que tenait son père.

106

— Père ! Will est arrivé ! Il vient fêter mon anniversaire demain. Il va venir vous voir dès qu'il aura déchargé la marchandise.

Elle fit un pas de danse qui arracha des regards soupçonneux aux orpailleurs alentour.

— Je suis si heureuse ! chantonna-t-elle.

Avec un sourire, le capitaine Trevannick lui fit remarquer :

— Ton comportement ne sied guère à un jeune gars !

Selena éclata de rire.

— C'est exact. Il vaut donc mieux que je file dans la tente pour préparer un bon repas.

— Une variation autour du mouton et du *damper* ?

— Un curry. Pas trop fort, naturellement, se hâta-t-elle de préciser. Je suis sûre que Will n'en a jamais goûté.

— Peut-être ne le souhaite-t-il pas. Si tu veux charmer ce jeune homme avec tes talents culinaires, tu serais bien avisée d'en rester au genre de plats auxquels il est accoutumé.

Suivant le conseil de son père, Selena se rendit dans le camp des Chinois pour acquérir quelques légumes frais. Quant au curry, elle le remplacerait par un rôti délicieusement parfumé. Toute à sa joie à l'idée de la soirée et de la journée du lendemain, elle en oublia le cavalier... l'homme qui ressemblait de façon frappante à son père.

L'homme qu'avait vu Selena n'accorda pas une seule pensée au garçon qu'il avait croisé. Son esprit était bien trop occupé. Où allait-il pouvoir vendre ses moutons pour le meilleur prix possible ? Avec les pastoralistes qui envoyaient leurs troupeaux depuis la Nouvelle-Galles du Sud et les régions lointaines du fleuve Murray et de la rivière Murrumbidgee, le marché des champs aurifères et de Melbourne était saturé. Certes, les prix monteraient au retour de l'hiver, saison qui s'accompagnait d'un reflux massif de population sur les champs aurifères, mais il avait espéré pouvoir se débarrasser immédiatement de cinq cents têtes de bétail afin de financer les améliorations que nécessitait sa propriété.

La moitié des deux mille livres qu'il avait obtenues pour la laine servirait au remboursement de son crédit. Avoir des dettes, même envers une institution financière, était contraire à ses principes. S'il parvenait à céder sa laine au bon prix d'un shilling et six pence lors des deux prochaines ventes, il pourrait les apurer.

À six kilomètres de Creswick Creek, au sommet d'une colline doucement arrondie, Connor Trevannick brida sa monture. De là, on avait vue sur sa maison et ses terres où paissaient les moutons. En quinze mois, il avait accompli de grands progrès. Lorsqu'il avait pris possession du domaine, le joli bâtiment de pierre qui constituait l'habitation principale était délabré et le cheptel en piètre état.

Il avait commencé par vendre les bêtes les moins prometteuses et les avait remplacées par deux cents bonnes brebis et deux solides béliers. Il en tirait déjà des bénéfices, et prévoyait une croissance qui le mettrait en quelques années à la tête d'un élevage de moutons lainiers de grande qualité.

Connor poursuivit sa route en se livrant à des réflexions plus pressantes. Les éleveurs étaient confrontés à un important problème de main-d'œuvre. En effet, en se faisant chercheur d'or, un homme avait la possibilité de gagner en une semaine ce qu'il touchait en une année à travailler dans un élevage ovin. Ceux qui acceptaient étaient bien payés, mais leurs services laissaient souvent à désirer.

Lui-même avait de la chance. Le couple qu'il employait, la femme pour faire la cuisine et tenir la maison, et son mari comme homme à tout faire, travaillait déjà à la propriété lorsqu'il l'avait acquise. Ned Clancy et Sarah Kelly étaient arrivés en Australie vingt ans auparavant dans deux bateaux de bagnards et s'étaient rencontrés sur la propriété à laquelle on les avait assignés. Un bon maître, de la nourriture, un logis et des gages honnêtes, c'était là tout ce qu'ils attendaient de la vie. Connor estimait qu'ils méritaient totalement les soixante-dix livres annuelles qu'il leur versait.

Ned vint tenir son cheval pendant qu'il en descendait.

— Alors, monsieur Trevannick, les affaires ont été bonnes ?

— Je me suis mis d'accord avec le boucher de Creswick sur une centaine de bêtes, pas plus. Il ne veut pas me donner plus de douze shillings par tête.

— Ah, la fripouille !

— Il a commencé par m'en proposer dix. J'ai dû négocier longuement pour faire monter le prix.

— Et moi qui vais encore vous annoncer une mauvaise nouvelle !

— Quoi donc ?

— Y a un homme qui est passé par ici, il cherchait du travail. Il dit qu'il y a la gale qui s'est déclarée là-haut, dans le Nord.

— Seigneur Dieu ! Tu sais ce que c'est, la gale ?

— Non, monsieur Trevannick, mais je sais que c'est mauvais.

— C'est une maladie terrible, pire que le piétin que nous avons subi avec l'humidité de l'hiver dernier. La gale provient d'un insecte minuscule qui se niche dans la laine et qui pénètre sous la peau. Il en ressort quelques jours plus tard après avoir pondu une ribambelle d'œufs et creuse un nouveau trou. La laine se détache. Dans les cas sévères, la laine tombe complètement, et le pauvre mouton se retrouve avec des plaques de peau nue.

Ned, impressionné, émit un petit sifflement.

— Qu'est-ce qu'on peut faire ? interrogea-t-il. On m'a dit que ça se répandait vite.

— C'est vrai. Malheureusement, je ne connais pas le moyen de se protéger contre cette maladie, sauf de faire montre de vigilance et de repérer immédiatement les animaux infectés.

Le soir, après que Mme Clancy eut débarrassé la table du dîner, Connor feuilleta toutes les revues d'agriculture qu'il possédait, à la recherche d'informations. Il veilla jusqu'à minuit avant de découvrir un renseignement digne d'intérêt. L'auteur de l'article conseillait de baigner le mouton dans une mixture faite d'arsenic, de soufre, de tabac et de sel, le tout additionné d'eau.

Dès le lendemain, il demanderait à Ned de fabriquer un baquet de forme allongée. Il disposait de suffisamment de tabac et de sel. Il enverrait quelqu'un à Melbourne pour l'arsenic et le soufre.

Un peu rasséréné, il alla se détendre devant un feu de cheminée. Comme chaque soir, ses pensées se portèrent alors vers Meggan. Que faisait-elle ? Était-elle encore à Adélaïde, en train de charmer le cercle de ses amis avec sa voix magnifique ? À moins que son mari ne l'ait déjà emmenée en Angleterre, afin de lancer sa carrière de chanteuse à Londres et sur le continent ? Où qu'elle fût, il espérait qu'elle était heureuse.

Et cependant, égoïstement, il espérait aussi qu'elle pensait à lui de temps à autre. Seize mois s'étaient écoulés depuis qu'il l'avait tenue dans ses bras pour la dernière fois. Seize mois depuis qu'elle avait mis un terme à leur brève idylle pour attendre le retour de son époux parti à Melbourne.

Lui-même avait quitté Adélaïde désespéré, sans se soucier de l'endroit où il s'établirait. La chance l'avait conduit à Victoria, où il avait pu acheter un domaine à un prix intéressant.

Il savait que c'était impossible, mais il ne pouvait s'empêcher de rêver. Un jour, il vivrait ici avec Meggan. Il se la représentait dans les différentes pièces de la maison. En fermant les yeux, il entendait sa voix superbe chanter les paroles de la chanson qui était devenue la leur, « Les Adieux des vrais amants ». Ce soir-là, elle avait reçu la partition des mains de David Westoby, mais c'était à lui que les paroles étaient destinées... *Où que j'aille, je reviendrai...*

Il était revenu, mais c'était pour la retrouver mariée à David Westoby.

111

Je n'ai jamais été aussi heureuse de ma vie, se dit Selena, couchée dans son lit, à la veille de son dix-septième anniversaire. De l'autre côté du rideau de jute qui préservait son intimité, un léger ronflement lui indiquait que son père dormait à poings fermés. Will avait refusé de partager leur tente et avait installé sa couche sous sa charrette. Dormait-il, ou pensait-il trop à elle pour trouver le sommeil ?

L'agréable soirée qu'ils avaient partagée tous les trois l'avait convaincue qu'elle ne lui était pas indifférente. Si ses sentiments n'étaient pas de l'amour, du moins lui plaisait-elle. Un jour, Will en viendrait à l'aimer. Elle ignorait si cette certitude lui venait de ses dons de clairvoyance, ou plus simplement de son violent désir qu'il lui rende son amour, mais elle existait bel et bien.

De son côté, Will Collins pensait à Selena. Selena Trevannick… Il n'avait plus le moindre doute sur son lien de parenté avec Connor Trevannick. Sur le visage du capitaine, il retrouvait maintes expressions de son fils. Selena, quant à elle, n'offrait nulle ressemblance avec son demi-frère, beaucoup plus âgé qu'elle. Peut-être cela expliquait-il pourquoi il appréciait autant cette fille. L'ambivalence de ses sentiments envers Connor Trevannick ne formait pas barrage.

De même, il aimait bien le capitaine. Ce dernier l'avait écouté avec grand intérêt évoquer son expérience dans la grande mine de cuivre de Burra. Will, de son côté, avait été fasciné par les histoires de ce marin qui avait passé la majeure partie de son existence en mer. La Cornouailles, où étaient nés les deux hommes, n'avait pas été mentionnée. Au moment où

112

il avait senti le capitaine sur le point de lui poser une question sur sa vie antérieure, Will s'était empressé de détourner la conversation sur les talents culinaires de Selena.

C'était la première fois qu'il rencontrait une fille comme Selena. En dehors de sa sœur, il ne connaissait aucune représentante du sexe féminin dotée d'un tel esprit d'aventure. Il suffisait de voir la manière dont elle se faisait passer pour un garçon. Même si elle lui avait expliqué la raison de cette transformation, il la soupçonnait d'y prendre grand plaisir. Il imaginait sans peine Meggan faisant la même chose avant qu'elle ne devienne une dame et une mère...

En revanche, Jenny Tremayne ne l'aurait jamais fait.

Will se demanda pourquoi, subitement, il pensait à Jenny. Était-il en train de comparer les deux jeunes filles ?

Le plus souvent, il parvenait à garder enfoui au fond de sa tête, s'il ne pouvait l'extirper de son cœur, le souvenir de celle qu'il aimait pour toujours. Car un homme tel que lui n'aimait réellement qu'une seule fois dans sa vie, il en avait conscience et l'acceptait. En cela, comme en bien d'autres choses, il ressemblait à sa sœur Meggan. Celle-ci avait, elle aussi, donné son cœur à un homme. Mais le destin avait décidé que jamais ils n'épouseraient ceux qu'ils aimaient.

Jenny n'était pas libre, et l'eût-elle été qu'il ne l'aurait pas demandée en mariage. C'était une dame. Lui n'était qu'un simple mineur. Selena était de l'étoffe des femmes faites pour la rude existence des champs aurifères. Elle ferait une épouse fidèle et aimante. Mais elle était encore très jeune, un brin enfantine. Le capitaine avait dit que leur séjour dans les champs aurifères ne durerait que le temps nécessaire pour lui permettre de gagner de quoi acheter un nouveau bateau. À Creswick, la chance leur souriait, aussi ne lui faudrait-il sans doute que quelques mois encore. Dommage. Si elle avait eu un an de plus, il aurait demandé Selena en mariage. Mais il fallait lui laisser le temps de grandir un peu.

Lorsqu'il se réveilla, ce fut pour ouvrir les yeux sur Selena qui se penchait pour regarder sous la charrette, une tasse de thé fumant à la main. Son visage rayonnait de joie.

— Bonjour, Will ! Je vous apporte du thé.

Le jeune homme se souleva sur un coude.

— Vous vous êtes réveillée de bonne heure, fit-il remarquer.

— J'étais trop excitée pour pouvoir dormir. Alors, vous le voulez, votre thé ?

— Merci.

Will se redressa complètement et s'assit en tailleur.

— Il est réveillé, votre papa ? s'enquit-il.

— Il était en train quand je suis sortie.

Elle fronça légèrement les sourcils.

En secret, Will s'amusa à observer son jeu de physionomie. Puis il eut un petit rire.

— Je vous taquine, dit-il. Bon anniversaire !

Elle lui adressa un sourire éclatant et le remercia avec chaleur avant de s'asseoir jambes croisées à l'autre bout du tapis de sol.

114

— J'ai dix-sept ans aujourd'hui. Je ne suis plus une enfant, précisa-t-elle.

Il répondit en retenant un rire :

— Ni une dame ! Pas étonnant que tout le monde vous prenne pour un garçon !

Will ne faisait certes que plaisanter, mais Selena n'en éprouva pas moins une certaine gêne. Elle joignit les jambes et les allongea sur le côté, puis se ravisa avec un froncement de sourcils.

— Les hommes ne s'assoient pas ainsi ! lança-t-elle en reprenant sa place en tailleur. Vous vous moquez de moi !

— Mais pas méchamment. Vous m'amusez.

Elle n'avait pas envie de l'amuser ! Elle avait envie qu'il tombe amoureux d'elle !

— Pour mon anniversaire, nous aurons un petit déjeuner spécial avec des œufs et du bacon, annonça-t-elle. Père a dit qu'il le préparerait lui-même. Vous prendrez votre petit déjeuner avec nous, n'est-ce pas ?

— S'il y a des œufs au bacon ? C'est un luxe trop rare pour le refuser.

— J'aimerais une autre faveur pour mon anniversaire, déclara-t-elle.

Will la dévisagea, pensif.

— Quoi donc ?

— J'aimerais faire une promenade dans les collines et la forêt. M'emmènerez-vous avec votre attelage ?

Impossible de ne pas accéder à une telle prière. C'était d'ailleurs une idée qui lui souriait.

— Très bien, dit Will. Faveur accordée.

— Oh, merci !

Après s'être extraite à quatre pattes de sous la charrette, elle se pencha une dernière fois pour lui crier joyeusement :

— Le petit déjeuner va bientôt être prêt !

Le repas terminé, ils se mirent en route pour la promenade. Le capitaine déclara à Will qu'il lui faisait entièrement confiance, manière subtile de le prévenir de ne pas tromper cette confiance. Mais il était plutôt reconnaissant au jeune homme de satisfaire le goût de sa fille pour la nature, car lui-même ne montrait pas un intérêt démesuré pour la prétendue beauté des arbres. Il préférait celle de l'or.

A l'est de Creswick Creek s'élevaient des collines recouvertes de bois particulièrement touffus. Les deux jeunes gens s'y enfoncèrent en suivant les sentiers tracés par les colons établis dans la région bien avant la découverte de l'or. Pendant quelque temps, il n'y eut aucun signe d'activité humaine. Les seules manifestations de vie provenaient des oiseaux qui voletaient d'arbre en arbre.

Will ne pouvait s'empêcher de sourire devant la joie enfantine de Selena à la vue d'un goanna en train d'escalader un arbre ou d'un couple de perroquets qui fendaient les airs en déployant des ailes d'un bleu et d'un rouge éclatants. Apercevant une mère kangourou non loin du sentier, elle supplia Will d'arrêter la charrette.

— Oh, regardez ! Elle porte un petit dans sa poche.

— La mère est sur ses gardes. Voyez comme elle tient ses oreilles en avant.

116

— Le petit nous observe ! Comme il est mignon ! J'aimerais bien en avoir un comme animal de compagnie !

— Et celui-là, Selena, vous avez vu sa taille ? C'est sûrement le père. Vous voyez, il ne nous quitte pas des yeux lui non plus !

— Il n'a pas l'air engageant. Vous croyez qu'il pourrait nous faire du mal ?

— Un grand mâle est capable d'ouvrir le ventre d'un homme d'un coup de griffes de ses pattes arrière. Quand deux mâles se battent, ils se tiennent en équilibre sur leurs queues pour attaquer avec les pattes arrière. Mais ils n'attaquent l'homme que quand ils sont acculés ou effrayés.

Au même moment, le mâle se détourna et s'éloigna en bondissant. La femelle et son petit le suivirent aussitôt.

Will donna un petit coup de rênes pour faire repartir le cheval.

— Quelle beauté, ce bush ! s'exclama la jeune fille. J'adore être parmi les arbres, les animaux, les oiseaux… J'aimerais tant pouvoir m'y promener, mais mon père me l'a interdit.

Will éclata de rire. Selena lui jeta un regard interrogateur. Il lui rendit son regard, et son visage revêtit une expression qui lui fit retenir son souffle.

— Vous me rappelez Meggan, ma sœur, déclarat-il. Elle aussi était toujours à courir dans la lande, à l'affût des oiseaux et de tout ce qui bougeait. Quand elle n'était pas dans la lande, elle était sur la plage, au milieu des rochers, pour écouter le bruit de la mer.

— Will, parlez-moi de votre famille.

117

— Qu'est-ce que vous voulez savoir ?

— Parlez-moi d'abord de Meggan. Elle a l'air intéressante.

— Oui, c'est quelqu'un de spécial. Elle a une très belle voix, et elle a été une chanteuse connue à Adélaïde.

Selena l'interrompit :

— Pourquoi dites-vous « a été » ?

— Elle devait surtout son succès au soutien de son mari, mais il est mort dans un accident, et elle a cessé de chanter.

— Elle l'aimait donc tant que cela ?

À nouveau, il la dévisagea, puis détourna les yeux.

— Ce que Meggan ressentait pour lui, je n'en sais rien, répondit-il.

— Où est-elle à présent ?

— En Cornouailles. Notre mère voulait rentrer au pays. Elle n'a jamais aimé l'Australie.

— Et votre père ?

— Pa a été tué par une explosion, dans la mine.

— Oh, excusez-moi.

Will haussa les épaules.

— Ça fait partie des risques, quand on descend sous terre.

Il se tut pour endiguer le chagrin qu'il sentait monter. Malgré les apparences, il ne s'était pas encore remis du choc.

Selena garda le silence, sensible à son émotion.

Le sentier montait en serpentant sur les flancs de la colline. Par endroits, là où la végétation était moins dense, on avait vue sur le paysage vallonné.

Selena se réjouit d'avance du spectacle qui les attendait au sommet.

Mais Will fit brusquement stopper l'attelage.

— Pourquoi nous arrêtons-nous ? s'étonna-t-elle.

— Le sentier devient plus raide. Il est hors de question que j'oblige Dilly à grimper si je veux qu'elle me ramène à Ballarat cet après-midi.

Selena fit la moue, déçue.

— Nous rentrons, alors ?

— Nous pouvons poursuivre à pied, si vous voulez. Je vois qu'un peu plus loin, il y a une clairière. Nous aurons peut-être une belle vue sur le pays.

— Parfait !

Selena sauta à bas de la charrette d'un bond léger, se réjouissant pour la centième fois de la liberté offerte par le pantalon.

Ils gravirent le sentier en silence, soufflant un peu sous l'effort. La clairière, large de quelques mètres à peine, montait en pente douce avant de déboucher sur le flanc de la colline qui descendait abruptement. Selena traversa la clairière et s'arrêta à bonne distance du bord.

— Quelle belle vue ! N'est-ce pas magnifique, Will ? Quelle région magnifique ! J'aimerais que père décide de s'établir ici.

— Est-ce qu'il a parlé de s'établir quelque part ?

La jeune fille eut un petit rire.

— Père ? Il ne songe qu'à retourner en mer. Il vous l'a dit, il attend d'avoir trouvé assez d'or pour acheter un nouveau bateau.

— Et vous, vous l'accompagnerez ?

Pas si je réussis à me faire aimer de vous, lui répondit-elle in petto. Puis, à voix haute :

— Je ne sais pas.

Ils se turent et contemplèrent la vue, chacun plongé dans ses propres pensées, Selena imaginant sa vie avec cet homme à ses côtés, Will se demandant s'il trouverait un jour quelque chose de valable à faire de son existence. Il continuait à chercher de l'or parce qu'il ne savait que faire d'autre.

— Will, reprit Selena, vous n'avez pas fini de me parler de votre famille.

— Il y en a trop à raconter. Vous avez vu mes frères, Hal et Tommy. Je suis l'aîné ; ensuite viennent Meggan, puis mes deux frères. Parlez-moi plutôt de votre famille à vous.

— Je suis fille unique, déclara-t-elle.

Tournée vers le paysage, elle ne vit pas le regard interrogateur de Will, pas plus que ses sourcils froncés.

— Votre mère est toujours vivante ? s'enquit-il.

Selena fit un signe de tête négatif.

— Elle a été perdue avec l'*Island Princess*, le bateau de mon père, quand il a sombré au cours d'une tempête, expliqua-t-elle.

Ce fut au tour de Will de la prier de l'excuser.

Elle se tourna vers lui.

— Ma mère était très belle. Mon père et elle s'aimaient tendrement. Souvent, elle partait en mer avec lui, parce qu'elle ne supportait pas la séparation.

Elle répondit à sa question avant de lui laisser le temps de la formuler :

— C'est ma grand-mère qui s'occupait de moi.

— Vous viviez où ?

— À Tahiti. Mon arrière-grand-père était un des marins de la *Bounty*, et mon arrière-grand-mère était tahitienne. Leur fille a épousé un Français, ils sont devenus les parents de ma mère. Donc, comme vous le voyez, je ne suis qu'à moitié anglaise. L'autre moitié est un mélange de Français et de Tahitiens.

— Voilà pourquoi vous êtes si différente des autres filles.

— Cette différence vous plaît ?

Will sourit.

— J'aime parler avec vous, Selena.

— C'est tout ?

Elle retint son souffle, consciente de cette provocation implicite. Mais elle mourait d'envie qu'il lui donne enfin le baiser qu'elle attendait...

Le sourire de Will s'effaça.

— Il est temps de faire demi-tour, annonça-t-il.

Ils ne dirent mot jusqu'au moment où ils furent installés dans la charrette et reprirent le chemin du retour. Selena prit alors une inspiration et posa la question qui la tourmentait régulièrement :

— Will, vous rappelez-vous le jour où nous nous sommes parlé pour la première fois, à Ballarat, dans la Grand-Rue ?

— Oui. Pourquoi ?

— Vous avez réagi étrangement quand je vous ai dit m'appeler Trevannick. Quand père a été arrêté, le policier n'a pas voulu le relâcher quand il a appris son nom. Vous connaissez le policier Roberts. Que signifie le nom de Trevannick pour vous deux ? Ne

121

me dites pas qu'il ne veut rien dire. Je ne vous croirais pas.

Will prit son temps pour répondre. Si Selena pensait être enfant unique, ce n'était pas à lui de la détromper. Mais il la connaissait désormais suffisamment pour savoir que sa réponse devrait satisfaire sa curiosité, car elle ne lâcherait pas prise.

— Tom et moi, on vient du même village de Cornouailles. Le directeur de la mine était un homme qui s'appelait Connor Trevannick. Tom a une dent contre cet homme.

— Pourquoi punir mon père ? Car c'est bien ce qu'il a fait ?

— Tom n'est pas du genre à pardonner. Ce nom était pour lui une excuse suffisante pour abuser de son pouvoir de policier.

— C'était une injustice.

— La police n'est jamais juste. Il faut que vous le sachiez.

Selena opina du chef tout en se disant qu'elle avait peut-être une chance de se découvrir une famille inconnue.

— Mon père a grandi en Cornouailles. Peut-être que l'homme en question est un parent.

Will se garda de faire un commentaire, soulagé qu'elle émette une simple supposition au lieu de poser une question directe. Il n'avait pas envie de parler de cet homme. Mieux valait oublier les relations complexes entre la famille Collins, la famille Tremayne et Connor Trevannick.

— Will, pensez-vous qu'il pourrait…

— Posez la question à votre père.

Ce fut au tour de Selena de se plonger dans un profond silence. Will, elle le sentait, en savait plus long sur les Trevannick de Cornouailles qu'il ne voulait le dire. Elle repensa soudain à cet étranger aperçu la veille, cet homme à la ressemblance frappante avec son père. Peut-être le moment était-il venu d'interroger son père sur sa vie avant sa rencontre avec sa mère. Quant à Will, elle ne lui poserait plus de questions. Le temps à passer ensemble était trop précieux pour être gaspillé.

Aussi se racontèrent-ils mutuellement leurs vies passées, elle, parlant de son enfance heureuse dans les îles et de ses voyages sur l'*Island Princess* et lui, de la sienne en Cornouailles, suivie de son arrivée à Burra. Lorsqu'ils regagnèrent Creswick Creek, ils en connaissaient un peu plus long l'un sur l'autre.

Au moment du départ, Selena, sans se soucier de le choquer par ses manières effrontées, supplia Will de revenir la voir.

— Vous reviendrez, n'est-ce pas ?

— Je ne ferai aucun transport de marchandises avant l'été prochain. Pendant les mois d'hiver, nous devrons travailler plus dur à la mine. Nous sommes tout près de l'or, maintenant, et il faudra monter la garde contre les fripouilles qui ne manquent jamais une occasion de se servir.

Selena ne chercha pas à cacher sa déception.

— Dans ce cas, je ne vous reverrai pas ?

— Je reviendrai dès que possible. J'ai été enchanté de ma visite.

Ils restèrent un moment face à face, tout sourire. Will ressentit le besoin de lui prendre la main dans un geste d'affection. Au moment où il tendait la sienne, il se souvint qu'ils n'étaient pas seuls. Les gens, alentour, pensaient que Selena était un garçon. Il laissa retomber sa main, en haussant les épaules d'un air piteux lorsqu'il lut dans les yeux rieurs de Selena qu'elle avait compris son intention.

Ce soir-là, alors qu'elle était en train de repriser une chemise, elle sentit le regard de son père posé sur elle.

— Tu es tombée amoureuse de ce garçon, n'est-ce pas ?

Le sourire de Selena était une réponse en soi.

— C'est l'homme que je vais épouser, déclara-t-elle.

— Si tu le sais, est-ce grâce à ton don, ou est-ce simplement ce que tu désires ?

Selena posa son ouvrage.

— Je suis certaine que c'est le seul homme que je pourrai jamais aimer, dit-elle. Je sens que nous sommes faits l'un pour l'autre.

— T'a-t-il donné une indication sur ses sentiments ?

— Je crois qu'il m'aime bien. Il trouve que je suis une fille remarquable.

— Donc, tu espères qu'il est en train de tomber amoureux de toi.

Selena sourit et reprit son ouvrage. Oui, elle ferait tout ce qui était en son pouvoir pour que Will l'aime.

— Père, dit-elle sans lever les yeux de son travail, avez-vous aimé quelqu'un d'autre avant de rencontrer maman ?

— Pourquoi cette question ?

Cette fois, elle mit la chemise de côté et appuya le menton sur ses mains jointes.

— Je ne sais rien de votre jeunesse, sauf que vous avez été élevé en Cornouailles. Will m'a parlé de quelqu'un qu'il connaissait, un homme dont le nom était, est, Connor Trevannick.

Elle vit se succéder sur les traits de son père la surprise, puis le choc, et enfin la culpabilité.

Ensuite, il se pencha pour rajouter une bûche dans le feu. Sans doute prenait-il le temps de réfléchir à sa réponse.

— Père, qui est Connor Trevannick ? insista-t-elle.

Le capitaine se redressa sur son siège avant de la regarder bien en face.

— C'est mon fils. Ton demi-frère.

D'une certaine façon, cette révélation ne la surprit pas. Car depuis quelque temps, elle sentait confusément qu'elle n'était pas le seul enfant de son père. Elle repensa au cavalier qu'elle avait vu passer.

— Où est-il en ce moment ?

— En Cornouailles, je présume.

— Comment se fait-il que vous l'ignoriez ?

— Selena, tu m'as demandé si j'avais aimé quelqu'un avant ta mère. La réponse est oui. J'avais à peine vingt ans quand j'ai épousé Elizabeth, et je l'aimais plus que ma vie. Mais pas assez pour quitter la mer. Le mauvais temps m'a empêché de rentrer comme prévu, aussi n'étais-je pas auprès d'elle à la naissance de notre fils. C'était un bébé vigoureux et en bonne santé, trop robuste pour une femme à la constitution délicate comme Elizabeth. Elle a réussi à survivre pendant un an. Je ne suis pas retourné une seule fois en mer pendant cette période. J'espérais que notre fils lui donnerait la force de vivre. Je crois qu'elle le voulait. À sa mort, j'ai repris la mer pour ne plus jamais retourner en Cornouailles.

125

— Vous avez abandonné votre enfant ?

— J'étais incapable de prendre soin de lui. Elizabeth n'avait pour tout parents qu'une tante et un oncle d'un âge avancé. Sa cousine Louise a proposé d'élever l'enfant. Elle venait d'épouser Phillip Tremayne, un propriétaire terrien aisé. Ils pouvaient donner à mon fils une éducation bien meilleure que celle que j'avais à lui offrir. J'ai donc quitté la Cornouailles et j'ai sillonné le monde, jusqu'à Tahiti, où j'ai rencontré ta maman.

Il se tut et se leva.

— Maintenant, Selena, tu sais. Ne me pose plus jamais de questions.

Selena se demanda une fois de plus qui était l'homme qu'elle avait vu.

4

L'hiver était froid et humide. La poussière de l'été se transforma en une boue dans laquelle les gens pataugeaient en pestant. L'eau, rare pendant les mois de chaleur, devint plus accessible une fois les creux et les puits abandonnés remplis d'eau de pluie. La population avait triplé avec le retour des anciens mineurs et l'arrivée de centaines de nouveaux candidats à la richesse.

Des dizaines d'échoppes s'ouvrirent, souvent une simple tente dans laquelle les marchandises étaient entassées dans le plus beau désordre. Les drapeaux des pays d'origine des mineurs flottaient bien haut, afin que tout le monde les voie. Ils formaient des taches de couleurs vives tranchant avec la morne uniformité de la terre boueuse et de la toile décolorée.

Sur les Gravel Pits, à l'ouest de la Grand-Rue, les puits étaient creusés si près les uns des autres que la concentration des toiles de ventilation donnait, de loin, l'illusion d'une flotte composée d'une centaine de petits bateaux à voile naviguant côte à côte. Traverser les champs aurifères la nuit était désormais une entreprise hasardeuse. Régulièrement, des mineurs qui regagnaient tant bien que mal leur logis après un moment passé dans un hôtel ou un cabaret clandestin trouvaient la mort en se noyant dans un puits abandonné.

Sur une population de plus de vingt mille personnes, peu avaient la chance de mettre la main sur le pactole. La grande majorité glanait péniblement de quoi assurer son quotidien. La misère régnait. Nombreux étaient ceux qui sombraient dans la déchéance. On pouvait mourir de dysenterie dans la solitude, couché sur un morceau de bois recouvert d'une simple toile, et personne ne savait si on laissait une famille derrière soi.

Parmi les nouveaux venus, on comptait des spéculateurs alléchés par les récits prétendant qu'il suffisait de se baisser pour ramasser l'or. Cela avait été le cas au début, en 1851, et même en 1852. Dans ces années-là, quand on était né sous une bonne étoile, on pouvait faire fortune en une journée. Mais en cette seconde moitié de l'année 1853, il ne subsistait presque plus rien de l'or alluvionnaire. La richesse se trouvait loin sous terre, dans les rivières enfouies des temps anciens.

Les gens sensés, comme les garçons Collins et la famille Baxter, parvenaient à éviter les maladies qui frappaient tant de chercheurs d'or. Ils faisaient bouillir l'eau qu'ils buvaient et cultivaient un petit potager. Mme Baxter possédait une dizaine de poules ainsi qu'une chèvre et donnait les œufs et le lait en surplus aux trois jeunes gens.

Les deux familles étaient de ces mineurs sérieux qui savaient comment consolider les parois d'un puits et s'étaient préparés à devoir travailler des mois durant avant d'atteindre la marne bleue riche en or, à deux ou trois mètres sous la surface. Leurs puits étaient protégés des intempéries par des toits de toile et sécurisés par une clôture basse en bois.

Les prédictions de Will Collins se réalisèrent à la fin du mois de juillet. Trois semaines auparavant, ils avaient atteint la couche d'ardoise que de nombreux mineurs confondaient avec le fond, abandonnant ainsi sans le savoir une fortune dans les entrailles de la terre. Les trois frères étaient des mineurs-nés, aussi ne se laissèrent-ils pas abuser. Hal et Will s'adonnèrent à la tâche harassante de traverser l'ardoise.

Tommy restait en surface, prenant en charge le treuil et le seau. Avec sa jambe raide, il ne pouvait courir le risque d'emprunter l'échelle pour monter et descendre dans le puits. Même s'il acceptait son infirmité, il regrettait amèrement de ne pouvoir être avec ses frères au moment où les pépites d'or nichées dans les interstices de l'argile viendraient éblouir leurs yeux émerveillés.

À la fin de la dernière semaine, toutes les pépites accessibles, allant de morceaux gros comme des petit pois jusqu'au bloc que Will eut des difficultés à tenir entre les mains, avaient été extraites. Ils plaçaient l'or dans des seaux recouverts de toile afin de le cacher aux regards indiscrets. Dans leur cabane, ils amoncelèrent de la terre sur la toile des seaux pour dissimuler leur contenu jusqu'à la semaine suivante, moment auquel le trésor quitterait Ballarat sous bonne escorte.

Will n'était pas retourné à Creswick Creek depuis l'anniversaire de Selena, en mai. Du lundi au samedi, les frères Collins travaillaient avec acharnement toute la journée. Le dimanche, jour de repos, était consacré à la lessive, à la cuisson du *damper* et aux préparatifs pour la semaine suivante. Ce ne fut que lorsqu'ils eurent remonté tout l'or et qu'ils se furent mis d'accord sur le prochain emplacement à creuser que Will s'accorda quelques jours de liberté pour se rendre à Creswick. Après une visite à Selena, il prévoyait de pousser au nord-ouest jusqu'à Clunes, où de l'or avait été découvert pour la première fois dans le Victoria, afin d'évaluer le potentiel des champs aurifères plus petits qui émaillaient les alentours.

À Creswick Creek, le capitaine Trevannick trouvait de l'or en quantité satisfaisante, mais pas suffisante pour lui permettre de se libérer et de retourner en mer, où était sa place. Mais, du moins, ni lui ni Selena ne manquaient du nécessaire, et il parvenait à mettre un montant égal de côté chaque semaine. Il gardait son or dans une solide boîte cachée sous des sacs, sous son lit.

Selena ne se préoccupait nullement de la quantité d'or qu'ils récoltaient. Même si elle était désormais accoutumée à travailler avec un pan, le scintillement d'un grain d'or, fût-il minuscule, lui procurait à chaque fois un frisson d'excitation. De toutes les fibres de son corps, elle se sentait appartenir à ce pays nouveau, à ce nouveau style de vie. Elle ne souffrait plus avec autant d'intensité de la perte de sa mère. Son bonheur eût été complet sans les fluctuations de son humeur, entre l'espoir chaque matin renouvelé du retour de Will, et la déception qui s'abattait le soir venu.

Aussi, lorsqu'elle finit par apercevoir son cher Will qui s'approchait de leur tente, elle s'élança vers lui avec une exclamation de joie, avant de se souvenir qu'elle était censée être Selwyn, et non Selena. Elle ralentit donc le pas, mais son cœur, lui, poursuivit ses battements désordonnés. De crainte que son bonheur ne fût trop visible sur ses traits, elle descendit bien bas sur son front son chapeau en feuilles de palmiste.

Le plaisir que ressentit Will à la vue de Selena le prit par surprise. Un plaisir si fort qu'il se demanda s'il n'était pas un peu amoureux d'elle, tout compte fait. Certes, elle occupait fréquemment ses pensées. Souvent, il se demandait si le père et la fille avaient trouvé l'or tant désiré. Parfois, il se surprenait à sourire au souvenir des moments passés ensemble le jour de son anniversaire. Et il lui arrivait également de regretter de ne pas l'avoir embrassée alors qu'elle lui avait si ostensiblement montré combien elle le souhaitait.

Il mit pied à terre et la salua en souriant :

— Vous semblez heureuse de me voir.

— Je commençais à penser que vous aviez oublié votre promesse, répondit-elle.

Puis elle pencha la tête de côté pour le regarder avec des yeux pétillants.

— Et vous, poursuivit-elle, êtes-vous heureux de me voir ?

Il lui répondit par un regard grave, conscient du sérieux qui se cachait derrière cette question lancée d'un ton léger. Elle lui demandait quels étaient ses sentiments à son égard, et il lui devait la vérité.

— Je suis très heureux de vous voir. Mais je serais plus heureux encore de pouvoir saluer Selena, et non Selwyn.

131

Elle fit une grimace.

— Je vous l'ai déjà dit, je ne peux pas me transformer en fille du jour au lendemain. Je redeviendrai moi-même quand nous quitterons Creswick.

— À votre avis, il me faudra attendre combien de temps avant de vous voir en robe ?

— Nous n'avons pas encore trouvé assez d'or.

Ils cheminaient côte à côte. Will tenait son cheval par la bride en contemplant son profil, troublé par les sentiments ambigus qui l'agitaient.

— Mais je ne me plains pas, reprit Selena en levant la tête. En réalité, je suis très heureuse. J'aime ce pays, Will. J'ai envie de vivre ici pour le restant de mes jours.

— Qu'est-ce que vous y feriez ?

— J'aurais une ferme. Une petite ferme, rien de plus, où je pourrais avoir des vaches et des poulets, et cultiver des légumes pour les vendre.

— Est-ce que vous avez déjà vécu dans une ferme, vous ou votre père ?

— Non, mais j'apprendrai. Père, lui, retournera en mer dès qu'il pourra acheter un bateau.

Will s'arrêta pour mieux la regarder.

— Vous ne pourrez pas tenir une ferme à vous seule, même si vous trouvez un terrain déjà défriché. Il vous faudrait au moins un employé pour vous aider, et ce serait dangereux pour une jeune fille.

— Je pourrais rester fille ou… trouver quelqu'un pour m'épouser, glissa-t-elle en lui adressant un regard en biais.

Pour masquer le fait qu'il n'aimait pas l'idée qu'elle épouse un étranger, Will laissa échapper un grand rire.

132

— Vous n'aurez aucun mal ! Il y a des célibataires par milliers sur les champs aurifères, et beaucoup de riches. Ah, voici votre père, il nous a vus, dit-il, soulagé d'interrompre cette conversation qui était parvenue à le perturber.

Selena, elle aussi, en fut soulagée. Sa propre audace l'avait un peu embarrassée. La réponse de Will n'était pas étonnante.

Ni l'un ni l'autre n'avaient conscience de la présence de l'homme qui les avaient observés avec attention et qui leur emboîtait le pas nonchalamment à quelque distance afin de voir la direction qu'ils prenaient.

Will avait quitté Ballarat dans l'intention de passer la nuit à Creswick. Mais la révélation du tendre sentiment qu'il se soupçonnait d'éprouver pour Selena le fit changer d'avis. Il se contenterait d'y rester quelques heures. Il fallait mettre une distance entre elle et lui afin de sonder son cœur. Aimait-il vraiment Selena ? Depuis Jenny Tremayne, il se croyait incapable d'aimer une autre femme.

Le capitaine délaissa sa prospection pour venir partager le repas avec leur visiteur. Ce jeune homme lui plaisait, et il était pleinement conscient du sincère penchant de sa fille. Tout en estimant qu'elle était bien trop jeune pour se marier, il envisageait avec plaisir l'éventualité d'avoir Will Collins comme gendre. Ce fut avec cette arrière-pensée qu'il résolut d'aborder le passé qu'il avait récemment révélé à Selena.

— Je crois que vous avez connu Connor, mon fils, en Cornouailles, déclara-t-il.

133

Will, que cette remarque prit totalement au dépourvu, mit un moment à reprendre ses esprits.

— Oui, c'est vrai, confirma-t-il enfin. Je l'ai connu. Il vous ressemble beaucoup.

Le capitaine fronça les sourcils, mais la réaction de Selena fut plus vive :

— Vous le saviez depuis le début ! Pourquoi n'avez-vous rien dit ?

Oui, pourquoi ? Parce qu'il n'avait jamais pardonné à Connor d'être devenu l'amant de sa sœur ? Parce qu'il voulait éviter tout lien entre Selena et le passé ? Il ignorait la réponse. Mais il lui fallait dire quelque chose, car une Selena blessée et troublée lui faisait face.

— Vous ne sembliez pas savoir que vous aviez un frère, avança-t-il avec prudence.

À l'évidence, elle avait appris la chose depuis sa dernière visite, et il ignorait si cette révélation avait changé la relation qui existait entre le père et la fille.

Le capitaine confirma d'un signe de tête.

— Selena ignorait tout de ma vie avant ma rencontre avec sa mère. Lorsque vous lui avez parlé de l'homme que vous connaissiez, elle m'a posé des questions. Je lui ai dévoilé la vérité. Dites-moi, à quel moment avez-vous fait la relation ?

— Je l'ai su dès le jour où je vous ai vu pour la première fois, au camp du gouvernement. Vous et votre fils avez beaucoup en commun.

— Il me ressemblait bébé. Peut-être que, s'il avait ressemblé à sa mère, je n'aurais pas pu le quitter.

Le capitaine se tut, plongé dans des pensées qui excluaient ses deux compagnons.

134

Selena, dont le regard passait alternativement de son père à leur hôte, déclara après un court silence :

— Père, il y a quelques mois, j'ai vu un cavalier dans la rue qui vous ressemblait étrangement. Pensez-vous qu'il pourrait s'agir de Connor ?

Les deux hommes la dévisagèrent, stupéfaits.

— Où donc ? interrogea le capitaine.

— Non, c'est impossible ! s'exclama Will.

Le père et la fille tournèrent vers lui des visages interrogateurs.

— Il était en Australie il y a quelque temps, expliqua-t-il. Je sais qu'il est retourné en Cornouailles. Il a épousé Jenny Tremayne.

Ce nom atteignit Selena aussi douloureusement qu'une piqûre d'abeille. Elle poussa un cri involontaire.

— J'ai été piquée par une fourmi, se hâta-t-elle d'expliquer tout en se frottant la cheville pour donner le change.

Elle refoula la nausée que la clairvoyance faisait monter invariablement. Ce n'était pas une quelconque émotion contenue dans la voix de Will qui le lui avait révélé. Mais Will aimait Jenny Tremayne, d'un amour contre lequel elle ne pouvait espérer lutter. Si elle voulait Will, elle était condamnée à accepter le fait qu'une partie de son cœur appartiendrait pour toujours à une autre.

Will avait déjà accompli une bonne partie de la route de Clunes lorsqu'il entendit un bruit de galop derrière lui. Il brida sa monture, lui fit faire demi-tour. D'une main, il maintint fermement son cheval, de l'autre, il sortit son revolver de sa ceinture, prêt à accueillir le nouveau venu comme il se devait si ce dernier envisageait de le détrousser.

Lorsque le cavalier fut près de lui, il se détendit, quoique légèrement.

— B'jour, Will ! Je t'ai vu quitter Creswick Creek. Tu vas à Clunes ?

— Ça se pourrait.

— Bien. On pourrait faire la route ensemble. On se tiendrait compagnie.

— Je fais la route seul, Joshua.

Joshua Winton prit la mouche :

— Alors comme ça, ma compagnie n'est toujours pas assez bonne pour toi ? Mais tu peux rien contre. La route est à tout le monde.

Will fit demi-tour et repartit sans mot dire. S'il ne pouvait empêcher Joshua de l'accompagner, du moins n'était-il pas obligé de lui faire la conversation.

Au bout d'une demi-heure de chevauchée silencieuse, il se rendit compte que sa contrariété mettait le scélérat en joie, et sa mauvaise humeur augmenta. Il fallait trouver un moyen de se débarrasser de lui.

Ils traversaient une zone de bush particulièrement dense lorsque, dans un tournant, ils aperçurent à travers les arbres deux hommes qui arrivaient à pied en sens inverse. Joshua arrêta son cheval. Will tourna involontairement la tête.

— Besoin naturel, expliqua Joshua. Je te rattrape plus tard.

Will poursuivit son chemin et, une fois à la hauteur des deux nouveaux venus, s'arrêta comme le faisaient tous les voyageurs pour échanger saluts et nouvelles. Les deux marcheurs avaient travaillé dans les champs aurifères de Clunes et se rendaient à présent à Ballarat. Ils n'avaient pas trouvé de chevaux à acheter à Clunes. Mais en hiver, les journées étaient fraîches, ce qui rendait la marche agréable, et ils ne se plaignaient pas. Ils faisaient un peu de prospection en chemin dans l'espoir de dénicher une source d'or alluvionnaire encore inexploitée. Y a pas de mal à tenter sa chance, pas vrai ? conclurent-ils.

Avant de poursuivre, Will jeta un coup d'œil en arrière pour voir si Joshua le suivait. Mais il ne vit nulle trace du gredin.

Il finit par atteindre une bifurcation et saisit cette occasion d'échapper à ce compagnon indésirable.

Ce dernier, pour sa part, avait attendu que Will fût hors de vue pour rebrousser chemin et se cacher dans un fourré assez épais pour le dissimuler, ainsi que sa monture, aux yeux des voyageurs. Il guetta leur approche. Avec un peu de chance, ils transportaient de l'or sur eux. Dans le cas contraire, il les dépouillerait de leurs éventuels objets de valeur. Il remonta le col de son manteau et enfonça son chapeau sur ses yeux pour couvrir son visage.

Lorsque les deux hommes ne furent plus qu'à deux mètres, il jaillit de sa cachette en brandissant son revolver.

— Bon après-midi, messieurs. Ayez la bonté de me donner votre or ou vos objets de valeur. Oh... et n'essayez pas de vous enfuir. J'ai déjà tué un homme.

Il avait tué, certes, mais pas intentionnellement, et regrettait son acte, mais ces gars ne pouvaient pas savoir qu'il n'appuierait pas sur la détente.

Les deux chercheurs d'or n'étaient pas prêts à mettre leur vie en péril. Ils sortirent chacun une petite bourse d'or de leur poche et la tendirent à leur agresseur. Joshua en prit une et la soupesa dans sa paume. Il sourit. Ce sac contenait bien treize ou quatorze onces d'or. Le second pesait à peu près le même poids. Il fourra les deux bourses dans les poches de son manteau.

— Merci, messieurs. Faites bon voyage. Juste pour être sûr qu'il vous arrivera rien de mal, je vous garde à l'œil jusqu'à ce que je vous voie plus.

Les deux hommes détalèrent prestement, non sans se retourner régulièrement. Joshua, juché sur son cheval, ricanait devant leur peur évidente. Ces imbéciles s'attendaient à ce qu'il leur tire dans le dos !

Lorsqu'ils furent hors de vue, il reprit la route de Clunes dans un état d'intense exaltation. Il allait pouvoir changer de vie. Peut-être ne serait-il pas obligé de descendre au fond des puits à la lueur d'une chandelle.

Descendre au fond des puits pendant la nuit était une entreprise périlleuse. Quand on avait commencé à le regarder de travers dans la région du Canadian Lead et des Gravel Pits, il avait opté pour la prudence et décidé de se transporter sur un autre champ d'or. Il quittait Ballarat dans l'intention de poursuivre son activité nocturne à Clunes.

Le petit vol à main armée qu'il venait de perpétrer lui donnait des idées. Après tout, détrousser les gens dans le bush, c'était plus plaisant que les cambriolages à la chandelle. S'il prenait le temps de bien choisir ses victimes au lieu d'agir au hasard, il pouvait se faire une bonne pelote.

Mais, pour l'heure, le plus pressé était de rattraper Will. Parce qu'une fois à Creswick, les deux imbéciles raconteraient qu'ils avaient été attaqués par un homme seul.

Au moment où Joshua estimait que Will ne pouvait plus être bien loin, son cheval perdit un fer. Il descendit de selle avec une bordée de jurons digne d'un charretier. Comment se tirer d'affaire ? Clunes était encore à une belle distance à pied, et retourner à Creswick était trop risqué. Il ne lui restait plus qu'à se trouver un campement pour la nuit et à repartir pour Creswick le lendemain matin.

De nombreux sentiers partaient de la route principale pour s'enfoncer dans le bush ou dans la campagne. Joshua reprit la direction de Creswick en les examinant soigneusement, à la recherche d'un endroit où camper. Entendant un bêlement, il estima qu'il venait de quelque part au sud de la route. Qui disait mouton disait berger. Une cabane de berger, voilà ce qu'il lui fallait.

Alentour, le paysage était une succession de collines basses et de vallées ombragées. Joshua évalua la terre d'un œil expert. Cette région était plus propice à l'élevage de moutons que la propriété familiale des rives du Murray. Il se prit à rêver et se vit à la tête d'une belle propriété, avec des employés qui se chargeraient du travail, pendant que lui-même mènerait la grande vie... Mais, pour cela, il fallait de l'argent. Et trouver les moyens d'en acquérir. Les solutions ne manquaient pas...

Le troupeau paissait dans une petite vallée boisée traversée par un cours d'eau. Mais il ne vit nulle trace de cabane de berger. Les seuls êtres humains à la ronde étaient un groupe d'Aborigènes qui campaient près du ruisseau à quelque distance de là. L'un d'eux, vêtu d'un pantalon et d'une chemise sous un manteau en opossum – une tenue quelque peu saugrenue – était en train d'ériger une clôture pour parquer les moutons pendant la nuit.

Un berger aborigène, songea Joshua. Nombre d'éleveurs avaient recours aux Aborigènes pour garder leurs troupeaux, car ils n'escomptaient aucun travail sérieux de la part d'une population atteinte de la fièvre de l'or. Joshua, lui, ne croyait pas qu'on pût faire confiance aux Aborigènes et pourtant, à l'évidence, celui qu'il avait sous les yeux travaillait avec compétence.

Joshua resta quelque temps à observer la manière dont le berger enfermait les moutons dans leur enclos. Cela fait, l'homme leva la main pour le saluer. Joshua alla le rejoindre.

— Bien le bonjour. Je cherche un endroit où camper pour la nuit. Ça vous fait rien si je campe ici, pas loin de vous autres ?

Son regard fut attiré par quelques jeunes femmes dans le groupe. Sur les champs aurifères, les Aborigènes étaient rares. Ceux qui venaient errer autour des mines étaient à la recherche d'alcool. Et en faisant boire les hommes, on pouvait faire ce qu'on voulait avec les femmes, en particulier si elles buvaient aussi.

Joshua ne l'avait fait que deux fois. Il lui restait un soupçon d'humanité car il ne pouvait s'empêcher d'éprouver de la tristesse devant l'état pathétique auquel avaient été réduits des hommes qui, autrefois, avaient été de grands chasseurs et de grands guerriers. Ceux de ce petit groupe alerte avaient l'œil vif et les femmes, une belle peau saine. L'une d'elles l'attirait et il braqua son regard sur elle. Celle-ci le regarda brièvement, puis détourna les yeux.

— Toi suivre ruisseau. Maison patron par là-bas, dit son interlocuteur.

— À combien d'ici ?

— Petite marche.

Ce qui pouvait aussi bien signifier cinq cents mètres que six kilomètres. Il s'apprêtait à demander au berger d'être plus précis lorsqu'il comprit que sa présence était indésirable.

Ce type veut pas de moi ici, se dit-il. C'est sûrement sa femme que j'ai reluquée.

Il tourna la tête d'un mouvement vif et surprit le regard de la femme posé sur lui. Comme précédemment, elle détourna immédiatement les yeux. Elle était consentante, la bougresse ! Mais il n'allait pas pour autant se faire taillader à coups de lance.

— Très bien. Mais toi me donner boire avant ? Moi marcher long chemin.

L'Aborigène hésita avant de grogner son assentiment. Joshua supposa qu'il avait pesé le pour et le contre et pris sa décision en songeant à ce que dirait son patron s'il refusait du thé à un Blanc.

Il hocha la tête en signe de remerciement et suivit le berger jusqu'au groupe. Il détacha son quart de sa sacoche de selle, lança un salut général et s'approcha du feu. Une théière de métal noirci, contenant un thé tout aussi noir, attendait au bord du foyer. Ce

141

breuvage serait certainement imbuvable, mais son objectif n'était pas d'étancher sa soif.

Le groupe le regarda se servir en silence. Joshua distribua des sourires à la ronde et posa son regard une fraction de seconde de plus sur la jeune Aborigène. Le thé était beaucoup trop fort et beaucoup trop sucré. Malgré la protestation de ses papilles gustatives, il but son quart jusqu'à la dernière goutte.

— Bon thé, approuva-t-il, remercié par des sourires.

Sans doute ne parlaient-ils pas l'anglais. Mais une langue commune était inutile pendant une partie de jambes en l'air.

Il retourna auprès de son cheval et, après avoir rattaché son quart, ouvrit sa sacoche comme pour y chercher quelque chose. Ce faisant, il s'arrangea pour en faire tomber un collier de perles bleues et brillantes. En se baissant pour le ramasser, il regarda la jeune Aborigène du coin de l'œil. Puis il enfouit le collier dans une poche, referma les lanières de sa sacoche et leva la main en signe d'adieu.

À quelques centaines de mètres du camp, il noua les rênes de sa monture autour d'un arbre, s'assit et attendit. Son attente ne fut pas longue. La fille se matérialisa d'abord sous la forme d'une ombre hésitante près d'un arbre. Joshua, appuyé sur un coude, fit jouer les perles brillantes dans sa main. La jeune Aborigène sortit de l'ombre. Joshua tendit le collier dans sa direction. Quand elle fut assez près pour l'attraper, il poussa la fille par terre et lui plaqua une main sur la bouche tout en déboutonnant son pantalon.

142

Il aimait prendre les femmes avec brutalité. Depuis la nuit où il avait violé Jane, sa sœur de lait aborigène, il cherchait chaque fois à retrouver le sentiment de puissance et de supériorité qu'il avait éprouvé alors. Les doux gémissements de plaisir de la fille éveillèrent sa colère. Elle n'était pas censée aimer ça.

Quand il eut fini, elle resta couchée sur le sol, gémissante et en sang. Joshua la laissa là, après avoir jeté les perles sur son ventre. Elle avait bien gagné ce pourboire, vu la manière dont elle s'était défendue.

Il détacha son cheval et prit le chemin de la propriété sans un regard en arrière, uniquement préoccupé de savoir s'il aurait la chance de prendre un bon bain chaud chez son hôte. Il avait besoin de se laver pour faire disparaître les odeurs de la femme et les siennes.

La propriété apparut au loin alors que le soleil couchant teintait les nuages en orange. Depuis le ruisseau, il avait vue sur l'arrière du bâtiment principal et sur les dépendances : la crémerie, la buanderie, deux cabanes pour les ouvriers, ainsi que d'autres dont il ignorait la fonction. Sur la gauche, les étables et, loin derrière, le hangar à tonte. Il estima que l'ensemble se trouvait à environ un kilomètre du ruisseau.

Joshua apprécia ce qu'il voyait d'un œil connaisseur. Cette propriété était prospère. Plus il s'en rapprochait, plus il en avait la confirmation. Un grand chariot de ferme et une charrette plus petite étaient garés sous un toit d'écorce et de branchages soutenus par des étais. À côté se trouvait une forge, ouverte sur le devant. Il constata, lorsqu'il se fut rapproché, que le feu était éteint. Cela laissait supposer que la forge n'avait pas fonctionné depuis quelque temps. Sans doute le propriétaire, comme tant d'autres, avait-il perdu ses employés attirés par les champs aurifères.

Comme dans beaucoup de maisons coloniales, la grande cuisine était reliée à l'habitation principale par un passage couvert. Joshua attacha son cheval à une rambarde et se dirigea vers la porte de la cuisine.

Une femme, près d'une longue table, était en train de mélanger vigoureusement le contenu d'une jatte. Elle ne parut pas autrement surprise de voir un étranger apparaître sur le seuil.

— Qui êtes-vous ?

— Un voyageur. Mon cheval a perdu un fer il y a quelques heures de ça. Je suis à pied depuis tout ce temps-là.

— Vous allez où ?

— À Ballarat. Je suis parti il y a une semaine de Bendigo, mentit Joshua. En venant, j'ai jeté un coup d'œil sur le pays.

Un sourire, puis il expliqua :

— Ma famille a un élevage de moutons en Australie méridionale.

La femme recouvrit la jatte d'un linge.

— Venez avec moi. On va aller voir le maître. Vous voulez sûrement rester coucher.

— Je serais content de manger un morceau et de prendre un bain.

— Le maître est toujours heureux d'avoir de la compagnie.

144

Le passage donnait sur la porte de derrière, puis sur un couloir qui menait à une nouvelle porte ouvrant sur un salon spacieux. Un homme brun était assis derrière un bureau à l'autre bout de la pièce. Il leva les yeux, puis posa la plume avec laquelle il était en train d'écrire et se leva.

— Ce monsieur-là voudrait un lit pour la nuit, monsieur Connor. Son cheval a perdu un fer.

Joshua s'avança, main tendue.

— Joshua Winton.

Son hôte traversa la pièce pour lui serrer la main. Il était si grand que Joshua dut lever les yeux pour croiser son regard.

— Je suis Connor Trevannick, se présenta-t-il. Vous êtes le bienvenu. Où avez-vous laissé votre cheval ?

— Il est attaché près de la cuisine.

— Il y a de la place dans l'écurie. Vous pouvez l'y laisser pour la nuit. Je suis désolé, mais je ne peux envoyer personne le soigner. Mes gens sont tous dehors avec les moutons.

— Aucune importance, du moment que je peux vous emprunter de quoi le ferrer demain matin.

— Assurément. Revenez quand vous vous serez occupé de votre cheval. Nous pourrons bavarder avant le dîner.

— Je suis comme qui dirait pas très présentable, avec le voyage. Avant de vous rejoindre, j'aimerais me laver, de préférence prendre un bain, si possible.

Son hôte le jaugea du regard, puis demanda à sa gouvernante :

— La chose est-elle possible, madame Clancy ?

— Il me faudrait mettre un peu plus d'eau à chauffer, monsieur Connor. Mais quand ce monsieur aura fini avec son cheval, son bain sera prêt.

— En allant à l'écurie, vous passerez devant les bains. Prenez votre temps. Personne d'autre n'attend de les utiliser.

— Je vous suis bien obligé. Merci.

Joshua suivit la gouvernante, très content de lui-même. Il allait passer une bonne soirée en bonne compagnie, prendrait un bon repas et dormirait dans un bon lit, toutes choses qui lui étaient refusées depuis trop longtemps.

Les yeux étrécis, la jeune Aborigène regarda partir celui qui l'avait brutalisée, regrettant de ne pas avoir de lance à lui passer à travers le corps. Si Wallaby l'apprenait, il tuerait ce gredin. Peut-être la tuerait-il aussi s'il découvrait qu'elle avait suivi délibérément l'homme blanc.

Jilli avait déjà été avec un Blanc. C'était un homme gentil, avec qui elle avait aimé coucher. Elle était restée avec lui dans sa cabane de berger jusqu'à ce qu'il s'en aille pour aller chercher la pierre jaune que les Blancs adoraient. Elle était alors retournée auprès de son peuple et Wallaby l'avait prise pour femme. C'était un bon mari, sauf que, quand il couchait avec elle, elle n'était pas heureuse. Elle ne ressentait jamais le plaisir que lui avait donné l'homme blanc. C'était pour cela qu'elle avait suivi un autre homme blanc, mais celui-là était cruel.

Très lentement, car le moindre mouvement lui arrachait un gémissement de douleur, Jilli réussit à se relever. Elle chancela. Les arbres se mirent à tourner autour d'elle. Aussi baissa-t-elle la tête pour regarder le sol. Là, elle vit briller les perles bleues. Elles étaient jolies. Elle allait les garder. Alors qu'elle se baissait pour ramasser le collier, elle s'effondra et alla donner de la tête sur un rocher. Jilli resta inerte.

Sa famille la retrouva le lendemain matin. Ne la voyant pas revenir la veille au soir, ils crurent qu'elle avait suivi l'homme blanc. Wallaby resta assis, maussade, près du feu, sans fermer l'œil de la nuit. Il savait qu'elle avait vécu avec un homme blanc avant de devenir sa femme. Il s'inquiétait toujours à l'idée qu'elle ne soit pas heureuse, qu'elle retourne un jour avec un autre Blanc. Et voilà qu'elle l'avait fait.

Wallaby était malheureux en pensant qu'il devrait vivre sans Jilli. Il sentit monter la colère. Elle était sa femme ! Aucun autre homme, noir ou blanc, n'avait le droit de la toucher ! Mais que pouvait-il faire ? S'il le disait à patron, est-ce que patron dirait à l'homme blanc de renvoyer Jilli auprès de son peuple ? Patron était un bon homme blanc. Il donnait à la famille de Wallaby du mouton, du sucre, du thé, de la farine, des couvertures et des vêtements, et tout ce que Wallaby avait à faire, c'était surveiller les moutons pendant la journée et les enfermer la nuit. Wallaby prit sa décision. Il irait trouver patron au matin.

Aux premières lueurs de l'aube brumeuse, Wallaby quitta le campement. Il emporta ses lances de chasse car sans elles il se sentait vulnérable. Quand le soleil se leva, la brume se fit plus épaisse et se posa comme un nuage au-dessus du ruisseau, de sorte qu'il ne voyait pas au-delà de trois arbres.

147

Wallaby se déplaçait avec lenteur, tous les sens en alerte. Comment savoir si des esprits ne se cachaient pas dans la brume ?

En voyant la forme allongée sur le sol, un peu plus loin, il s'arrêta, observa. La chose ne bougea pas. Wallaby avança accroupi, lances levées, prêt à se défendre. Au cas où il s'agirait d'un mauvais esprit qui l'attendait pour le prendre au piège, il marmonna une incantation protectrice. Il ne reconnut pas la forme avant de se trouver à deux longueurs de lance.

Son hurlement d'angoisse déchira le silence cotonneux. Des oiseaux effrayés s'envolèrent. Un kangourou se figea avant de repartir d'un bond.

Wallaby lâcha ses armes pour s'élancer vers la femme. Il savait, avant même de voir son visage, que sa chère Jilli était partie retrouver ses ancêtres.

Il tremblait de rage. L'homme blanc allait payer.

Mais d'abord, il allait ramener Jilli au camp, afin de faire préparer son corps pour le rituel de l'enterrement qu'elle méritait.

Joshua trouvait son hôte si agréable que, lorsque ce dernier lui demanda s'il voulait rester quelques jours, il accepta.

— Avec cette fièvre de l'or, il est quasi impossible de trouver quelqu'un qui accepte de travailler contre des gages, et ces gages sont exorbitants. Aujourd'hui, les bergers sont payés une livre la semaine, un gardien de cabane touche dix-huit shillings, et un ouvrier demande vingt-cinq shillings par semaine. Quand il suffit de creuser la terre une huitaine de jours pour gagner plus que l'équivalent d'un an de gages, pourquoi travailler comme employé ?

Tout cela, Joshua le savait déjà.

— Nous, à Riverview, on avait environ douze employés quasi à l'année, dit-il. Pendant la tonte, presque deux fois plus. Comment vous faites pour exploiter votre terre sans main-d'œuvre ?

— Il faut travailler dur pendant de longues heures. Ce n'est pas facile. L'un de mes voisins m'a conseillé de faire appel à des Aborigènes. Cela m'a surpris, mais ce sont de bons bergers. L'argent ne signifie rien pour eux. Ils se satisfont de ce qu'on leur donne… De la nourriture, du tabac et d'autres petites choses. Le seul inconvénient, c'est qu'ils lèvent le camp sans prévenir. Quand l'envie les prend, ils font leurs paquets et disparaissent sans autre forme de procès. Ils réapparaissent deux mois plus tard et reprennent le travail.

Habitué au vagabondage des Aborigènes, Joshua opina du chef en signe d'assentiment et passa à une question qui l'intéressait bien davantage, celle de la rentabilité de l'activité pastorale de Connor :

— Les moutons, ils sont à quel prix sur le marché ?

— Lors de ma dernière vente, j'en ai tiré quinze shillings et six pence par tête. La laine que j'ai envoyée en avril a été vendue à un shilling et six pence la livre.

Joshua émit un petit sifflement.

— Des bons prix !

— Effectivement. J'espère que le cours tiendra. Malheureusement, le marché peut être très changeant.

Ils étaient assis autour d'une bouteille de porto. L'hôte remplit à nouveau les verres avant de demander :

— Avez-vous rencontré des moutons atteints de la gale ?

— Non, répondit Joshua, saisi. Vous l'avez attrapée chez vous ?

— Pas encore. Mais tous mes voisins sont touchés. Je ne vois pas comment mes troupeaux pourraient éviter d'être infectés.

— Bonté, c'est mauvais, ça ! Pendant que j'étais sur les champs aurifères, je me suis pas intéressé aux moutons, sauf à ceux du boucher. Comment vous allez faire pour les soigner, s'ils attrapent la gale ?

— J'ai lu quelque chose sur un nouveau remède – un bain qui supprime la nécessité de scarifier la peau. J'ai commencé à faire fabriquer un bassin quand j'ai entendu parler de l'épidémie. Il n'est pas encore terminé. Dès qu'il a fait plus frais, les gens que j'avais engagés ont filé vers les mines d'or.

Il se tut un instant avant de poursuivre :

— Si vous n'êtes pas pressé, accepteriez-vous de rester un peu ? Je serais heureux d'avoir un coup de main pour finir le bassin.

Pourquoi pas ? se dit Joshua. L'existence qu'il menait, faite de boisson, de jeu et de rapines, avait ramolli ses muscles. Il ne rechignerait pas à la besogne s'il avait la certitude qu'un bon repas et un bon lit l'attendaient le soir venu.

Joshua travailla pendant quatre jours avec son hôte pour terminer le bassin. Connor – les deux hommes en vinrent rapidement aux prénoms –

150

exprima à plusieurs reprises son soulagement d'avoir trouvé quelqu'un pour l'aider à venir à bout de cette tâche impossible pour un homme seul. Quant à Joshua, il constata avec surprise qu'il appréciait le travail manuel.

Le sentiment de ne pas être à sa place qui le tourmentait depuis le jour où il avait été chassé de chez lui se dissipa. Mais pas le ressentiment envers sa famille, même s'il était passé au second plan.

Enfin, il était dans son élément. Ces quelques jours suffirent à lui apprendre que ce qu'il voulait, c'était posséder un élevage de moutons. Il se vit propriétaire de sa terre comme son père. Qu'Adam hérite de Riverview. Charles Winton, leur père, était vigoureux et en bonne santé. Son cher fils aîné devrait attendre longtemps, et entre-temps, le cadet rejeté aurait mis sur pied sa propre affaire. Le moment venu, il se ferait une joie de retourner à Riverview pour se vanter de son succès.

L'image que Joshua se forgeait devenait plus séduisante à mesure qu'elle prenait de l'ampleur. Le seul ennui, c'était l'argent, ou plus exactement, le manque d'argent. Il lui fallait à tout prix trouver un moyen d'améliorer rapidement sa situation financière.

Travailler contre des gages n'entrait même pas en ligne de compte. Détrousser les voyageurs dans le bush, comme il y avait songé, n'était pas non plus la solution. Pour réunir la somme nécessaire à son projet, il lui faudrait employer les grands moyens, comme, par exemple, attaquer le convoi d'or. Chose impossible pour un homme seul, et prendre des associés était trop risqué. Quant à voler l'or au fond des puits, ça ne pouvait se faire qu'à intervalles

151

irréguliers sous peine d'être pris sur le fait. La solution consistait peut-être à s'atteler sérieusement à la tâche et à rejoindre les chercheurs d'or.

Cinq jours après l'arrivée de Joshua à Langsdale, Connor annonça son intention de partir inspecter les moutons qui engraissaient sur les riches pâtures de la région, à l'ouest de ses terres.

Ils prirent la route de bon matin. Leur conversation porta presque exclusivement sur les moutons. Joshua se sentait devenir une personne radicalement différente de celle qu'il était encore moins d'une semaine plus tôt. Sa vie prenait un cours qui allait dans le bon sens. Au diable tous ceux qui l'avaient un jour humilié ! Joshua Winton deviendrait bientôt quelqu'un avec qui il faudrait compter.

Ils arrivèrent sur place en fin de matinée. À première vue, les deux mille têtes du troupeau paraissaient en bonne santé. Mais en y regardant de plus près, Connor vit ses craintes se confirmer. Serré au milieu de ses compagnons, il décela un animal à l'arrière-train partiellement dénudé.

— La gale, annonça-t-il. Regardez cette pauvre bête. Et il y en a un autre là-bas.

— Et là-bas, ajouta Joshua.

— Donc, je n'y ai pas échappé… Tout le troupeau va bientôt être infecté. Il faut les emmener immédiatement pour les traiter.

Connor scruta les alentours, sourcils froncés.

— Où diable est donc le berger ? Il aurait dû séparer les bêtes infectées des autres.

Il talonna son cheval et chevaucha jusqu'à la petite cabane d'écorce pendant que Joshua continuait à inspecter le troupeau à la recherche des moutons atteints de la gale.

Beaucoup de bêtes étaient malades, bien trop pour espérer que l'infection ne se répande pas à tous les moutons.

La voix chargée de colère de Connor s'éleva dans la cabane. Joshua tourna la tête et vit le berger, presque trop ivre pour tenir sur ses jambes, sortir en titubant. Après quelques invectives supplémentaires, Connor vint retrouver Joshua.

— Je savais bien que j'aurais des ennuis quand j'ai engagé ce vaurien. Dès qu'il nous aura aidés à emmener le troupeau, il partira. Je commence à regretter d'avoir acheté dans la région aurifère. Même à Melbourne, il y a pénurie de main-d'œuvre.

— Ça n'aurait rien changé. La pénurie de main-d'œuvre, elle est dans tout le pays.

— Parfois, je me dis que l'or est une malédiction pour cette colonie. Le jour où il sera épuisé, si ce jour arrive, les gens retrouveront peut-être leurs esprits. Votre arrivée a été providentielle, Joshua. Au moins, j'ai pu prendre mes dispositions pour baigner les moutons. Bien, partons maintenant. Plus vite nous serons rentrés, plus vite je pourrai commencer le traitement. J'espère seulement avoir de quoi soigner tous les malades.

Le nombre de bêtes en état de faiblesse ne leur permit pas d'arriver avant la nuit. Ils dormirent à la belle étoile, enveloppés dans des couvertures de selle qui n'offraient qu'une mince protection contre le froid. Un petit feu leur prodiguait néanmoins un peu de chaleur. En hommes au fait du côté imprévisible de la vie à la campagne, ils avaient emporté

153

dans leurs sacoches de la viande froide et des biscuits, ainsi que leurs quarts, qui leur servirent à préparer du thé.

Au matin, ils découvrirent un mouton mort. Connor avait la mine sombre. Joshua compatissait. Si la gale persistait, elle pouvait ravager la totalité du cheptel de cinq mille têtes.

Le premier jour, ils ne purent baigner que sept cents bêtes. La préparation de la mixture prenait du temps. Les autres moutons furent baignés le lendemain. Après avoir exprimé son repentir et promis de rester abstinent, le berger ivrogne resta pour les aider. Connor n'était pas en position de refuser.

— J'aurais besoin d'au moins six hommes de plus si je pouvais mettre la main dessus, dit-il. Il va falloir recommencer le traitement pour ce troupeau d'ici quelques jours. Et aller inspecter les deux autres troupeaux.

Joshua s'enquit, intéressé :

— Où ils sont, les deux autres ?

— J'ai environ mille têtes dans le parc de l'Est. Un berger aborigène de confiance s'en occupe. Ned Clancy est avec le troupeau principal dans le parc du Sud. On peut compter sur Ned pour agir immédiatement s'il décèle une bête galeuse. Mais je vais aller le trouver malgré tout pour le prévenir que la maladie est présente sur le domaine. Quand nous en aurons fini avec ce troupeau, nous amènerons les autres pour les traiter à leur tour. Si la gale ne s'est pas encore déclarée là-bas, nous ferons en sorte de l'en empêcher.

Au soulagement de tous, le troupeau principal n'était pas atteint. Connor resta pourtant prudent.

— Garde-les ici, Ned. Nous aurons peut-être la chance que ce troupeau y échappe. Je reviendrai te voir dans quelques jours.

Ils quittèrent Ned sous la grisaille et le vent. Lorsqu'ils arrivèrent à la propriété, une pluie légère se mit à tomber. Avant la nuit, elle s'était transformée en trombes d'eau.

— Il faut attendre la fin de la pluie pour baigner les bêtes, observa Joshua, avant de laisser retomber le rideau et de reprendre sa place au coin du feu.

Connor avait retrouvé sa mine sombre.

— Prions pour qu'elle cesse vite. La gale se répand plus facilement quand il fait froid et humide. J'ai besoin qu'on m'envoie plus de soufre et d'arsenic de Melbourne, dit-il en fronçant les sourcils.

Joshua comprit à quoi il pensait.

— Vous pensez à l'état des routes, affirma-t-il.

— Oui. S'il continue à pleuvoir ainsi tout le long de la route de Melbourne, les transporteurs ne pourront pas passer.

— Je pourrais aller jusqu'à Ballarat, demain, voir si je trouve du soufre et de l'arsenic quelque part. Je pourrais aussi voir si je peux pas recruter quelques gars. Y en a sûrement qui seront bien contents de sortir un peu de la boue.

Un sourire en coin lui tordit la bouche.

— Je les appâterai en leur faisant miroiter une bonne cabane pour dormir et des repas chauds tous les jours.

Connor émit un petit rire dénué de joie.

— Je vous en crois capable. Joshua, c'est le bon Dieu qui vous a envoyé. Je vous demanderais bien de rester ici comme intendant, si je pouvais vous payer.

Joshua en resta quelques instants sans voix, trop surpris pour répondre.

— Sans blague ? Vous me prendriez comme intendant ?

— Je ne dis jamais des choses que je ne pense pas. Vous vous y connaissez en moutons. Je l'ai vu à la façon dont vous travaillez.

— C'est vrai, confirma-t-il. Je savais pas que cette vie me manquait tant que ça.

Il s'interrompit pour réfléchir, les yeux fixés sur le feu où une bûche achevait de se consumer.

— À votre avis, je devrais pas perdre mon temps à chercher de l'or ? reprit-il.

Connor eut un sourire sarcastique.

— Avec cette épidémie, je vais bientôt m'y retrouver moi-même, sur les champs aurifères… J'avais cru qu'avec la dernière tonte et la vente de mes moutons gras, ma situation financière s'améliorerait enfin. Mais la gale pourrait bien me ruiner.

Les deux hommes se turent.

Tandis que Connor réfléchissait à la préservation de son cheptel, Joshua se reporta mentalement quelques jours en arrière. Il avait pris plaisir à sa tâche sur la propriété, s'était senti changer, devenir meilleur. En se rendant utile, il s'était débarrassé du ressentiment confus tapi au fond de lui, qui le portait à considérer que le monde lui devait réparation. En travaillant à Langsdale, il avait redécouvert le respect de lui-même. Peut-être pourrait-il parvenir à un arrangement avec Connor pour rester sur la propriété, même sans être payé pour son travail.

Il pensait pouvoir renoncer facilement à la boisson et à ses autres activités illégales. Mais son appétit pour les femmes noires serait plus difficile à contrôler. Il espérait que l'affaire de l'Aborigène ne viendrait jamais au grand jour. Connor Trevannick n'était pas homme à passer l'éponge sur un tel comportement.

Au matin, la pluie s'était calmée, mais une belle couche de nuages promettait la poursuite du mauvais temps. En inspectant le troupeau, les deux hommes trouvèrent encore trois bêtes mortes. Plusieurs autres étaient très affaiblies.

Ils traînèrent les moutons morts jusqu'à un trou où les carcasses pourraient être brûlées lorsque la pluie cesserait. Trop conscients de la gravité de la situation pour la traduire en mots, ils n'échangèrent que de rares paroles. Pendant de longues heures, ils s'adonnèrent à leur besogne sous la pluie, s'efforçant de soulager tant bien que mal les bêtes malades.

Lorsque le temps s'éclaircit, deux jours plus tard, Connor avait perdu trente moutons.

Il ne fit rien pour cacher son désespoir.

— Nous ne pouvons pas recommencer les bains la semaine prochaine, sous peine que le traitement ne tue les bêtes, déclara-t-il avec un profond soupir. J'ai peur d'en perdre encore beaucoup d'ici là. Nous ne pouvons faire guère plus ici, Joshua. Je pense que nous devrions retourner voir Ned. Sans doute nous attend-il.

Ils revinrent de leur expédition d'humeur plus optimiste. Le parc du Sud était sain. Connor aurait peut-être la chance de ne voir qu'un troupeau infecté.

Lorsqu'il parla d'aller inspecter celui de l'Est le lendemain matin, Joshua annonça qu'il profiterait du beau temps – seuls quelques nuages épars s'étiraient encore dans le ciel – pour descendre à Ballarat. En effet, il jugeait plus prudent de se tenir éloigné du parc de l'Est.

5

Joshua se mit en route avant l'aube, fermement décidé à retourner à Langsdale le surlendemain. Même s'il jugeait plus prudent de ne pas s'approcher du groupe d'Aborigènes, il ne s'inquiétait plus des conséquences de son forfait. Si Connor devait l'apprendre, il prétendrait que la fille avait été échangée contre de l'alcool. Il connaissait suffisamment son nouvel ami, désormais, pour savoir qu'il renverrait les Aborigènes s'il les soupçonnait d'être portés sur la boisson.

Joshua chevaucha jusqu'à ce moment indéfini où le soleil s'apprête à se lever. C'était l'heure entre chien et loup, lorsque la température atteignait son point le plus bas.

Il trouva un endroit où allumer un petit feu auprès duquel il s'installa pour faire du thé. Mme Clancy lui avait préparé des tranches de *damper* et de corned-beef qu'elle avait enveloppées dans un linge. Il mangea pendant que son thé infusait, puis se réchauffa près du feu tandis que les arbres prenaient peu à peu la couleur dorée du soleil levant.

Dans le bush, c'était la meilleure heure, celle où les animaux nocturnes disparaissaient et où les créatures diurnes se réveillaient. Un jour, il achèterait peut-être un tableau qui capturait l'essence de l'aube dans le bush. Tu as changé, se dit-il avec un rire intérieur, tu en es à rêver d'œuvres d'art !

Il se leva, retira les feuilles de thé de son quart, jeta de la terre sur les flammes, puis urina dessus pour les éteindre entièrement. Le feu, si on ne le surveillait pas, pouvait s'avérer mortel.

Il était en train de fermer son pantalon lorsque son cheval hennit, les oreilles tournées vers l'avant. Joshua scruta les environs, ne vit rien de suspect. Et pourtant, il avait la chair de poule. Une menace diffuse planait dans l'aube paisible.

Joshua prodigua des paroles apaisantes à sa jument, avant de sauter en selle. Presque aussitôt, l'animal hennit en même temps qu'il reculait. Avec un juron, Joshua fit appel à toutes ses qualités de cavalier pour l'empêcher de s'élancer au galop sous l'effet de la panique.

Lorsque la jument se fut un peu calmée, Joshua se pencha en avant pour tapoter son encolure.

— Tout doux, tout doux, Clover, ma belle. Qu'est-ce qui t'a fait peur, hein ?

La jument recula de quelques pas en sautillant. Joshua leva les yeux.

L'Aborigène était là, lance levée. Impossible de se tromper sur ses intentions. Joshua, cherchant à faire faire demi-tour à sa monture, tira trop fort sur les rênes. Clover recula. La lance vint transpercer la cuisse gauche du cavalier et la pointe se ficha dans la selle.

Joshua hurla.

Wallaby disparut sous le couvert des arbres, satisfait. Il n'avait pas voulu tuer l'homme blanc, simplement le faire payer pour sauver son honneur. Par ses actes, Jilli avait appelé la mort sur elle.

La douleur empêchait Joshua de penser de façon rationnelle. L'instinct de survie prit le relais. Il se coucha sur l'encolure de son cheval. La jument n'eut besoin d'aucune incitation pour prendre le galop.

La hampe de la lance s'élevait et s'abaissait au rythme du cheval. Des larmes de douleur coulaient sur les joues de Joshua. Il se savait sur le point de s'évanouir, mais, trop faible, était incapable de réduire l'allure de Clover.

Lorsque, enfin, il parvint à l'arrêter, il tenta de casser la hampe. Il ne réussit même pas à la plier. L'idée de continuer à chevaucher avec cette lance fichée dans sa cuisse lui était insupportable. S'il ne pouvait la briser, alors il devait l'extraire. Mais lorsqu'il tenta de tirer dessus, il perdit conscience quelques secondes.

Il fut pris de panique. Puis il se ressaisit.

Il devait rester en selle, retourner à la propriété. S'il y arrivait. Il était conscient qu'il s'affaiblissait de seconde en seconde. Avait-il emporté une corde dans sa sacoche ? Oui, il se rappelait l'y avoir mise. Il se mit à sa recherche en serrant les dents. Puis, au prix d'une douleur presque intolérable, il attacha sa jambe gauche à la lanière de son étrier, passa deux fois la corde autour de sa poitrine, puis attacha sa jambe droite à la même lanière. Il espérait ainsi ne pas tomber s'il s'évanouissait.

Lorsqu'il eut fini son entreprise, il tremblait de tous ses membres, à bout de forces. Une nausée lui souleva le cœur. Il se pencha sur l'encolure de sa jument et vomit. Il attendit que ses spasmes s'atténuent pour

161

s'asseoir. De l'eau. Il avait soif. Il décapsula sa gourde à grand-peine, dut se servir de ses deux mains pour la tenir. Ses yeux se voilèrent. La gourde lui échappa. Il ne s'en aperçut pas. Il glissa sur le côté, se rétablit. Posa une main tremblante sur l'encolure de la jument.

— Allez, Clover, ma belle. Ramène-moi à la maison.

Son cheval n'avait pas parcouru cent mètres que, déjà, Joshua sombrait dans l'inconscience. La jument s'agita, sentant qu'il se passait quelque chose d'anormal. Elle se mit à tourner en rond, cherchant à voir la chose qui pesait de façon inhabituelle sur son dos. Lorsque, enfin, elle se remit à marcher, elle n'était plus sur le chemin qui menait à la propriété.

Pendant le reste de la journée, elle erra, s'arrêtant parfois pour tourner la tête, mais sans réussir à voir son maître. Elle brouta pendant quelque temps, puis continua à vagabonder au hasard.

La journée touchait à sa fin lorsque l'odeur caractéristique de l'eau atteignit ses naseaux. Ce fut à ce moment qu'elle s'aperçut de sa soif. L'instinct l'amena jusqu'à un petit cours d'eau fraîche et claire. Lorsqu'elle pencha la tête pour boire, le poids, sur son dos, glissa lourdement sur son flanc. Clover poussa un hennissement de détresse. Auquel un autre répondit. Clover redressa les oreilles et hennit de nouveau pour appeler à l'aide.

L'honorable Ernest William Henry Smythe-Jones prospectait à travers l'État de Victoria depuis sept ans. Il arpentait déjà le bush quand la colonie n'était pas encore séparée de la Nouvelle-Galles du Sud. Depuis sa plus tendre enfance, depuis le jour où sa nounou lui avait montré une pierre d'une jolie couleur, il était fasciné par les roches et les minéraux. Cela remontait à près d'un demi-siècle, en Angleterre. Depuis, il avait sillonné le monde et amassé de vastes connaissances géologiques.

Le vernis culturel de son enfance privilégiée avait été bien écaillé par les privations de sa vie nomade. Aujourd'hui, il était simplement Ernie Jones, et il croyait toujours fermement à son destin. Un jour, il découvrirait un grand gisement minéral. Qu'il s'agisse d'or, d'argent, de cuivre ou de fer importait peu. Il voulait seulement qu'après sa mort, on se souvienne de lui pour sa découverte.

Comme bien des prospecteurs, c'était un solitaire qui tenait jalousement à son indépendance. Parfois cependant, il lui arrivait de goûter la compagnie d'autres êtres humains, généralement des Aborigènes. Il avait toujours été en bons termes avec eux.

Le hennissement qu'il entendait lui fit froncer les sourcils de contrariété. Ce soir, il préférait rester seul. Malheureusement, son cheval avait annoncé sa présence en répondant au hennissement de son congénère. À contrecœur, Ernie descendit jusqu'au ruisseau.

Ce qu'il vit l'arrêta net. Devant lui se tenait un cheval, la tête basse, comme abattu. Son cavalier était étrangement écroulé sur son flanc, une longue lance fichée dans la cuisse gauche.

— Sainte Marie Mère de Dieu, murmura Ernie, qu'est-ce que je vois là ?

163

Il lâcha la longe de son cheval de bât et chevaucha précautionneusement jusqu'à la jument tout en lui parlant doucement pour la calmer. Elle se laissa prendre par les rênes et mener jusqu'à un arbre, où il l'attacha. Puis Ernie descendit de sa monture et la laissa rejoindre la jument. Il savait qu'aucune des deux bêtes ne partirait.

Il crut d'abord que l'homme était mort. Le sang formait une croûte autour du trou et la plaie suppurait. Ernie remarqua que l'homme semblait s'être arrimé lui-même à sa selle. De quand datait sa blessure ? Depuis quand était-il inconscient sur le dos de sa monture ? Une chose était certaine, il avait besoin d'aide de toute urgence. Ernie évalua que la propriété de Langsdale devait se trouver au nord-est, à deux heures de cheval environ. Mais sans doute le pauvre homme ne serait-il plus en vie lorsqu'ils y arriveraient.

Ernie remonta le blessé sur le dos de son cheval, le coucha sur l'encolure de l'animal et l'y maintint solidement avec la corde qu'il avait emportée. Il coupa la hampe de la lance avec une machette rapportée d'un voyage en Afrique. La hampe était fabriquée avec art. Ernie l'étudia avec un froncement de sourcils inquiet et au lieu de s'en débarrasser, l'accrocha avec ses possessions. Une fois en selle, il empoigna les longes de la jument et de son cheval de bât puis prit la direction de la propriété.

Connor Trevannick n'était pas homme à perdre son sang-froid facilement. Mais il fut fort contrarié en découvrant que son troupeau avait été laissé sans surveillance et que Wallaby, le berger aborigène, avait disparu avec sa famille. C'était d'autant plus grave que plusieurs moutons étaient touchés par la gale. Il lui était impossible d'acheminer seul les animaux malades vers la propriété pour les traiter.

Où donc étaient partis les Aborigènes ? Wallaby était coutumier du fait. La dernière fois, il avait resurgi au bout de trois semaines, prêt à reprendre le travail. Leur retour était-il proche, ou venaient-ils seulement de lever le camp ?

Il descendit au ruisseau au bord duquel la famille avait établi son campement, n'en fut pas plus renseigné pour autant. Il n'avait d'autre choix que de retourner à la propriété. Joshua serait de retour dans un jour ou deux, avec, si la chance était de leur côté, les remèdes dont ils avaient besoin. Connor adressa une courte prière au ciel pour que l'épizootie ne se répande pas trop rapidement.

La nuit tomba une heure avant son retour, accompagnée par la pluie qui avait repris. Il était trempé, avait froid et hâte de prendre un bon repas chaud. Il n'aperçut les chevaux attachés à la rambarde qu'au moment où il traversait la cour au pas de course. L'un d'eux était un cheval de bât. Un espoir se leva en lui : peut-être leurs propriétaires étaient-ils en quête d'ouvrage ? Avec cette épidémie, ils seraient les bienvenus !

Mme Clancy n'était pas à la cuisine. Connor se précipita dans l'habitation principale. Il entendit alors la voix pleine de détresse de sa gouvernante résonner dans la chambre de Joshua. Une voix d'homme inconnue lui répondit. Mais il ne distingua pas leurs paroles.

Aussitôt, Connor fut sur ses gardes. Mme Clancy semblait aux cent coups. Que se passait-il ? Était-elle aux mains d'un bandit ?

Il tira son revolver et longea le couloir à pas de velours, l'arme à la main.

La porte de la chambre de Joshua était ouverte. Mme Clancy était penchée au-dessus du lit. Un homme d'un certain âge, en vêtements qui portaient les traces de la vie dans le bush, était près d'elle. Joshua était étendu sur le lit, inerte. Connor pénétra dans la pièce.

— Juste ciel ! Il est mort ? s'exclama-t-il.

Mme Clancy émit un soupir de profond soulagement.

— Ah, Dieu merci, vous êtes là ! C'est terrible ! Le pauvre, il ne lui reste plus qu'un souffle de vie.

— Que s'est-il passé ?

L'étranger répondit :

— Je l'ai retrouvé inconscient, attaché sur son cheval avec une lance qui lui sortait de la cuisse.

— Il a reçu un coup de lance ? s'étonna Connor. Je ne comprends pas. Les Aborigènes ont toujours été amicaux par ici.

— Je ne crois pas qu'il s'agisse d'une simple agression. Il y avait une bonne raison à cela.

— Que voulez-vous dire ?

— Il peut s'agir d'un geste de vengeance.

Connor regarda son interlocuteur plus attentivement. Il lui semblait l'avoir déjà vu. Enfin, il le reconnut :

— Vous êtes déjà venu à la propriété. Vous êtes un prospecteur, n'est-ce pas ?

— Je suis Ernie Jones. Je connais presque tous les Aborigènes à des kilomètres à la ronde. Je connais aussi celui qui a planté cette lance.

Un sourire sans joie se dessina sur ses lèvres gercées.

Une multitude de questions se bousculèrent dans l'esprit de Connor. La plus criante étant ce que Joshua avait pu faire pour mériter ce châtiment. S'il s'agissait vraiment d'une vengeance...

— Nous allons avoir une petite conversation, Jones. Mais d'abord, comment va Joshua ?

Il s'avança près du lit pour se pencher sur le blessé et constata que son visage était d'une pâleur mortelle. Mme Clancy s'écria :

— Ce pauvre M. Winton, il est dans un triste état ! M. Jones a sorti la lance, et moi, j'ai soigné la plaie aussi bien que j'ai pu. Il lui faut un docteur, à ce pauvre malheureux.

Le médecin le plus proche était à Ballarat.

— Nous ne pouvons rien faire avant demain matin. Voulez-vous bien rester auprès de Joshua, madame Clancy ? Je dois me changer, mes vêtements sont trempés.

— Bien sûr, monsieur Connor. Il y a un ragoût sur le feu à la cuisine. Vous avez sûrement envie d'un bon repas chaud.

— Vous êtes une perle, madame Clancy. Jones, je suppose que vous restaurer ne vous fera pas de mal. Je vous rejoins à la cuisine.

Une fois attablés devant le dîner préparé par Mme Clancy, Ernie Jones raconta à son hôte comment il avait découvert Joshua et l'avait conduit à Langsdale, l'habitation blanche la plus proche.

— Vous dites que la lance était toujours dans sa cuisse ?

— Oui. Elle la traversait et la pointe était fichée dans la selle. Elle a été lancée de très près. J'ai coupé la hampe, et ensuite, une fois ici, je me suis occupé de la partie entre la jambe et la selle. Ainsi, nous avons pu retirer le dernier morceau sans causer plus de dommages.

— Vous avez dit que vous connaissiez celui qui l'a lancée.

— Eh bien… je connais celui à qui elle appartient.

Il sortit une pointe de lance de sa poche et la posa sur la table.

Connor la saisit et l'observa sans rien y voir qui pût permettre de l'identifier. Il décocha un regard interrogateur au prospecteur.

— Vous avez beaucoup de lances, Trevannick ? reprit ce dernier. Sans doute que non. Celle-ci n'est pas une lance aborigène traditionnelle. Elle vient d'Afrique. Je l'ai offerte à un Aborigène qui m'a donné un coup de main l'été dernier après une mauvaise chute de cheval. S'il s'est servi de cette lance, c'est qu'il avait une sacrée bonne raison de le faire. Votre homme lui a causé du tort, à lui ou à sa famille.

Connor fit tourner la pointe de la lance dans sa main en fronçant les sourcils. Cette affaire le perturbait.

— Savez-vous où trouver cet Aborigène ? demanda-t-il. J'aimerais lui parler. Tout m'incline à croire comme vous qu'il ne s'agit pas d'une agression crapuleuse.

— J'aimerais pouvoir. Je souhaiterais moi aussi avoir une explication.

— À quel endroit de la route de Ballarat avez-vous trouvé Joshua ?

La surprise s'inscrivit sur les traits d'Ernie.

— Votre homme n'était nullement sur la route de Ballarat, répondit-il. Il était à plusieurs kilomètres à l'ouest de celle-ci. Que diable pouvait-il y faire ?

— Je l'ignore, répondit Connor, une profonde ride lui creusant le front. Joshua se rendait à Ballarat pour y acheter des remèdes. Nous avons la gale dans nos troupeaux. Je n'ai aucune raison de croire qu'il n'a pas fait ce qu'il avait annoncé.

Le prospecteur émit un petit sifflement incrédule.

— Pour que son cheval ait erré jusqu'à l'endroit où je l'ai trouvé, il a dû passer la quasi-totalité de la journée inconscient sur sa selle. Le fait qu'il soit encore en vie est un miracle. Cet homme doit avoir un ange gardien.

— Dites-m'en plus sur l'Aborigène.

— Il parle suffisamment l'anglais pour se faire comprendre. Il lui arrive de travailler comme berger.

Le mauvais pressentiment de Connor se transforma en horrible soupçon.

— Quel est son nom ?

— Il se fait appeler Wallaby. Je ne crois pas que ce soit son nom tribal.

Connor baissa la tête et garda les yeux rivés sur la pointe de lance. Joshua, qu'avez-vous fait… ?

Il releva la tête.

— Wallaby était mon berger. Je suis sorti voir le troupeau aujourd'hui. Il a quitté le domaine avec sa famille. J'aimerais savoir ce qui se cache derrière tout cela.

— Comme je vous l'ai déjà dit, je parie que ce coup de lance est une vengeance.

Toute la nuit, Connor somnola dans un fauteuil à côté du lit de Joshua. Sachant d'avance que les problèmes qui le tourmentaient l'empêcheraient de dormir, il avait envoyé Mme Clancy se coucher, avec la promesse de l'appeler si son aide se révélait nécessaire. Ses pensées allaient du désastre touchant son élevage à l'anxiété pour l'homme qui se trouvait aux portes de la mort. Ce Joshua Winton lui plaisait bien. Il avait une bonne expérience de l'élevage ovin et avait travaillé de bon cœur à ses côtés. Mais que connaissait-il d'autre de lui ?

Joshua n'avait dévoilé que peu de choses sur son passé. Pour quelle raison Wallaby, l'Aborigène le plus fiable que Connor eût jamais rencontré, l'avait-il blessé ? S'agissait-il effectivement d'une vengeance, comme l'affirmait le vieux prospecteur ? Ah, que tout cela était confus !

Connor répugnait à signaler l'affaire à la police. Les policiers pouvaient fort bien saisir ce prétexte pour se lancer dans une « chasse au nègre » et tuer des innocents. De telles injustices avaient eu lieu trop souvent depuis l'arrivée des premiers Blancs en Australie.

Il valait mieux qu'il tire cette histoire au clair lui-même.

Un léger son lui parvint du lit. Il bondit auprès du blessé. Ce dernier, trempé de sueur, s'agitait dans son délire.

Connor lui épongea le front et lui fit avaler à grand-peine un peu de brandy. Puis il lui prit la main et la garda entre les siennes.

— Joshua... Vous m'entendez, Joshua ?

Pas de réponse. Connor ne pouvait guère faire plus que lui passer un linge sur le front en lui prodiguant des paroles de réconfort. Le malade marmonna quelques mots inintelligibles. Connor retint son souffle et se pencha plus près pour tenter de saisir ce qu'il disait.

— Joshua, c'est Connor. Parlez-moi.

Mais le blessé ne dit plus rien. Connor le crut retombé dans l'inconscience.

Puis Joshua recommença à s'agiter et à parler, plus fort cette fois. À nouveau, des mots incohérents au sein de phrases décousues. Connor parvint peu à peu à reconstituer leur contexte et fut horrifié de ce qu'il en déduisit.

— Ah, crapule, grinça-t-il, tu ferais mieux de te dépêcher de crever ou de guérir, parce que je ne veux plus te voir chez moi !

Le lendemain matin, après le départ d'Ernie Jones, Mme Clancy vint le remplacer au chevet du malade toujours inconscient, et Connor sella son cheval pour retourner au parc de l'Est. Mais ce n'était pas uniquement pour vérifier l'état de ses moutons.

Comme la veille, il partit à la recherche de Wallaby le long du ruisseau, en élargissant cette fois son rayon d'action. Il était sur le point de renoncer lorsqu'il aperçut ce qui lui parut être une tombe. Maintenant, il savait pourquoi les Aborigènes s'en étaient allés. Un membre de leur groupe était mort. L'idée que Joshua pouvait avoir un lien quelconque avec cette mort lui donna la nausée.

Si seulement il pouvait mettre la main sur Wallaby ! Mais il ne voyait pas comment s'y prendre pour retrouver sa trace. Le vieux prospecteur,

171

peut-être, saurait localiser le groupe. Malheureusement, Connor ignorait également la direction qu'avait prise le vieil homme.

Les moutons étaient trop dispersés pour lui permettre de juger de leur état, et il lui était impossible de les rassembler seul. Il décida de poursuivre jusqu'à Creswick en quête de main-d'œuvre.

Un chercheur d'or allemand bredouille et deux jeunes Irlandais acceptèrent de venir travailler sur sa propriété quelques semaines, pour des gages que Connor jugea exorbitants. Mais il n'avait pas le choix. Il accepta.

En l'espace de cinq jours, ils avaient rassemblé le troupeau, l'avaient poussé jusqu'à la ferme et avaient traité les moutons. Une demi-douzaine d'animaux étaient porteurs de la gale. Ils furent parqués à l'écart avec leurs congénères malades.

Pendant tout ce temps, Joshua resta dans un état de demi-inconscience. Connor n'envoya pas chercher le médecin. La plaie paraissait propre. Le temps ferait son œuvre. Le jour où Joshua serait suffisamment remis pour voyager, Connor le chasserait de chez lui.

Pour l'heure, seul son élevage le préoccupait. Il descendit jusqu'au parc du Sud, où il eut l'immense soulagement de trouver ses moutons en bonne santé.

— Ned, nous allons garder ce troupeau ici, en espérant qu'il restera préservé. J'ai trouvé trois employés. Je pense t'envoyer l'Allemand pour te donner un coup de main. Il semble avoir plus d'aptitudes que les deux autres.

— Et Wallaby ? Vous avez besoin de lui à la propriété ?

172

— Il est parti avec sa famille.

Ned poussa un grognement :

— Hum ! Mais il revient toujours au bout de deux ou trois semaines…

— D'habitude, oui, confirma Connor.

Mais à sa connaissance, c'était la première fois que l'Aborigène plantait sa lance dans la cuisse d'un Blanc.

Les pensées moroses qu'il remuait ne l'empêchèrent pas d'observer les alentours en repartant. Aussi identifia-t-il sans difficulté la mince spirale de fumée qui montait de la crête des arbres à environ un kilomètre à l'ouest. Qui disait fumée disait feu. Selon toute probabilité, il s'agissait d'un feu de camp, mais mieux valait s'en assurer. Peut-être était-ce le prospecteur, Ernie Jones, qui campait sur ses terres.

Les voix aborigènes, les rires des femmes, plus haut perchés que ceux des enfants, lui parvinrent de loin.

Son cœur battit plus vite. C'était peut-être la famille de Wallaby !

Lorsqu'il s'approcha, le silence se fit. Les visages se fermèrent. Connor connaissait ces gens.

— Wallaby ? s'enquit-il.

Pour toute réponse, il n'obtint que des regards. Il s'apprêtait à réitérer sa question lorsqu'il vit les yeux de l'un des enfants se tourner vers un épais fourré d'acacias. Connor descendit de cheval et se dirigea lentement vers les arbustes.

— Sors, Wallaby. Parler au patron.

La tête basse, l'air sombre et en traînant les pieds, l'homme sortit précautionneusement de sa cachette. Dans ses yeux se lisait la crainte du châtiment.

— Viens ici, Wallaby. Dis au patron. Tu as envoyé lance à l'homme blanc ?

— Hommes blancs pendre Wallaby si attraper lui.

— Dis la vérité au patron. Qu'a fait l'homme blanc ?

L'Aborigène sembla soudain retrouver sa fierté. Il se redressa et le défi vint remplacer la peur dans ses yeux.

— Blanc tuer Jilli.

Même s'il était préparé à cette réponse, Connor sentit gonfler sa colère, mais sa voix conserva son calme.

— Comment ? Raconte, Wallaby.

La mine du berger s'assombrit de nouveau.

— Jilli suivre homme blanc. Maintenant, elle retrouvé ancêtres.

— C'est l'homme blanc qui l'a tuée ?

— Jilli morte.

À son expression, Connor comprit que l'Aborigène n'en avait pas la preuve. Il se remémora ce qu'il avait compris des paroles décousues de Joshua. Malgré sa rage et son dégoût devant le viol que cet homme avait vraisemblablement perpétré sur l'Aborigène, une petite partie de lui se refusait à le prendre pour un assassin. La mort de la femme était peut-être un accident.

Wallaby conservait un visage de marbre.

— Patron emmener police hommes blancs, dit-il.

Pour qu'elle le pende parce qu'il avait observé la loi tribale ? Il n'en était pas question.

— Ce que Wallaby a fait est mal selon loi de l'homme blanc, répondit Connor. Mais ce que l'homme blanc a fait, c'est mal selon loi de l'homme blanc et loi aborigène. Ce qu'il a fait de mal, il l'a fait sur ta Jilli. Wallaby pris sa revanche selon loi aborigène. Tout est fini maintenant. Toi homme bon, Wallaby. Toi, reviens surveiller mes moutons.

— Patron rien dire police ?

Connor fit non de la tête.

— Tout est fini maintenant, affirma-t-il. Toi, va retrouver Ned. Toi, va l'aider.

Après avoir fait le point, Connor prit sa décision. Une autre journée passa, puis la vigueur de Joshua reprit le dessus et les forces lui revinrent peu à peu. Trois jours plus tard, Connor le confronta aux faits :

— Je sais qui vous a blessé avec sa lance et pourquoi. Je n'ai pas l'intention d'aller dénoncer mon berger à la police, et je n'irai donc pas vous dénoncer pour viol. Ernie Jones et Mme Clancy vous ont sans doute sauvé la vie. Vous ne méritiez certainement pas de vivre. Les forfaits que vous accomplirez pendant le reste de votre vie, vous irez les perpétrer très loin de Langsdale. Dès demain, je vous conduis à Ballarat. Creswick est trop près de chez moi à mon goût.

Joshua ne répondit pas. Il n'avait aucune défense acceptable à présenter.

Ils firent le trajet en charrette, la jument Clover attachée à l'arrière. Les cahots de la piste grossièrement tracée faisaient trop souffrir Joshua pour qu'il ait envie de parler. Connor, de son côté, ne souffla mot avant d'arrêter la charrette aux abords d'une pension de famille de la Grand-Rue.

— Je vous laisse ici, dit-il. Je vous souhaite de guérir bientôt, mais je ne veux plus jamais vous voir sur mes terres.

Serrant les dents sous la douleur, Joshua descendit sans aide de la charrette, dont il fit le tour à grand-peine pour détacher sa jument. Puis il retourna en boitant lamentablement auprès de Connor.

— Je regrette à propos de la femme. Je ne savais pas qu'elle était morte. Vous…

— Ce que vous avez à dire ne m'intéresse pas. Au revoir, Winton.

Joshua suivit des yeux la charrette qui descendait la route. Quel idiot il avait été ! Réduire à néant ses chances de changer de vie pour satisfaire ses penchants lubriques ! Qu'allait-il faire à présent, à part demander un lit à la pension de famille ?

Connor trouva une échoppe qui put lui fournir une petite quantité d'arsenic au prix extravagant de cinq shillings la livre, alors qu'elle ne coûtait que neuf pence peu avant. La demande de remèdes destinés au traitement des moutons était si forte dans le district qu'on ne trouvait même plus de soufre.

Il se rendit au bureau de poste, où il écrivit une commande à envoyer à Melbourne.

Le directeur du bureau le salua.

— Il y a une lettre pour vous, monsieur Trevannick. Elle vient d'arriver.

Connor sourit pour la première fois depuis des jours. Sans doute la lettre provenait-elle de Jenny. Recevoir des lettres d'elle était un grand plaisir. Souvent, il en recevait deux ou trois à la fois.

Mais la lettre qu'on lui tendait n'était pas écrite de la main de sa sœur de lait. Pas plus que de celle de Phillip ou de Rodney.

Connor la rangea dans sa poche. Il ne l'ouvrirait pas avant d'être chez lui. Il allait repartir immédiatement, même si cela impliquait de passer la nuit dehors. Mieux valait reprendre la route au plus vite, afin d'arriver au plus tôt le lendemain.

De retour à Langsdale, trop préoccupé par l'état de santé de ses moutons, il ne pensa plus à la lettre. Enfin, après le dîner, il la sortit de sa poche et alla s'installer dans son fauteuil, au coin du feu.

Cette lettre rédigée d'une main inconnue avait été envoyée d'Angleterre. Perplexe, inquiet à la perspective qu'elle contienne de mauvaises nouvelles des Tremayne, il la fit tourner entre ses mains avant de se saisir d'un coupe-papier en argent. En tête de lettre, l'adresse de l'expéditeur indiquait Helston, en Cornouailles, non loin du manoir Tremayne à Pengelly.

La signature, au bas, lui coupa le souffle. Meggan !

Une bouffée de chaleur lui monta à la tête. Meggan ! Comment avait-elle su où envoyer cette lettre ? Pourquoi lui écrivait-elle ?

Les feuillets tremblaient dans sa main. Il inspira profondément, les maintint fermement et commença sa lecture.

Très cher Connor,

Sans doute seras-tu très surpris de recevoir cette lettre et d'apprendre que je suis en Cornouailles. Mon père a été tragiquement tué par une explosion dans la mine de Burra en septembre dernier. Ma mère n'a jamais été réellement heureuse en Australie. Je l'ai ramenée en Cornouailles et lui ai acheté une maison à Helston. Elle ne voulait à aucun prix retrouver Pengelly et ses souvenirs malheureux.

Je suis retournée moi-même à Pengelly et j'ai eu la surprise de rencontrer Rodney qui entretenait la tombe de Caroline. J'ai décliné son invitation à venir au manoir, car je ne pouvais supporter l'idée de vous y voir ensemble, Jenny et toi. Quand je t'ai renvoyé d'Adélaïde, je pensais que tu retournerais au pays épouser Jenny comme le désirait son père. Ce n'est qu'après la visite de Jenny que j'ai appris que tu étais resté en Australie.

C'est elle qui m'a pressée de t'écrire. J'ai deux nouvelles à t'annoncer.

Je suis désormais veuve. David est mort en juin, renversé par une diligence.

Connor interrompit sa lecture en tentant de refouler la vague de bonheur qui enflait dans sa poitrine. Non, il ne pouvait se réjouir de la mort d'un homme. Mais comment faire autrement ? Meggan était libre de l'épouser à présent !

J'ai une fille, continuait-elle.

Cette nouvelle n'était pas réjouissante. L'idée que Meggan eût un enfant d'un autre était difficile à supporter.

Il posa la lettre sur ses genoux et imagina le chagrin éprouvé par Meggan à la mort précoce de son époux. La naissance de l'enfant avait sans doute atténué quelque peu sa douleur...

Elle est née le jour où mon père est mort, ce qui la rend encore plus chère à mon cœur. Nous l'appelons Etty. C'est le petit Barney Heilbuth qui lui a donné ce petit nom alors qu'elle était encore nouveau-née. Elle a été baptisée Henrietta Connie, en l'honneur de mon père et du sien. Comprends-tu, Connor ? Etty est ta fille.

Sa fille !

Des larmes d'émotion ruisselèrent sur ses joues. Il ferma les yeux et vit en pensée une petite Meggan en miniature.

Jenny m'affirme que tes sentiments à mon égard n'ont pas changé. Mon amour pour toi est plus profond que jamais. Je projetais déjà de retourner en Australie avant de revoir Jenny. Je prends donc toutes les dispositions pour revenir le plus tôt possible.

Je t'écrirai dès que j'aurai réservé notre passage. Tout ira bien. J'aurai une bonne pour m'aider pendant le voyage. J'ai engagé Agnes Roberts, la plus jeune fille de la famille. Elle souhaitait ardemment émigrer, et elle s'est révélée une domestique de confiance.

À bientôt

Meggan

Son bonheur était incommensurable. Tous les soucis des derniers mois s'effacèrent, n'eurent soudain plus d'importance.

6

Pendant que Connor et les éleveurs se battaient contre l'épizootie qui menaçait leur survie, la population des champs aurifères était confrontée à d'autres problèmes. Le coût des licences, la brutalité de la police et l'indifférence du gouvernement duraient depuis trop longtemps. À travers tout l'État de Victoria, les chercheurs d'or se révoltaient. En mai, à Castlemaine, le déclencheur de la vindicte populaire avait été les agissements de deux policiers qui étaient intervenus sous prétexte qu'une pension de famille vendait de l'alcool clandestin. Leurs recherches n'avaient rien donné, mais ils n'en avaient pas moins confisqué toutes les marchandises et détruit la tente. En pleine nuit, ils avaient ensuite chassé de chez eux des hommes et des femmes après avoir découvert un tonnelet de bière de fabrication maison. Là encore, l'habitation avait été saccagée et les biens raflés. Les policiers avaient mis un terme à leur razzia en dévastant deux échoppes voisines, puis étaient repartis avec leur butin en clamant à grand bruit leur satisfaction.

La coupe était pleine. Les chercheurs d'or tinrent des réunions et réclamèrent justice. On élut des commissaires du peuple qui se rendirent à Melbourne afin de présenter les faits au gouvernement et demander réparation. La sentence rendue par le juge local, qui innocenta le propriétaire de la pension de famille et condamna l'un des policiers à cinq ans d'emprisonnement, ne suffit pas à effacer le sentiment d'injustice.

La rumeur de l'affaire de Castlemaine se répandit comme une traînée de poudre sur les champs aurifères. En août, ce fut au tour des chercheurs d'or de Bendigo de se révolter. Ils se regroupèrent le long du Bendigo Creek, d'où ils montèrent au camp du gouvernement présenter au commissaire une pétition de vingt-trois mille signatures. En signe de protestation, les mineurs portaient un ruban rouge noué au bras. Leur mouvement devint le catalyseur de la révolte du Ruban rouge. Il fut bientôt impossible de trouver de la flanelle rouge dans les échoppes des mines d'or. Tentes et boutiques, chiens et chevaux, tout et tous portaient le symbole du défi.

Le gouverneur LaTrobe ne prêta aucune attention aux revendications des chercheurs d'or : ils n'avaient pas le droit de vote. Nombre d'entre eux étaient des étrangers qui n'étaient pas sujets de la reine d'Angleterre. Ils furent considérés comme des agitateurs sociaux, des éléments dangereux qui répandaient des idées de « républicanisme rouge ». Des troupes furent envoyées depuis le Van Diemen's land, qui devait devenir la Tasmanie, pour étouffer dans l'œuf toute révolte. Quant à la pétition de Bendigo, LaTrobe la rejeta avec la plus grande fermeté en faisant remarquer le nombre de signatures allemandes qui y étaient apposées.

Le gouverneur refusa obstinément de changer la loi, et prévint les chercheurs d'or que, s'ils devaient persister à troubler l'ordre et le gouvernement, il leur ferait entendre le son du canon.

À Ballarat, Will Collins comptait parmi les milliers de mineurs qui soutenaient le mouvement de Bendigo. Il se mit lui aussi à porter un ruban rouge à son chapeau. Ses frères et les fils Baxter ne tardèrent pas à suivre son exemple.

— Will, qu'est-ce que tu espères obtenir avec ça ? lui demanda Mme Baxter.

— LaTrobe va sûrement plier sous la pression. Quand il verra que quasi tous les chercheurs d'or de Victoria ont rejoint le mouvement, il sera bien obligé de changer la loi. Nous méritons d'avoir les mêmes droits que les autres citoyens de Victoria.

M. Baxter soutenait Will.

— Nous devons continuer à faire pression sur le gouvernement pour qu'il nous donne le droit de vote, dit-il. Chez ceux qui sont venus chercher de l'or, nombreux sont ceux qui veulent acheter une terre et s'installer. Avec les lois actuelles, ils ne peuvent pas le faire. Nous non plus, on n'en aura pas la possibilité.

— Donc, vous comptez vous installer ici ?

— Oui, Will, j'y pense. J'aimerais avoir quelque chose pour mes garçons. Avec mes vieux os, je préférerais creuser la terre d'un carré de légumes plutôt qu'un puits de mine. Et toi, combien de temps vas-tu continuer à faire le chercheur d'or ? Tu as sans doute des projets d'avenir.

Will jeta un coup d'œil à ses frères. Depuis plusieurs semaines, leur avenir constituait un sujet de discussion entre eux. Hal et Tommy avaient envie de partir à la fin de l'hiver, mais Will les poussait à passer au moins un an de plus à Ballarat avec lui.

Ce fut Hal qui répondit à la question de M. Baxter.

— Je partirais demain si j'avais assez d'argent pour m'acheter mon propre bateau.

— Quel genre de bateau ?

— Un bateau de pêche. C'était ça notre projet, à moi et à Tommy, quand on a quitté Burra. Trouver assez d'or pour acheter un bateau de pêche. On serait retournés en Australie méridionale pour pêcher dans le golfe Saint-Vincent.

— « On serait » ? répéta M. Baxter.

— Oui, parce que, moi, monsieur Baxter, j'ai changé d'avis, intervint Tommy. J'ai appris à travailler le cuir. Maintenant, je veux avoir ma propre sellerie.

— Un bon sellier aura toujours du travail, approuva M. Baxter. Et toi, Will ? Que veux-tu faire après la mine ?

— La mine, c'est tout ce que je connais, répondit Will. Je réfléchis beaucoup pour trouver autre chose à faire.

— C'est difficile pour lui de décider, fit observer Hal. Il sait pas ce qu'il veut.

Son frère grimaça un sourire et renchérit :

— Hal a raison. Je vois pas ce que je pourrais faire.

Ce soir-là, Will resta longtemps éveillé dans son lit, bercé par la respiration régulière de ses frères. Il cherchait à comprendre pourquoi il ne réussissait pas à donner un sens à sa vie, alors que Hal et

Tommy savaient exactement ce qu'ils voulaient faire. Même le père de Selena cherchait son or dans un but précis. Lui ne faisait rien d'autre que s'enrichir lentement mais sûrement. Mais dans quel but ?

De combien d'or avait-on besoin quand on n'avait pas la moindre idée de la manière de le dépenser ? Si son père avait été en vie, Will lui aurait donné tout l'argent nécessaire pour qu'il ne soit plus obligé de travailler. Meggan possédait la fortune de son défunt mari et en avait utilisé une partie pour installer confortablement leur mère en Cornouailles. À qui irait son propre argent quand il mourrait, s'il n'avait ni femme ni enfants ?

Il pensa à Selena. Il l'aimait beaucoup. L'attitude de la jeune fille lui révélait qu'elle était prête à accepter sa demande en mariage.

Il réfléchit à tout ce que signifierait pour lui d'épouser Selena. Il tenta de l'imaginer avec leur enfant dans les bras, mais son visage se brouilla pour se reformer avec les traits de Jenny Tremayne.

Will grogna et se tourna sur le flanc. Ne pourrait-il donc jamais chasser cette fille de son esprit ? Même si elle ne s'était pas mariée, Jenny resterait toujours aussi inatteignable que les étoiles. Tandis que Selena était là. Selena était libre. Selena l'aimait. Peut-être même l'aimait-il un peu.

Will se retourna et redressa son oreiller à coups de poing. C'était décidé, il irait à Creswick le dimanche suivant.

Will trouva une raison plus importante encore d'aller rendre visite à Selena et au capitaine. Le jeudi, le courrier lui apporta une lettre de Meggan.

Son contenu le laissa sans voix. Se demandant s'il avait mal lu, il parcourut une seconde fois les lignes qu'elle avait écrites :

Mon cher Will,

J'ai une nouvelle merveilleuse à t'annoncer. Nous allons tous nous retrouver sous peu. Je reviens en Australie, et je vivrai très près de vous.

Will, je vais me marier. Mon futur mari possède un domaine au nord-ouest de Ballarat. Je crois que ce n'est pas très loin d'un endroit appelé Creswick Creek. Tu vas te demander comment j'ai rencontré cet homme. Cher Will, je le connais depuis l'âge de douze ans. C'est Connor Trevannick.

Je t'en prie, mon cher frère, sois heureux pour moi. Connor et moi, nous nous aimons depuis toujours. Il n'est pas retourné en Cornouailles pour épouser Jenny comme nous le pensions, toi et moi. Imagine-toi que si je n'avais pas ramené Ma en Cornouailles, si je n'étais pas allée sur la tombe de Caroline à Pengelly, je n'aurais jamais su qu'il était resté en Australie. Que la vie est étrange !

Je sais que tu n'as pas approuvé ma brève liaison avec Connor alors que j'étais déjà mariée à un homme d'une grande bonté. Mais même si j'ai commis un péché, je ne regretterai jamais ces quelques semaines. Elles m'ont donné Etty. Maintenant, je sais que tu es réellement choqué. Ne le sois pas. Pense simplement que ta nièce va grandir avec ses deux parents.

185

J'ai une autre nouvelle qui va peut-être te causer un choc. J'ai engagé la petite Agnes Roberts comme bonne. Elle est très consciencieuse et ne ressemble pas le moins du monde à son ignoble frère. Agnes m'a un peu parlé de sa famille. Par bonheur, ou par malheur, Tom est le seul qui ait hérité de la nature brutale de leur père.

Au moment où tu recevras cette lettre, j'aurai déjà embarqué. Le bateau, le Fair Australia, *est attendu à Melbourne aux alentours du 30 novembre.*

Ta sœur affectionnée,

Meggan

Will tendit la lettre à Hal, lequel l'observait avec curiosité, tout comme Tommy. Son frère se pencha pour prendre la lettre.

— Que dit Meggan ?

— Lis toi-même. Je sors prendre l'air.

Il éprouvait le besoin urgent d'être seul pour réfléchir. Sans doute ni l'un ni l'autre de ses frères ne connaissaient-ils l'histoire d'amour de Meggan avec Connor Trevannick. En ce qui le concernait, il ne savait quel passage de la lettre le troublait le plus. Peut-être était-ce la révélation que la fille de Meggan n'avait pas été engendrée par David Westoby, son défunt mari. Pourquoi cette sorte de relation entre les familles Tremayne et Collins se répétait-elle sans cesse ?

Cela avait commencé avec Ma, qui avait été la maîtresse du riche Tremayne, puis s'était mariée avec un autre homme quand elle s'était retrouvée enceinte. L'enfant, Caroline, était tombée amoureuse de Rodney Tremayne. En découvrant qu'il était son demi-frère, elle s'était précipitée au fond d'un puits désaffecté. Et voilà que la fille de Meggan avait pour père Connor Trevannick. Par bonheur, Meggan connaîtrait un destin plus heureux que la pauvre Caroline.

Quant à savoir ce qu'il ressentait à l'idée d'avoir Connor Trevannick pour beau-frère... Il était difficile de s'imaginer l'appelant par son prénom alors que, pendant tant d'années, il avait été pour lui « monsieur Trevannick », celui qui dirigeait la mine de Wheal Pengelly pour son père adoptif.

Malgré ses liens avec la famille Tremayne, Will éprouvait de la sympathie pour Connor. Il était honnête et juste. Il serait un bon mari pour Meggan. Il était étrange qu'ils vivent aussi près l'un de l'autre et qu'ils ne se soient jamais rencontrés. Tout cela changerait après l'arrivée de Meggan.

Ressassant les dernières nouvelles, Will tenta de ne pas penser à Jenny Tremayne. Meggan n'avait mentionné son nom qu'une fois. Était-il possible que Jenny ne se soit pas mariée ?

Il sentit son cœur se serrer. Qu'elle fût mariée ou non ne changeait rien à l'affaire. Elle faisait partie de la bonne société. Lui n'était qu'un ouvrier. Ils appartenaient à des classes différentes. Il lui avait déjà tourné le dos une fois. Même s'il devenait riche, et quel que fût le montant de sa fortune, il n'avait aucun avenir avec Jenny Tremayne. Il ne quitterait jamais l'Australie.

Avec détermination, Will mit de côté ses réflexions sur son amour sans espoir. Il existait une autre fille dont la vie serait changée par les nouvelles de Meggan. Il fallait apprendre à Selena que le frère qu'elle n'avait jamais rencontré vivait à environ une heure de Creswick Creek.

Le lendemain, ce fut au tour de Connor de recevoir de Meggan une brève missive.

Très cher Connor,
Notre passage est réservé sur le Fair Australia, *dont l'arrivée à Melbourne est prévue aux environs du 30 novembre. Si tu veux m'écrire, envoie la lettre au Cap. Je la recevrai là-bas quand le bateau y fera escale.*

Meggan

Connor y répondit immédiatement. Il porterait la lettre personnellement à Ballarat pour la faire partir par le prochain courrier.

Meggan chérie,
Je n'ai jamais cessé de t'aimer. Penser à toi et à notre fille me remplit d'une profonde émotion. Je me languis de la voir. J'imagine une petite réplique de sa superbe mère.
Mes sincères condoléances pour la perte de ton mari. C'était un homme bon, même s'il t'a enlevée à moi. Mais maintenant, tu es libre, et tu dois m'épouser. Je n'accepterai pas une réponse négative.
Meggan très chère, je serai à Melbourne pour t'accueillir à ton arrivée. Le Grand Hôtel a bonne réputation. Je vais réserver des chambres très

vite, car les possibilités de logement dans la ville demeurent rares. J'ai reçu la lettre de Jenny et je suis ravi d'apprendre qu'elle t'accompagne.

J'attends votre arrivée avec impatience.

Avec mon amour, maintenant et pour toujours,

Connor

Le dimanche suivant, Will partit de bonne heure pour Creswick Creek. Il eut largement le temps, au cours des trente-six kilomètres de chevauchée, de réfléchir à la manière d'annoncer la nouvelle. Il décida qu'il convenait d'informer le capitaine en premier. C'était au père de prendre la décision de parler à la fille. Will savait que Selena exigerait de rencontrer son frère sur-le-champ. Mais le capitaine pouvait fort bien ne pas souhaiter voir le fils qu'il avait abandonné.

Lorsqu'il arriva à Creswick Creek, Will ne vit pas trace du capitaine, pas plus que de Selena. Un voisin l'informa qu'ils étaient sans doute partis pour Daylesford en charrette. Si c'était bien le cas, ils ne seraient pas de retour à Creswick le jour même. Lui qui avait passé tellement de temps à se préparer à annoncer une nouvelle qui, peut-être, serait mal reçue, se retrouvait le bec dans l'eau.

La pensée de faire simplement demi-tour n'était guère alléchante.

Dans une tente qui faisait office de gargote, il prit du café avec du *damper* et de la viande froide. Son repas terminé, sa décision était prise. Après avoir posé quelques questions au propriétaire d'une boutique, il se retrouva bientôt sur une piste qui partait à l'ouest de la colonie.

Moins d'une heure plus tard, il s'arrêtait en vue de la bâtisse de pierre. Surprenant d'imaginer que Connor Trevannick vivait à si courte distance à l'insu de tous ! À présent, Will ne doutait plus de l'identité de celui que Selena avait vu à Creswick.

Pendant de longues minutes, laissant son cheval brouter à sa guise, il contempla la propriété qui s'étendait sous ses yeux.

Il n'avait comme base de comparaison que Grasslands, la propriété des Heilbuth, près de Burra, où Meggan avait été employée. Il estima que la maison principale et les corps de bâtiments étaient déjà anciens.

Donc, c'est ici que Meg va vivre, se dit-il.

Sa sœur était partie d'un humble cottage de mineur pour devenir bonne d'enfants dans une propriété, puis maîtresse d'un manoir à Adelaïde. Et maintenant, elle allait revenir vivre à la campagne, en qualité d'épouse d'un éleveur. Il pouvait presque la voir dans la véranda ombragée.

— J'espère que tu seras heureuse, Meg. Je sais que tu l'aimes, murmura-t-il.

Il souhaitait sincèrement le bonheur de sa sœur.

Will réfléchit. Allait-il pousser jusqu'à la maison ? Tôt ou tard, avant l'arrivée de Meggan à Melbourne, il lui faudrait parler à Connor Trevannick. Mais le moment n'était pas encore venu. Pas avant d'avoir informé Selena et son père de la présence dans les parages de leur frère et fils.

Il retourna à Creswick. En chemin, il tomba sur le capitaine et sa fille qui revenaient à pied de la direction de Clunes. Ils le saluèrent, agréablement surpris. Will descendit de cheval pour marcher à leurs côtés.

— On m'a dit que vous étiez partis pour Daylesford.

— Nous avons changé d'avis, répondit le capitaine. Nous sommes allés en carriole jusqu'à Clunes et puis nous avons décidé de rentrer à pied.

— Vous êtes fatiguée ? s'inquiéta-t-il, s'adressant à Selena.

— Bien sûr que non ! répondit la jeune fille avec vivacité. Je pourrais marcher toute la journée si je le voulais.

Son indignation le fit sourire. Le capitaine sourit également.

— Selena n'est jamais fatiguée, dit-il. Je ne sais pas d'où elle tient son énergie. Parfois, à côté de ma fille, je me sens un vieil homme, même quand elle porte des jupes au lieu de faire semblant d'être un garçon.

— Père, je porterai le pantalon tant qu'il me plaira. C'est beaucoup plus pratique que les jupes.

— J'aimerais bien retrouver ma fille, au lieu de ce garçon efféminé.

— Et moi, j'aimerais rendre visite à une jeune fille, au lieu d'un garçon, renchérit Will.

Les deux hommes, incapables de garder leur sérieux, échangèrent un regard et leurs bouches se mirent à trembler.

Selena se fâcha.

— Quels horribles bonshommes vous faites tous les deux ! s'exclama-t-elle avant de relever bien haut la tête et de partir en avant d'un pas résolu.

Will ralentit l'allure et s'assura qu'elle était hors de portée de voix avant de confier à son compagnon de route :

— J'ai quelque chose à vous dire, à tous les deux, mais je crois que vous devez l'entendre en premier.

Le capitaine s'arrêta.

— Vous allez me demander la main de ma fille ?

— Quoi ? Non. Enfin... balbutia Will, pris au dépourvu, ce n'est pas ce que j'ai à vous dire.

Il vit Selena quitter la route et se diriger vers sa tente.

— Capitaine... Connor, votre fils, vit à quelques kilomètres d'ici.

Il observa le visage de son interlocuteur. Quelles que fussent les pensées qui lui traversaient l'esprit, l'expression de son visage ne se modifia en rien. Il mit quelques secondes à digérer la nouvelle. Enfin, il s'enquit :

— Comment le savez-vous, Will ?

— J'ai reçu une lettre de ma sœur Meggan, qui m'écrivait de Cornouailles. C'est elle qui me l'a annoncé.

— Votre sœur ?

— Oui. Elle revient en Australie pour épouser votre fils.

Il attendit la réaction du capitaine. Celle-ci ne vint pas.

— Comptez-vous le dire à Selena ? reprit-il.

Le capitaine opina lentement du chef.

— Oui. Elle a le droit de savoir. Venez, Will, je vais lui apprendre la nouvelle tout de suite.

— Il est inutile que je sois là.

— Je souhaite que vous veniez. Je crois que vous en savez beaucoup plus long que vous ne l'avez dit. Selena et moi voudrions connaître tout ce que vous pourrez nous apprendre sur Connor.

Lorsqu'ils rejoignirent la tente, la jeune fille était déjà en train de mettre de l'eau à bouillir pour le thé. Elle leva les yeux.

— Pourquoi avez-vous mis tout ce temps ? Espériez-vous me trouver habillée en fille ?

Ils ne réagirent pas à sa plaisanterie.

— Will avait quelque chose à m'annoncer, expliqua son père.

Le regard de Selena alla de l'un à l'autre.

— Quoi ? De mauvaises nouvelles ? Vous avez l'air préoccupé, père.

— Non, ce ne sont pas de mauvaises nouvelles. Simplement, c'est tout à fait inattendu.

Il lui prit la main.

— Selena, tu sais que tu as un demi-frère aîné, Connor.

— Oui.

— Il n'est pas en Cornouailles comme nous le pensions.

Selena saisit sur-le-champ la portée des paroles de son père.

— Vous voulez dire qu'il est en Australie ? À Victoria ?

— Connor est encore plus près. Il vit à quelques kilomètres de nous.

— Oh ! fit Selena en retenant un cri de joie typiquement féminin mais sans pouvoir refréner son excitation. Père, c'est merveilleux ! s'exclama-t-elle en se jetant à son cou, avant de le lâcher pour enlacer Will avec la même impulsivité : Merci, merci, Will !

Will ressentit le désir de l'attirer plus près de lui, mais se reprit et se dégagea avec douceur.

— Je n'ai fait que porter la nouvelle, Selena, lui rappela-t-il.

En soupirant, le capitaine tempéra l'enthousiasme de sa fille.

— Sers-nous le thé, Selena, et viens t'asseoir. Will a d'autres choses à nous raconter.

Ils n'avaient pas à connaître certains pans de l'histoire, aussi le jeune homme se contenta-t-il de leur révéler que sa sœur et Connor s'aimaient depuis de nombreuses années.

— Ils se sont séparés pour des raisons que je n'ai pas le droit de vous dire. Maintenant, Meggan revient en Australie pour épouser Connor.

Selena battit des mains, enchantée.

— Comme c'est romantique ! Will, cela signifie que nous serons parents ! C'est une nouvelle merveilleuse ! Oh, comme je suis impatiente de connaître mon frère ! Pouvez-vous nous conduire chez lui ?

Will secoua la tête et précisa :

— Mais si votre père le souhaite, je lui dirai comment s'y rendre.

— Il le souhaite, évidemment !

Selena se tourna vers son père.

— Nous irons voir Connor, n'est-ce pas ?

— Il faut que je réfléchisse, ma chère enfant, répondit le capitaine d'une voix nouée. Mon fils est un étranger pour moi. Peut-être ne voudra-t-il pas nous connaître. Je n'ai pas envie qu'il te rejette et que tu sois blessée.

— Oh !

Selena se tut quelques instants avant de reprendre :

— Vous avez raison, père. J'ai tellement envie de rencontrer mon frère que je n'ai pensé qu'à cela. Mais nous irons le voir bientôt, n'est-ce pas ?

— Je pense que ce sera inévitable si la sœur de Will épouse mon fils.

Selena réfléchit.

— Père, vous rappelez-vous le jour où j'ai vu un homme qui vous ressemblait ? Ce devait être Connor.

— Oui, certainement.

Le capitaine Trevannick mit fin à la discussion sur ces mots.

Will passa encore une heure en compagnie de ses hôtes avant de se lever pour partir. Selena l'accompagna jusqu'à son cheval. Il s'apprêtait à monter en selle lorsqu'elle posa une main sur son bras.

— Will, j'ai envie que vous m'emmeniez auprès de mon frère, l'implora-t-elle.

— Votre père le fera.

— Je ne crois pas. Il attendra que Connor apprenne notre existence, ou il lui écrira. Will, je veux connaître mon frère ! Toute ma vie j'ai souhaité avoir un frère ou une sœur.

— Selena, vous devez faire ce que désire votre père. Ce n'est pas à moi de vous conduire auprès de votre frère.

— S'il vous plaît, Will… Ne me comprenez-vous pas ? Vous, vous avez des frères et une sœur. Moi, j'ai toujours été seule.

195

Will se hissa en selle.

— Non, je ne vous emmènerai pas chez votre frère, répéta-t-il. C'est à votre père d'en décider.

Selena fit la moue.

— Je croyais que vous teniez un peu à moi...

Elle le regarda d'une manière qui lui fendit le cœur.

— Non, Selena, pas ça... Je vous ai dit à tous les deux ce que je savais. Mon rôle s'arrête là.

Sur ce, il talonna sa monture.

— Au revoir, Selena.

— Quand reviendrez-vous ? s'écria-t-elle.

— Dès que je pourrai !

— Vous allez me manquer, Will !

Il baissa les yeux vers elle.

— Vous me manquerez aussi, Selena, répondit-il avant de prendre la direction du ruisseau, puis de la route de Ballarat.

Selena le suivit des yeux jusqu'à ce qu'il fût hors de vue. Je vous aime, Will Collins. Pourquoi ne pouvez-vous pas m'aimer ? se dit-elle.

Peut-être le moment était-il venu de recommencer à porter des jupes. Mais comment expliquer à tous ceux qui la connaissaient sous le nom de Selwyn Trevannick qu'en réalité elle était Selena ?

La blessure de Joshua Winton guérit beaucoup plus rapidement qu'il ne s'y attendait. Il en conserverait la cicatrice toute sa vie, et sa jambe le faisait terriblement souffrir quand il marchait trop longtemps, mais il avait conscience d'avoir eu une chance inouïe. Cette lance aurait parfaitement pu lui perforer le cœur. La douleur permanente qui le

196

tourmentait avait également eu pour effet de diminuer considérablement son goût pour les femmes aborigènes.

Au cours de sa convalescence, il avait longuement songé aux semaines passées à Langsdale. Il avait pris beaucoup de plaisir à renouer avec le métier d'éleveur de moutons. Couché sur son lit, il avait sublimé la douleur avec des images de la propriété qu'il posséderait un jour. Mais comment l'acquérir ? Les jours bénis où un immigrant pouvait s'implanter en déclarant simplement : « Je suis chez moi, c'est ma terre, aussi loin que porte mon regard », appartenaient au passé. Pour avoir une terre, il fallait de l'argent, ou de l'or.

La question était : comment obtenir de l'or ? Voler dans les puits à la nuit tombée était définitivement hors de question. Sa jambe blessée ne lui permettrait pas de descendre une échelle dans l'obscurité ; c'était déjà assez difficile en plein jour. Et en ce qui concernait l'or alluvionnaire, à Ballarat, le filon était épuisé. Peut-être fallait-il tenter sa chance ailleurs, comme à Creswick Creek, où l'or était encore facile à trouver.

La pensée que son frère vivait à proximité occupait l'esprit de Selena en permanence lorsqu'il n'était pas accaparé par Will. Elle avait plaidé sa cause auprès de son père jour après jour, le suppliant de prendre contact avec Connor. Invariablement, celui-ci avait refusé.

C'est pourquoi elle fut ravie, quelque deux semaines plus tard, de tomber par hasard sur l'homme qu'elle présumait être son frère.

Impulsivement, elle se dirigea vers lui et lui demanda sans autre forme de procès :

— Excusez-moi, êtes-vous Connor Trevannick ?

Il la regarda du haut de son cheval.

— Pourquoi cette question ?

— Parce que, si votre père est le capitaine Connor Trevannick, vous êtes mon frère.

Sur le visage du cavalier qui la dévisageait avec intensité, elle vit se succéder le choc, l'incrédulité, le doute.

— Quoi ? Votre frère ? Je n'ai pas de famille.

— C'est ce que vous croyez, comme moi jusqu'à récemment. Je dis la vérité. Nous avons un parent en commun. Acceptez-vous de me suivre pour rencontrer notre père ?

La curiosité, combinée à l'étrange sentiment que telle était la volonté du destin, poussa Connor à suivre le jeune garçon. Ils cheminèrent en silence, ne sachant que dire.

Le capitaine Trevannick était en train de laver de la terre au ruisseau. Il redressa la tête en entendant la voix de Selena, puis se leva.

Les deux hommes se dévisagèrent. Aucun des deux ne se posa de question sur l'identité de l'autre.

— Bonjour, Connor, dit le capitaine.

Connor ne répondit pas. Il ne doutait pas que cet étranger fût son père, ce père qu'il n'avait pas vu depuis plus de trente ans. Il ne ressentait ni choc ni joie. Toute émotion semblait l'avoir déserté. Il vit le garçon qui devait être son demi-frère adresser un coup d'œil nerveux à son père. Ils attendaient qu'il parle.

Connor prit une inspiration et prononça les premières paroles qui lui traversèrent l'esprit :

— Je vois que vous êtes l'homme qui m'a engendré. Pardonnez-moi si je suis incapable de m'adresser à vous à la manière d'un fils. Vous êtes un étranger pour moi, comme je le suis sans doute pour vous.

Que je suis raide, que je suis pompeux ! pensa-t-il.

Le capitaine répondit avec un calme qu'il était loin d'éprouver :

— Nous sommes des étrangers l'un pour l'autre depuis trop longtemps. Peut-être me permettras-tu un jour de t'expliquer pourquoi je t'ai laissé auprès de Phillip et Louise. Mais aujourd'hui, le destin a fait en sorte que nous nous rencontrions. J'aimerais apprendre à te connaître.

Connor secoua la tête.

— Je ne suis venu que par curiosité, et pour m'assurer que j'avais vraiment la chance d'avoir un jeune frère.

Le bref échange de regard entre le père et le fils ne lui échappa pas.

La réponse lui fut donnée par l'homme qui était leur père :

— Ce n'est pas un frère, mais une sœur que tu as. Selena se sent plus en sécurité habillée en garçon.

Cette révélation laissa Connor stupéfait.

Il examina la jeune personne plus attentivement. Il remarqua alors la douceur de sa peau, ses mains fines et ses cils épais, scandaleusement longs pour un garçon. Il vit aussi en elle de la force et de la détermination. Ainsi qu'une bonne dose de courage.

— Pourquoi vous sentez-vous plus en sécurité habillée en garçon ? demanda-t-il.

— J'ai vu un homme se faire tuer à Ballarat. L'assassin sait que je l'ai vu. C'est pour cela que nous sommes venus ici et que j'ai changé mon identité.

Connor ne s'était pas attendu à ce que le témoin d'un assassinat lui relate cette tragédie avec une telle placidité.

— Quand le meurtre a-t-il eu lieu ? s'enquit-il.

— Il y a environ six mois.

— Six mois ? Sans doute n'avez-vous plus peur, maintenant.

— Je n'ai jamais eu peur, je suis simplement prudente.

Dans ses yeux, il avait vu un éclair de colère, comme s'il l'avait insultée en suggérant qu'elle avait eu peur. Un peu de la tension qui l'habitait sans qu'il en eût conscience jusqu'alors se dissipa. Cette jeune sœur lui plaisait bien. Il se dit qu'il aimerait faire plus ample connaissance avec elle.

— J'aimerais voir ma sœur porter une robe, dit-il.

— Ohh ! s'exclama Selena avec un regard furieux. Pas vous ! Pourquoi tout le monde veut-il sans cesse me faire porter des jupes ?

— Pas tout le monde, rectifia le capitaine.

— Vous et Will, tout le temps !

De plus en plus intrigué, Connor s'enquit :

— Qui est Will ?

Il sourit en voyant une légère rougeur envahir les joues de sa nouvelle petite sœur.

200

— C'est un ami, répondit-elle précipitamment. C'est lui qui nous a dit que vous viviez près d'ici. Père ne voulait pas aller vous voir, et pourtant, je l'ai supplié de le faire. Je vous ai vu en ville, un jour, il y a quelques semaines. Depuis que Will nous a dit que vous habitiez près de Creswick, j'espérais vous revoir. Et aujourd'hui, voilà qui est fait ! ajouta-t-elle avec un sourire radieux.

— Veux-tu rester un moment ? proposa le capitaine. Vois comme Selena est heureuse de t'avoir trouvé.

Et vous, l'êtes-vous également, heureux ? lui demanda Connor en pensée.

— Je regrette, répondit-il à haute voix, je dois rentrer. Nous avons du travail avec nos moutons à traiter. Vous êtes les bienvenus chez moi à tout moment. Bien le bonjour à tous les deux.

Il se détourna abruptement pour repartir. Selena cria derrière lui :

— Attendez ! Je vous accompagne à votre cheval.

— Non, Selena, l'arrêta son père en la retenant par le bras. Tu restes avec moi. Nous aussi nous avons du travail.

Selena suivit des yeux son frère qui s'éloignait.

— Nous le reverrons, n'est-ce pas, père ?

Ce dernier ne répondit pas. Elle étudia son expression pour tenter de déchiffrer ses sentiments.

— Vous n'êtes pas fâché contre moi, n'est-ce pas ? Ai-je commis une sottise en vous l'amenant ?

Le capitaine lui tapota la main.

— Non, ma chère enfant. Je savais que nous devrions nous faire connaître de lui. J'avoue que j'ai repoussé l'instant, de crainte de ne pas être le bienvenu.

— Je comprends, répondit-elle en souriant. Mais mon frère a dit que nous serions les bienvenus à tout moment.

Elle pencha la tête pour le regarder du coin de l'œil, selon son habitude à chaque fois qu'elle voulait imposer sa volonté.

Le capitaine Trevannick sourit.

— Oui, c'est ce qu'il a dit, admit-il.

Après avoir fait le tri des émotions diverses que lui avait causées sa rencontre inopinée avec un père et une sœur inconnus, Connor prit la résolution d'écouter les explications que son père avait à lui donner sur sa décision de l'abandonner. Il constata avec surprise qu'il pensait à sa sœur si peu conventionnelle avec une certaine affection.

La totalité de son élevage était maintenant infectée, y compris l'enclos du Sud. Administrer le traitement à ses bêtes lui prit plus d'une semaine. La nuit qui suivit le dernier jour de soins, il fut réveillé par le martèlement de la pluie. Il resta étendu, l'oreille tendue, espérant que ce ne serait qu'une averse passagère. La pluie cessa et il se rendormit, pour être tiré du sommeil par un ruissellement caractéristique. La lueur blafarde au-dehors signalait qu'il faisait presque jour. Il ouvrit sa montre de gousset et gratta une allumette pour lire l'heure.

Sept heures ! Plus tard qu'il ne l'avait cru. Connor souffla l'allumette et reposa sa montre sur sa table de chevet. Il enfila une épaisse robe de chambre, ouvrit la porte-fenêtre et sortit dans la véranda. Partout, le sol n'était que flaques. De l'eau coulait le long des pentes en charriant de la terre et en creusant des rigoles boueuses. Le ciel était d'un gris uniforme. La pluie s'était bel et bien installée.

Cette pluie pouvait se révéler désastreuse pour son élevage. En proie à une sourde inquiétude, il rentra passer des vêtements de travail. À l'arrière de la maison, il enfila des bottes de caoutchouc et décrocha son imperméable.

Mme Clancy était déjà à l'œuvre dans la cuisine où flambait un bon feu accueillant.

— Ah, monsieur Connor, quel temps affreux ! Vous voulez prendre votre petit déjeuner ?

— Pas encore, madame Clancy. Je vais aller examiner les moutons que j'ai baignés hier.

— Ned s'est fait du souci, lui aussi. Il est déjà là-bas.

À l'arrière, là où se trouvaient les étables, le hangar de tonte et le bassin de trempage, la cour s'était transformée en marécage boueux. Connor la traversa en pataugeant pour gagner l'enclos où étaient parqués les moutons. Il vit Ned se déplacer au milieu des bêtes. Beaucoup étaient couchées par terre. Le cœur de Connor se serra.

Quelques-unes étaient déjà mortes, un grand nombre d'autres affaiblies.

Connor maudit le temps. La veille, quand ils avaient baigné les moutons, le ciel clair semblait promettre une série de belles journées. Si la pluie avait attendu vingt-quatre heures, les malades auraient eu le temps de se remettre.

— Combien, Ned ? cria-t-il.

— Au moins vingt. Et y en a encore beaucoup plus qui y passeront.

Ned avait raison. La plupart des bêtes étendues par terre étaient trop faibles pour se relever. Connor estima qu'au moins une vingtaine de plus étaient mourantes. Ils ne pourraient rien pour les sauver. Le mieux était de les abattre pour abréger leurs souffrances.

— Allons-y, Ned, faisons ce qu'il y a à faire. Nous allons sortir celles qui sont déjà mortes, et ensuite, nous nous occuperons de celles qui ne vont pas tarder à suivre le même chemin.

Lorsqu'ils eurent terminé, Connor, au bord des larmes, contempla les cadavres empilés. Il sentit la main de Ned sur son épaule.

— Le reste a l'air bien, patron. Espérons que cette maudite pluie va bientôt cesser.

— Quand elle cessera, les tondeurs seront peut-être arrivés, pour que nous puissions au moins retirer quelque chose de ce désastre.

Il poussa un profond soupir.

— Nous avons fait tout ce qui était en notre pouvoir. Allons prendre le petit déjeuner que Mme Clancy nous a préparé.

La pluie se poursuivit toute la journée. Vers midi, Connor sortit et trouva deux nouveaux morts parmi les moutons. L'après-midi, il s'attela à ses comptes. Avant même de calculer le total de ses pertes, il savait qu'il était au bord de la ruine. Que ses voisins connaissent le même sort n'était pas une consolation. Mais quelques-uns étaient financièrement plus solides.

Les milliers de livres qu'il avait mis de côté sur la vente de laine du mois d'avril étaient passés dans l'achat des remèdes nécessaires au traitement. Il devait de l'argent à des commerçants de Melbourne et de Ballarat. Il y avait aussi les tondeurs à payer, à raison de vingt-cinq shillings la semaine par personne. C'était affreusement cher mais justifié par la rareté de la main-d'œuvre.

Les tondeurs étaient attendus pour le 25 septembre, c'est-à-dire dans une semaine. Mais si la pluie persistait, la tonte serait certainement repoussée. Et si le mauvais sort s'acharnait, il n'y aurait peut-être plus de moutons à tondre. Sur son élevage de cinq mille têtes, il en avait déjà perdu mille cinq cents.

Connor sortit dans la véranda et se mit à faire les cent pas. C'était la première fois de sa vie qu'il pliait ainsi sous le poids des soucis. Dans dix semaines, Meggan débarquerait à Melbourne. Bien souvent, depuis qu'il avait reçu sa première lettre, il avait imaginé son arrivée à Langsdale. Toujours, dans son esprit, ce moment merveilleux se déroulait sous un soleil resplendissant dans un ciel bleu d'azur, et, de l'autre côté de la clôture de bois peinte en blanc qui ceignait la propriété, de superbes moutons blancs bien gras se détachaient sur une herbe du plus beau vert.

Ce tableau idyllique s'effaça rapidement. La clôture n'était pas encore installée, les moutons se traînaient lamentablement, des lambeaux de laine pendant sur l'arrière-train. Au lieu d'amener Meggan dans une propriété prospère, il l'accueillerait à Melbourne en lui annonçant qu'il avait fait faillite.

Pendant quelque temps, au début d'octobre, Connor espéra que les mois plus chauds apporteraient un répit dans la propagation de l'épizootie. Mais dix jours plus tard, Mère Nature, capricieuse, décida d'une journée de forte pluie combinée à un froid intense. En cette seule journée, plus de quatre cents moutons périrent.

Il avait perdu plus de la moitié de son troupeau. Le peu que lui avait rapporté la vente de la laine, même au meilleur prix, n'avait guère été utile pour éponger ses dettes.

La seule solution envisageable semblait être de vendre ses moutons à l'encan et de renoncer à l'élevage. Mais quelle vie offrirait-il à Meggan et à leur fille ? Un taudis à Melbourne ou une cabane en écorce au milieu du bush ? Il connaissait suffisamment Meggan pour savoir qu'elle accepterait l'un comme l'autre. Il se connaissait lui-même suffisamment pour savoir qu'il ne pourrait lui demander d'accepter.

Mais aussi, pourquoi Meggan ne l'avait-elle pas attendu, au lieu d'en épouser un autre ? Ils auraient travaillé côte à côte à se faire une place dans ce pays ; se seraient soutenus mutuellement dans les épreuves et auraient ri ensemble dans les moments de joie. Il aurait connu sa fille depuis le jour de sa naissance.

Comment épouser Meg s'il n'avait pas un foyer convenable à lui offrir ?

Après une semaine de beau temps au cours de laquelle aucune perte ne fut à déplorer, Connor sella son cheval pour se rendre à Creswick. Durant ses longues journées de travail, l'esprit accaparé par

206

ses soucis financiers et Meggan, il n'avait que très peu pensé à son père. Sa droiture innée lui dictait de retourner à Creswick pour lui parler. Aussi se mit-il en route un dimanche, jour de repos des chercheurs d'or.

Il descendit de cheval dans ce qui lui sembla la rue principale et engagea sa monture à travers le dédale du village de tentes. Son père et sa demi-sœur, assis devant leur logis, l'aperçurent au même moment. Selena poussa un cri de joie. Le visage de son père exprima à la fois le plaisir et la gratitude. Connor ressentit une certaine émotion. Oui, il avait eu raison d'entreprendre cette démarche.

Selena était aux anges. Son père, resté sourd à ses supplications, avait refusé d'aller rendre visite à Connor. « Je ne veux pas m'imposer à mon fils. Connor viendra me voir s'il désire me connaître. » Et il était venu !

— Je suis tellement contente de te voir ! s'exclamat-elle, surexcitée, déjà pleine d'amour pour ce frère aîné. Oh, sacrebleu ! Si j'étais une fille, je pourrais t'embrasser !

— Selena ! protesta fermement son père.

— Quoi donc ? Une sœur peut bien embrasser son frère !

Le capitaine la considéra d'un œil sévère.

— Une fille ne prononce pas des mots comme « sacrebleu ».

Avec un sourire, la jeune fille haussa les épaules en marmonnant sans conviction :

— Pardon.

Puis, s'adressant à Connor :

207

— Pourquoi souris-tu ?

Connor éclata alors franchement de rire et répondit, tourné vers son père :

— Ma petite sœur est-elle toujours ainsi ?

— Toujours, confirma le capitaine. Je crains que nous n'ayons été trop indulgents envers elle lorsqu'elle était enfant. Elle peut être très entêtée, très garçon manqué parfois.

— Hum… Reconnaissez que, sans elle, je ne serais pas ici.

Le capitaine sourit.

— Allons, prépare-nous du thé, comme une fille bien sage, dit-il à Selena avant de proposer à Connor : Resteras-tu un moment avec nous ?

— Merci. J'espérais bien que nous aurions une conversation, répondit Connor.

Le capitaine hocha la tête, signifiant par là qu'il comprenait le sens caché de ses paroles. Il précisa :

— Je t'ai déjà abandonné une fois. Je ne vais pas te renvoyer à nouveau. Je désire connaître mon fils.

— Et moi, mon père. Et cette petite sœur si pleine de vie ! ajouta Connor avec un rire.

Connor ne prit pas congé de sa famille retrouvée avant la fin de l'après-midi. Pendant la majeure partie du temps, les deux hommes avaient parlé, et Selena avait écouté. Le père et le fils avaient un retard de trente années à combler.

— Je reviendrai vous prendre en voiture à cheval pour vous amener chez moi, promit Connor au moment de partir.

— Bientôt ? s'enquit Selena, déjà impatiente.

— Je l'espère. Je ne peux malheureusement pas vous faire de promesse. S'il n'y a pas un nouvel assaut de l'épidémie, ce pourrait être dans deux semaines.

— Dès que tu le pourras, Connor, répondit le capitaine en lui tendant la main. Je suis heureux que tu sois venu aujourd'hui.

Les deux hommes échangèrent une ferme poignée de main. Puis le père et la fille regardèrent s'éloigner Connor jusqu'à ce qu'il fût hors de vue.

Adossé à un arbre à une courte distance de là, le chapeau descendu très bas sur son visage pour dissimuler ses traits, un homme les observait tous les trois.

Quand il n'y eut plus rien d'intéressant à voir, Joshua retourna dans la petite tente qu'il avait montée l'après-midi précédent. Sa jambe, comme bien souvent, le faisait souffrir.

Il s'assit sur le rondin qui lui servait de tabouret, la jambe posée sur sa couche pour soulager les élancements, et réfléchit à sa découverte. Durant son séjour à Langsdale, Trevannick n'avait jamais fait allusion au fait qu'il connaissait des chercheurs d'or à Creswick Creek. La tente où son ancien ami était venu en visite semblait être là depuis un certain temps.

Maudite jambe, elle lui faisait un mal de chien à présent ! Un whisky ou deux atténueraient la douleur. Une ou deux pépites de taille correcte la lui feraient encore plus sûrement oublier…

Joshua se leva pour aller attraper sa bouteille de whisky, en versa une généreuse rasade dans sa chope et reprit sa position. Puis il leva sa chope pour honorer quelque divinité inconnue :

— À la pépite que je vais trouver !

Peut-être que, s'il répétait assez souvent ces paroles à haute voix, son rêve deviendrait réalité.

Une fois la plaie bien cicatrisée, il avait passé quelque temps dans la région de Ballarat. Au début de la ruée vers l'or, à l'époque où on trouvait de grosses pépites en quantité, les orpailleurs avaient rejeté de la terre contenant une fortune en petites pépites, considérées alors comme trop inintéressantes pour être ramassées. En relavant la terre, il avait glané de quoi lui permettre de survivre quelques mois. Sans doute, avec le temps, se serait-il constitué un bon petit pécule. Mais Joshua n'avait pas le temps d'attendre. Il était pressé d'avoir son propre domaine. Il n'avait pas de temps à perdre à laver la terre dans un ruisseau, le pan à la main. Ce qu'il voulait, c'était être respecté de tous. Ce besoin était devenu primordial.

Depuis qu'il avait reçu ce coup de lance, il s'était découvert un besoin de respectabilité qu'il ne se connaissait pas auparavant. Peut-être était-ce sa rencontre avec Trevannick qui l'avait éveillé. L'existence qu'il menait depuis que sa famille l'avait déshérité n'avait pas de quoi le rendre fier.

Mais Joshua ne poussait pas la réflexion jusqu'aux raisons qui avaient poussé sa famille à le renier ainsi.

Parmi tous ses actes inavouables, c'était le meurtre involontaire de ce mineur de Ballarat qui le tracassait le plus. Il savait qu'il avait accompli de nombreux forfaits, qu'il était un malfaiteur, mais il lui répugnait de penser qu'il était également un meurtrier. La crainte d'être traduit en justice était toujours là, même si elle était tapie tout au fond des arcanes de son cerveau. Il savait qu'il avait été vu. Il savait par qui. La fille sortait tellement de l'ordinaire qu'il l'avait souvent observée.

Bon Dieu ! C'était ça ! Trevannick lui avait vaguement rappelé quelqu'un quand il l'avait vu pour la première fois. Il comprenait maintenant que ce n'était pas parce qu'il l'avait vu près de Ballarat ainsi qu'il l'avait pensé. Non, Trevannick lui rappelait le père de la fille.

Joshua sortit en hâte de sa tente. Mais les abords de celle qui l'intéressait étaient maintenant déserts. Il réfléchit intensément, perturbé par le cours qu'avaient pris ses pensées. Avait-il raison ? Se trompait-il ? Comment le savoir ?

Pendant toute la journée du lendemain, Joshua poursuivit sa proie. Il était convaincu que l'homme était le père de la fille. Il s'enquit discrètement de leurs noms, et lorsqu'on les lui apprit, retint un cri de surprise. Cet homme et cette fille étaient sûrement des parents de Connor Trevannick. Cependant il garda pour lui deux questions afin d'éviter de trop montrer son intérêt : qu'était devenue la fille ? Pourquoi, à Ballarat, n'avait-il jamais vu le garçon ?

Joshua était descendu au ruisseau pour épier le garçon qui était en train d'utiliser le berceau.

Soudain, il éclata de rire, s'attirant quelques regards curieux. Bien, bien, lui dit-il en pensée, je parie tout mon or que tu es une fille.

Il se dirigea nonchalamment vers le ruisseau et se planta derrière la jeune personne.

— Alors, la chance vous sourit ?

— Un peu. Et à vous ? lui répondit-on sans cesser d'agiter le berceau et sans lever les yeux.

— Moi, je viens seulement d'arriver à Creswick.
J'ai passé un bout de temps à Ballarat.

— Nous aussi. Mais ça rapporte beaucoup mieux
ici. Nous trouvons un peu d'or presque à tous les
coups.

Le mouvement du berceau cessa. Une main mince
et brune tria le gravier pour en sortir trois pépites.

— Vous voyez ce que je veux dire ?

La jeune personne leva vers lui un visage
souriant. Aussitôt, son expression changea brièvement, mais assez longtemps pour répondre à la
question de Joshua. Il avait été reconnu.

Il joua le tout pour le tout :

— J'ai vu que vous avez eu de la visite hier.

On le dévisagea d'un air méfiant.

— C'est un de mes amis, ajouta-t-il avec un
sourire.

— Je ne vous crois pas. Enfin...

— Comment nous nous sommes connus ? Je lui
ai donné un coup de main dans sa propriété
pendant quelques semaines, il y a de ça deux mois.
C'est un de vos parents ?

Il n'obtint pas de réponse. La fille-garçon se
détourna en appelant :

— Père ! Venez voir ce qu'il y a là.

L'homme s'approcha du berceau avec un bref
coup d'œil à Joshua avant de prendre les petites
pépites et de les glisser dans une bourse.

La fille n'accorda plus un regard à ce dernier.

Joshua porta la main à son chapeau.

— Au plaisir, dit-il.

Il s'éloigna lentement, s'arrêtant de temps à autre
pour observer le travail des orpailleurs, afin de

donner l'impression qu'il ne s'intéressait à personne en particulier. Mais il était arrivé à la conclusion que la fille ne présentait aucun danger pour sa liberté. Même s'il était accusé, ce serait sa parole contre la sienne. Sept mois avaient passé. La police ne s'intéresserait plus à l'affaire.

Le capitaine Trevannick ne mit pas longtemps à s'apercevoir que sa fille était troublée.

— Qui était ce gars ? demanda-t-il. Tu as l'air bouleversée.

— C'est lui, père. C'est le meurtrier.

Le capitaine posa ses yeux sur l'homme qui bavardait avec un chercheur d'or à une centaine de mètres de là, leur tournant le dos.

— Tu crois qu'il t'a reconnue ?

— Oui, je pense. Mais je n'en suis pas sûre. Il a dit une chose qui m'a paru bizarre. Il a prétendu qu'il avait travaillé pour Connor récemment.

Elle prit une profonde inspiration, puis poursuivit :

— Si c'est exact, pourquoi mon frère n'en a-t-il pas parlé ? Il n'a parlé que de bergers, de tondeurs et d'un couple d'employés.

— Qu'en penses-tu, Selena ?

— Je pense que cet homme n'est pas un ami de Connor. Je crois que nous devrions prévenir Connor de sa présence à Creswick.

— C'est important, à ton avis ?

— Je sens que Connor apprécierait de le savoir.

La pluie qui avait rendu les mois d'hiver si désagréables refit son apparition le lendemain et tomba pendant près d'une semaine. Le premier jour de temps sec, le capitaine et Selena se mirent en route.

213

À leur arrivée, ils trouvèrent Connor en train de construire une clôture, secondé par un employé.

Connor les accueillit avec un plaisir manifeste :

— Vous avez fait tout le chemin à pied ?

— Oui.

— Il est donc temps d'arrêter pour aller prendre le thé. Ned, viens par ici, que je te présente mon père et ma sœur.

L'employé vint les rejoindre en essuyant ses mains glissantes de sueur sur son pantalon.

— Vrai, je suis content de faire votre connaissance, monsieur. Le maître, il m'a tout raconté sur vous, à moi et à ma bourgeoise. Elle a été très contente d'apprendre qu'il avait retrouvé sa famille. Je m'en vais lui dire que vous êtes là. Elle va vouloir préparer quelque chose de spécial en votre honneur.

Après avoir adressé un sourire incertain à Selena, il se hâta vers la maison.

La jeune fille fit une grimace narquoise.

— Il ne sait pas comment me traiter !

— Tu peux être sûre que Mme Clancy n'approuvera pas plus que lui tes vêtements masculins. Même s'ils viennent d'un milieu pauvre, les Clancy ont des opinions très arrêtées sur ce qui se fait et ce qui ne se fait pas. Mais entrez donc. Je vais vous présenter à cette brave femme et lui demander de nous servir le thé dans la véranda.

Résolue à ne pas choquer la gouvernante de Connor, Selena refréna son exubérance naturelle et adopta une attitude réservée. Dès sa plus tendre enfance, elle avait appris à se servir de son sourire pour obtenir ce qu'elle voulait. Elle s'employa donc à charmer Mme Clancy.

— Vous devez être une très bonne cuisinière, madame Clancy, dit-elle avec une expression de pur ravissement. Je ne sais pas quel gâteau vous faites cuire, mais il sent divinement bon. J'espère que c'est pour notre thé !

— C'est rien que des scones, mam'zelle. Le maître aime bien mes scones.

Elle ouvrit la porte du four pour en sortir un plateau de biscuits dorés et gonflés à souhait.

Selena poussa un cri d'admiration.

— Oh, comme j'aimerais pouvoir faire des scones comme les vôtres !

Le capitaine fit la grimace et jeta un regard en coin à son fils dont le visage était barré d'un large sourire. Les scones de Selena n'avaient rien à envier à ceux de Mme Clancy. Ils avaient pu en juger lors de la visite de Connor.

Connor étouffa un rire.

— Nous allons vous laisser à vos préparatifs, madame Clancy. Quand vous serez prête, nous prendrons notre thé dans la véranda.

— Bien, monsieur Connor.

Connor les précéda dans le passage et les conduisit jusqu'à la véranda.

— Je vous montrerai la maison une fois que nous nous serons restaurés. Prenez place, dit-il en indiquant une table basse entourée de fauteuils.

— Tu as une belle propriété, mon fils, déclara le capitaine. Comment se portent tes moutons ?

— Nous n'avons pas eu de nouveaux cas de gale la semaine dernière, malgré la pluie. J'espère que le pire est derrière nous. Nous allons devoir poursuivre les séances de bain tous les deux mois tant que toutes les propriétés avoisinantes ne seront pas complètement saines.

— C'est une bonne nouvelle, se réjouit le capitaine.

Il s'enfonça dans son fauteuil et laissa errer son regard sur l'étendue verte doucement vallonnée.

— Quand on est privé de la vue de la mer, celle-ci est sûrement l'alternative idéale, fit-il remarquer.

— Pour ma part, je considère cela comme la plus belle des vues. Et toi, Selena ? Que se passe-t-il ? Tu es devenue bien silencieuse.

La jeune fille s'arracha à ses pensées, lesquelles tournaient autour de la raison de leur visite.

— Oui, la vue est magnifique. Si on devait trouver de l'or sur tes terres, je suppose qu'elles seraient bientôt déparées de toute leur verdure, comme Ballarat.

— Je suis confiant. Il n'y a pas d'or sur mes terres. Ah, merci, madame Clancy.

La gouvernante posa un plateau sur la table.

— Vous voulez que je fasse le service, monsieur Connor ?

— Non merci, Selena peut s'en charger. Contrairement à ce qu'on imagine, elle possède toutes les qualités requises pour une femme.

Derrière le dos de Mme Clancy, Selena fit une grimace à son frère.

— Très bien, monsieur Connor, acquiesça la gouvernante.

Lorsque cette dernière fut hors de portée de voix, Selena protesta :

— Père, vous l'avez entendu ? Et vous qui prétendez que je suis incorrigible !

216

— Hum, fit le capitaine avec un large sourire. Je commence à penser que mes deux rejetons ont plusieurs traits de caractère en commun.

Connor éclata de rire. Il réalisa alors que c'était une chose qui lui arrivait souvent en présence de sa sœur.

Selena lui passa sa tasse de thé. Elle s'était souvenue qu'il l'aimait noir, avec une cuiller de sucre.

Ils bavardèrent à bâtons rompus tout en dégustant les délicieux scones de Mme Clancy, avec le beurre qu'elle avait fait elle-même.

— Je vous ramènerai, annonça Connor. Mais avant, vous devez visiter la maison et les dépendances.

Le capitaine opina du chef, puis déclara :

— Il y a une raison à notre visite, Connor. Nous aimerions que tu nous éclaires sur un point.

Selena précisa :

— Nous avons rencontré un homme qui prétend être l'un de tes amis. Il nous a dit qu'il était resté quelque temps chez toi il y a environ deux mois pour t'aider.

— Le seul homme qui ait travaillé ici n'est pas un ami. Peux-tu le décrire, Selena ?

— Parfaitement. Il mesure environ un mètre soixante-quinze, il a les cheveux châtain clair et les yeux bleus. Tu le connais ?

— Oui, il s'agit de Joshua Winton, dit Connor en poussant un profond soupir. Je me suis trompé sur son compte.

— Comment cela ? interrogea le capitaine.

— Il m'a dit qu'il était fils d'un éleveur. Je crois que c'est vrai. Il s'est montré assez compétent en matière de moutons. Il m'a aidé au début de

217

l'épidémie. Il n'a accepté pour tout salaire que le toit et les repas. Il me plaisait bien. L'idée m'a même effleuré de l'employer comme intendant.

— Pourquoi as-tu changé d'avis ?

Connor réfléchit un instant. La vérité n'était pas destinée aux chastes oreilles de sa petite sœur.

— J'ai découvert qu'il avait maltraité des Aborigènes qui campaient sur mon domaine, expliqua-t-il en se réservant de dévoiler la véritable version à son père. Je l'ai chassé en lui disant de ne jamais revenir… Pourquoi vous intéressez-vous à Winton ?

Ce fut Selena qui répondit :

— Je t'ai dit que j'avais vu tuer un homme, tu t'en souviens ? Eh bien, ce Winton est le meurtrier.

— Joshua Winton ? Il est donc dangereux ! Tu dis qu'il est à Creswick et qu'il t'a parlé. T'a-t-il reconnue ? T'a-t-il menacée ?

— Non, non. Je vais te raconter exactement ce qui s'est passé.

Selena lui rapporta mot pour mot leur conversation. Puis elle ajouta :

— Je suis certaine qu'il savait qui j'étais et qu'il cherchait à savoir si j'avais reconnu son visage.

— Tu as sans doute raison. Mais il n'en reste pas moins que je ne fais pas confiance à Winton.

Il reposa sa tasse sur le plateau.

— Selena, maintenant que nous avons pris le thé, veux-tu bien rapporter le plateau à Mme Clancy ?

Connor ne dit rien avant que sa sœur se fût engagée dans le passage. Puis :

— Je doute que ce vaurien craigne des répercussions après tout ce temps. La police est largement trop corrompue et préoccupée de s'enrichir pour se soucier d'un homme retrouvé mort au fond d'un puits il y a plus de sept mois. Ce sont des choses qui arrivent quasiment toutes les semaines. Ce qui m'inquiète davantage, c'est que Winton ait prononcé mon nom.

— Te garde-t-il rancune ?

— Sans aucun doute. Laissez-moi profiter de l'absence de Selena pour vous raconter toute l'histoire.

Connor relata les faits à son père, en ajoutant :

— Quand j'ai découvert la tombe de la fille, j'avoue que j'ai regretté que la lance n'ait pas transpercé le cœur de Winton. Je ne doute pas que Wallaby ait souhaité le tuer. Je suis simplement heureux qu'il ne l'ait pas fait, pour le bien de sa famille et des autres Aborigènes du district. Il y a un certain nombre de policiers qui n'auraient été que trop contents d'avoir une excuse pour se lancer dans une chasse aux Noirs et les massacrer sans distinction.

— Connor, ce que tu viens de me dire renforce mon inquiétude. Je me fais du souci pour Selena depuis le matin où elle m'a parlé du meurtre. Crois-tu que cet homme puisse lui faire du mal, à cause de ce qu'elle sait, pour t'atteindre à travers elle ?

— Je l'ignore. En commettant un acte criminel, il aurait plus à y perdre qu'à y gagner. Mais je suis d'accord avec vous. Selena doit être mise en sécurité. Elle doit venir vivre chez moi.

— Pourquoi dois-je venir vivre avec toi ?

Les deux hommes n'avaient pas remarqué le retour de la jeune fille.

Ce fut son père qui répondit :

— Cet homme, ce Joshua Winton, est dange-reux, chère enfant. Connor m'a raconté des choses qui me font craindre pour ta sécurité. Il te faut rester ici, avec ton frère.

Selena protesta, mais ni son père ni son frère n'acceptèrent ses objections. À chacun de ses argu-ments, ils opposèrent un contre-argument. D'ailleurs, bien que leur faisant remarquer qu'elle se pliait à leur volonté contrainte et forcée, elle s'avoua que l'idée de revivre dans une maison en dur ne lui déplaisait pas.

— Et vous, père ? Comment allez-vous faire sans moi ?

— J'aimerais que vous veniez tous deux vivre ici, proposa Connor.

— Je ne peux vivre de ta générosité, même si tu es mon fils, déclina le capitaine. Non, je reste à Creswick. Je suis parfaitement capable de prendre soin de moi-même.

Selena fit une dernière tentative :

— Vous avez besoin de moi, père.

— Non, j'ai besoin de te savoir en bonne santé et en sécurité, ma chère enfant. Cessons cette discus-sion. Tu restes auprès de ton frère, un point c'est tout.

Selena fit la moue.

— Très bien. Je reste.

— Mais j'ai une exigence, intervint Connor. Tu vas retirer ce pantalon et recommencer à t'habiller comme une fille.

DEUXIÈME PARTIE

1

Ce fut sous un vent violent et une pluie battante que le *Fair Australia* quitta les eaux du détroit de Bass pour entrer dans celles, un peu plus calmes, de la baie de Port Phillip. Le mauvais temps, parfaite antithèse du soleil brûlant et des cieux flamboyants auxquels ils s'attendaient, ne découragea cependant qu'une poignée de passagers restés dans leur cabine. La majorité d'entre eux se couvrirent contre la pluie et sortirent contempler la terre qu'ils avaient mis neuf longues semaines à atteindre.

Meggan, portant une Etty bien emmitouflée, était sur le pont avant avec Jenny et Agnes. Il n'y avait pas grand-chose à voir. La côte, cachée derrière un rideau de pluie serrée, n'était qu'une forme indistincte se confondant avec la grisaille de la mer et du ciel.

— Il aurait été plus agréable d'arriver par beau temps, fit remarquer Jenny, mais j'ai peine à croire que nous sommes enfin au bout de notre périple.

— Est-ce que, lors de ta première traversée, tu étais aussi pressée d'arriver à destination ? lui demanda Meggan.

— Tu n'as pas été moins impatiente que moi, rétorqua Jenny. Tu comptes les jours depuis que tu as reçu la lettre de Connor au Cap.

— Je reconnais que ces dernières semaines ont été interminables. Et toi, Agnes, tu es contente d'arriver ?

— Oh, dame, pour ça oui ! C'est mon rêve qui devient réalité. Moi qui croyais que de toute ma vie je verrais jamais rien d'autre que Pengelly... voilà que je me retrouve en Australie ! Ah, sûr, je suis bien aise de quitter ce bateau pour de bon ! ajouta-t-elle du ton convaincu de quelqu'un qui avait supporté avec courage les vicissitudes d'une traversée en mer.

— Tu as bien raison, Agnes. Je crois que tout le monde sera content de poser pied sur la terre ferme. Mais à présent, regagnons nos cabines. Nous remonterons sur le pont quand le bateau sera prêt à accoster. Avec un peu de chance, la pluie aura cessé.

Ce n'est qu'en apercevant le port par le hublot embué de leur cabine que les trois voyageuses regagnèrent le pont. Au fur et à mesure de la progression du navire, l'excitation se faisait de plus en plus palpable. L'équipage avait toutes les peines du monde à protéger la passerelle du flot de passagers prêts à se précipiter sur le quai.

— Des idiots, tous autant qu'ils sont, maugréa le capitaine Arnold, descendu de la poupe pour rejoindre le groupe de Meggan. C'est la même chose à chaque voyage. Incapables d'attendre une seconde de plus pour entamer la chasse à l'arc-en-ciel...

— À l'arc-en-ciel, capitaine ? Pour vous, l'or qui les attire est donc aussi illusoire que le pot d'or censé se trouver au bout de l'arc-en-ciel ?

— Oui, c'est hélas le cas pour la majorité de mes passagers. Je vous garantis que tous ces hommes, là, impatients de rejoindre la terre, sont convaincus qu'il leur suffira de se baisser pour ramasser les pépites. Ils s'imaginent qu'ils vont découvrir l'Eldorado... Comment peuvent-ils être assez naïfs pour croire que la quantité d'or est inépuisable, qu'ils deviendront tous riches, alors que, depuis deux ans, ils débarquent ici par milliers du monde entier ?

— J'aurais mauvaise grâce à les critiquer, capitaine, car c'est exactement le rêve que poursuivent mes frères.

— Mais je sais que vos frères ont réussi, madame Westoby. Vous me les avez décrits comme des travailleurs acharnés qui ont bien mérité l'or qu'ils ont trouvé. Mais assez parlé. Je suis venu vous faire mes adieux, mesdames. Madame Westoby, mademoiselle Tremayne, ce fut un honneur pour moi de vous avoir à bord du *Fair Australia*. Je vous souhaite bonne chance dans votre nouvelle vie.

Ces dames remercièrent le capitaine qui leur proposa l'escorte de l'officier en second pour les mener à leur hôtel.

— Tous mes vœux vous accompagnent, mesdames, leur dit-il enfin. Votre compagnie a été un plaisir. Mais maintenant, le devoir m'appelle.

Sur ce, il s'inclina et s'éloigna.

Agnes demanda alors à sa maîtresse :

— Vous voulez que je prenne Etty pour la changer ?

— Je m'en charge, Agnes. Tu peux aller t'occuper de tes bagages personnels.

225

La jeune bonne acquiesça et se détourna, mais Meggan l'arrêta dans son geste en lui posant la main sur le bras.

— Agnes, crois-tu que tu vas être heureuse ici ? Ce pays et son style de vie sont très différents de la Cornouailles.

Agnes répondit sans hésitation :

— Je sais, madame. C'est ce que vous me dites depuis le début. Pour ce qui est d'être heureuse, quand j'ai quitté le taudis puant de mes parents à Pengelly, ça a été le plus beau jour de ma vie.

La domestique disparut.

— Eh bien… murmura Jenny, ton Agnes me paraît vraiment ravie de son changement d'existence. Comme elle devait détester sa vie, là-bas ! Je sais que je ne pourrais jamais supporter la misère qu'elle a connue.

— Te sentirais-tu capable de vivre modestement dans une petite cabane ?

Jenny pinça les lèvres.

— Nous en avons parlé souvent, Meggan. Si ton frère veut me prendre pour femme, l'amour me rendra capable de tout supporter. D'après ce que je connais de la famille Roberts, l'amour n'a jamais eu sa place chez eux.

— Non, en effet. J'ai été heureuse de pouvoir aider Agnes. C'est une bonne fille. Elle a appris très vite. Tu as vu le mal qu'elle se donne pour améliorer son langage ?

Jenny devint pensive. Puis :

— Meggan, diras-tu la vérité à Agnes à propos de son frère ?

— Tu me demandes si j'ai l'intention de lui révéler comment il a tué sa femme ? Non. Je n'aimerais pas qu'Agnes sache comment a tourné l'enfant chéri qui faisait la fierté de sa mère.

— Agnes espère le revoir ici.

— Et moi, j'espère sincèrement qu'aucun de nous ne le reverra. Tom Roberts est un homme mauvais.

— Oublions Tom Roberts ! J'espère que Connor nous attendra à l'hôtel.

En entendant Jenny prononcer le nom de son frère adoptif, Meggan sentit les battements de son cœur s'accélérer. À présent que son union avec l'homme qu'elle aimait se rapprochait, elle éprouvait une crainte stupide, irrationnelle. Connor n'avait jamais vu sa fille. Il avait même ignoré son existence jusqu'à tout récemment. Lui plairait-elle ?

L'arrivée de l'officier en second mit un terme à leur conversation.

Une heure plus tard, elles entraient au *Grand Hôtel*.

— Vous avez de la chance d'avoir une réservation, madame Westoby, leur fit remarquer l'officier. Bon nombre de ces gens, dit-il avec un regard vers les nouveaux arrivants qui attendaient, indécis, dans le hall, l'air anxieux, n'auront nulle part où descendre… Mais peut-être devrais-je rester auprès de vous jusqu'à ce que vous soyez certaines que tout va bien.

— Je suis sûre que tout ira bien, monsieur Robson. Nous vous remercions de nous avoir accompagnées jusqu'ici.

— Eh bien, je vous souhaite bonne chance et me permets de prendre congé.

— Merci, monsieur Robson. Nous vous souhaitons une bonne traversée de retour.

Quelques minutes plus tard, confrontée à la mauvaise humeur de l'employé au visage blafard qui officiait à la réception, Meggan se demanda si elle n'eût pas mieux fait d'accepter la proposition de l'officier.

— Voudriez-vous vérifier encore dans votre registre ? Deux chambres ont été réservées pour Mme Westoby. La réservation a été faite il y a quelque temps par M. Trevannick.

— Jamais entendu parler.

Meggan pinça les lèvres devant tant d'impertinence. Puis elle remarqua qu'il gardait la main droite posée sur le registre.

— Puis-je jeter un coup d'œil sur le livre ?

— C'est contre les règles, madame.

— Dans ce cas, je vais parler au propriétaire. Je suppose que ce n'est pas contre les règles, n'est-ce pas ?

— Il est pas là. Il est sorti.

— Nous allons attendre son retour. Quel que soit le temps que cela prendra, ajouta-t-elle, clouant le bec à l'homme qui avait déjà ouvert la bouche pour émettre une objection. Dans l'intervalle, vous allez pouvoir vérifier s'il y a des lettres pour moi ou pour Mlle Tremayne.

Pour la forme, l'employé jeta un regard distrait derrière son bureau.

— Y a rien. Suivez mon conseil, madame, et cherchez-vous une chambre dans un autre hôtel.

— Pas avant d'avoir parlé au propriétaire.

Etty entra alors dans la partie en se mettant à pousser des cris assourdissants.

— Y a-t-il un endroit privé où je puisse combler les besoins de ma fille ? demanda Meggan à l'agréable personnage.

Insolence mise à part, l'homme semblait avoir un faible pour les bébés. Il alla jusqu'à sourire à Etty.

— Derrière cette porte, madame, répondit-il. Dans le petit salon.

Jenny accompagna Meggan. La pièce était meublée de deux fauteuils confortables et d'une petite table.

— Qu'allons-nous faire, si nous ne pouvons obtenir nos chambres ? s'inquiéta Jenny, pensive.

— Je ne sais pas.

Meggan, assise dans un fauteuil, attendit que le bébé commence à téter avant de reprendre :

— Espérons que le propriétaire résoudra le problème. L'employé cachait le registre avec sa main. Je pense qu'il a donné nos chambres à quelqu'un d'autre.

— Si seulement Connor était là ! Je suis déçue. Il a écrit qu'il essaierait de venir nous rejoindre.

— Justement, Jenny, il a écrit qu'il essaierait. Il a pu se passer toutes sortes de choses entre-temps. J'étais sûre que nous aurions une lettre nous disant quand il comptait arriver.

— Il n'est pas encore midi. Peut-être va-t-il arriver aujourd'hui.

— Mieux vaut ne pas trop se bercer d'illusions.

Etty avait bu tout son soûl, avait été changée, et était en train de s'endormir dans les bras de sa mère

229

lorsqu'un coup discret frappé à la porte annonça l'entrée du propriétaire de l'hôtel.

— Mes excuses pour ne pas avoir été là pour vous accueillir, madame Westoby, dit-il.

— Maintenant que vous êtes là, vous allez régler l'affaire concernant nos chambres, monsieur… ?

— Smeaton, madame, John Smeaton, à votre service.

— Votre service consiste à nous donner nos chambres, précisa Meggan d'un ton sec.

— Eh bien… malheureusement, cela m'est impossible.

— Nos chambres ont bien été réservées ?

— Eh bien… en effet, madame Westoby, mais, voyez-vous… nous n'avons pas pu les garder.

— J'ai cru comprendre que ces chambres avaient été payées d'avance, dit-elle en échangeant un regard perplexe avec Jenny, laquelle hocha la tête en signe de confirmation.

— Oui, oui, c'est exact. Mais vous devez comprendre que depuis, avec tout cet or qui se déverse sur la ville, les prix ont plus que quadruplé, y compris celui des chambres. J'ai écrit à M. Trevannick pour l'informer de l'augmentation de tarif. Je n'ai pas reçu de réponse.

— Parce qu'il est déjà en route pour Melbourne, affirma Jenny.

— C'est bien possible, mais dans cette ville, le peu de chambres disponibles va à ceux qui ont de l'or à dépenser.

— Je peux payer le prix que vous demanderez, quel qu'il soit.

— Que vous le puissiez ou pas n'a aucune importance. Les gens qui ont pris les chambres sont
tombés sur un vrai magot à Bathurst. Je serais fou
de refuser leur or.

— Je vois.

Oui, elle voyait. La fièvre de l'or n'affectait pas
seulement ceux qui l'extirpaient de terre. Il était
évident que ni les protestations ni l'argent en
espèces ne leur permettraient d'obtenir ne serait-ce
qu'une seule chambre. Elle réfléchit rapidement.
C'est alors qu'elle songea à une personne qui lui
était sortie de l'esprit.

— Monsieur Smeaton, connaissez-vous
M. Richards, qui a un magasin dans Collins Street ?

— Je le connais, madame.

L'hôtelier la dévisagea d'un air perplexe.

— J'aimerais lui faire parvenir une lettre, dit
Meggan. S'il vous plaît, veuillez m'apporter de quoi
écrire.

— Comme vous voudrez, madame.

— Nous aimerions également que vous allumiez
le feu dans cette pièce. Il y fait très froid.

Le propriétaire renchérit :

— C'est bien vrai. Le temps à Melbourne est
imprévisible. Hier, il a fait une chaleur intolérable.
Demain, ce sera peut-être pareil. Mais il peut faire
froid et humide en été.

Il marqua une pause, puis se décida :

— Je vais chercher de quoi écrire.

— Qui est ce M. Richards ? s'enquit Jenny, quand
elles furent seules.

— Mon défunt mari s'était associé avec M. Richards
peu de temps avant sa mort. Nous ne nous sommes

jamais rencontrés, mais c'est moi qui suis maintenant son associée. Lorsque David est mort, il m'a proposé son aide en cas de besoin. Je crois que le moment est venu de faire appel à lui.

Le propriétaire, peut-être en proie à une légère culpabilité devant le désarroi de ces dames, revint presque aussitôt avec du papier et une plume. Il attendit respectueusement pendant que Meggan rédigeait sa courte missive, la scellait et la lui tendait.

— Je vais la faire porter immédiatement, madame Westoby, dit-il avec empressement. Et une bonne va venir allumer le feu.

— Merci. Nous désirons conserver l'usage de cette pièce jusqu'à ce que je reçoive la réponse de M. Richards. Je suis sûre que vous n'y voyez aucune objection.

En tous les cas, Meggan n'avait aucunement l'intention de retourner dans le hall surpeuplé. Le ton de sa voix était explicite. Meggan n'était pas une femme autoritaire mais elle savait forcer son naturel si nécessaire.

— Veuillez s'il vous plaît me faire envoyer ma bonne et nos bagages. Nous aimerions également avoir du thé et des sandwichs.

M. Smeaton inclina humblement la tête.

— Comme vous voudrez, madame.

Meggan sourit à Jenny qui avait porté sa main à sa bouche pour dissimuler un sourire.

— Tu peux rire, mais avoue qu'il méritait d'être remis à sa place ! dit-elle.

Sans plus cacher son hilarité, son amie répondit :

— Meggan, tu es incorrigible ! Il me semble que ce Smeaton va passer un mauvais moment.

— Je ne te le fais pas dire. Il va se demander quels personnages importants il a ainsi refoulés.

Meggan éclata de rire à son tour :

— Jenny, je viens d'avoir une bien vilaine idée. Je devrais acheter cet hôtel.

— Pour quoi faire ? s'étonna Jenny, bouche bée.

— Pour la satisfaction de faire comprendre à cet homme cupide qu'une fortune bien assise a plus de valeur que de l'or facilement dilapidé.

Jenny fronça les sourcils.

— Tu as un drôle de regard, Meggan. Tu es sérieuse, n'est-ce pas ?

— Oui, je crois. Cette ville va grandir très rapidement. Je crois que c'est le moment de faire quelques bons investissements.

À peine une heure plus tard, M. Richards se présenta à l'hôtel.

— Bien le bonjour, mesdames. Madame Westoby ? interrogea-t-il en regardant alternativement les deux femmes.

Meggan se leva.

— Je suis Mme Westoby. Monsieur Richards, je présume ?

Il prit la main qu'elle lui tendait et la tapota légèrement.

— Quel plaisir de vous rencontrer enfin ! M. Westoby nous a tant parlé de vous et de votre incroyable talent. Chantez-vous toujours ?

Cette question était à prévoir.

— Non, répondit Meggan. J'ai une fille à présent, et elle est plus importante que ma carrière.

— Oui, oui, certes.

Elle reprit place dans son fauteuil et indiqua une chaise au visiteur.

— Parlons donc de cette affaire de chambres, dit ce dernier.

— Je ne vous aurais pas importuné, monsieur Richards, si j'avais pu trouver une solution moi-même. Le propriétaire a refusé d'honorer notre réservation, ce qui nous a mises dans l'embarras. J'espère que vous serez en mesure, par un moyen ou un autre, de nous trouver un logis.

— Mais vous ne m'importunez nullement, chère madame. Je suis flatté que vous ayez fait appel à moi, d'autant plus que je puis vous venir en aide. Peut-être ignorez-vous qu'en dehors de l'affaire dans laquelle nous sommes désormais associés, je possède trois petites maisons que je mets en location. L'une d'elles est vide pour le moment, les locataires l'ont justement quittée hier pour aller tenter leur chance sur les champs aurifères. La maison a deux chambres, plus une petite pièce qui pourrait servir à votre bonne.

Il adressa un petit signe de tête à Agnes.

— C'est meublé simplement, précisa-t-il. Cela ne correspond certes pas au luxe auquel vous êtes accoutumées. Si vous acceptez cependant, vous pourrez y rester aussi longtemps que vous le souhaiterez.

Meggan leva les mains dans un geste de remerciement.

— Que puis-je répondre ? J'accepte votre offre si généreuse avec gratitude. La simplicité de la maison ne me fait pas peur. J'ai été élevée dans un cottage de mineur en Cornouailles.

M. Richards sourit, enchanté :

— Affaire conclue. J'ai amené ma voiture. Je peux vous conduire là-bas immédiatement.

— Merci, mais je dois d'abord écrire une lettre à M. Trevannick pour lui faire savoir où nous trouver quand il arrivera.

La maison où leur sauveur les conduisit était une construction basse en brique, dotée d'un toit d'ardoise, de planchers de bois et de murs intérieurs blanchis à la chaux. Un couloir menait directement de la porte d'entrée à la cuisine. Les deux chambres à gauche de l'entrée possédaient chacune une petite fenêtre garnie de rideaux de dentelle et de doubles rideaux en calicot. Un salon plus vaste à l'autre bout du couloir était éclairé par deux grandes fenêtres à double exposition, munies de doubles rideaux de velours vert foncé. Derrière le salon, adjacente à la cuisine, se trouvait la petite pièce destinée à Agnes.

Meggan était ravie. La cupidité de l'hôtelier avait tourné en leur faveur.

— Cette maison est parfaite, monsieur Richards. Nous serons très bien ici jusqu'à l'arrivée de M. Trevannick. Espérons que cela ne saurait tarder.

— Je l'espère pour vous. Vous avez certainement besoin de quelques provisions et fournitures ? Je vous propose de faire une liste afin de me permettre de procéder aux achats dans la boutique de M. Hopkins, un peu plus loin dans la rue.

— Vous êtes trop aimable. Quelle sottise de ma part de ne pas y avoir songé moi-même !

— Pas du tout, madame Westoby. Vous rendre service me fait grand plaisir.

La liste fut établie et remise au très attentionné M. Richards.

Agnes alluma le feu dans le salon, puis alla s'affairer dans la cuisine. Meggan installa le bébé sur son lit, entouré d'oreillers pour l'empêcher de rouler sur le sol, puis, aidée de Jenny, déballa les quelques objets nécessaires pour ce séjour qu'elles espéraient très bref.

Le lendemain, cependant, un messager apporta une lettre à Meggan.

— Que dit Connor ? s'enquit Jenny. Tu as l'air préoccupée.

Meggan leva les yeux.

— Connor écrit qu'ils ont subi une série d'orages qui ont causé d'importants dégâts dans son domaine. Il ne pense pas pouvoir s'absenter avant plusieurs jours.

— Dieu merci, nous avons cette maison ! s'exclama Jenny. Nous y sommes mille fois mieux qu'à l'hôtel.

— Tu as raison. Je vais écrire à Connor pour le tranquilliser et lui faire savoir que nous sommes confortablement installées. Et à Will aussi, pour l'informer que nous sommes bien arrivées.

S'apercevant de la rougeur qui avait envahi les joues de Jenny, elle s'enquit :

— Dois-je lui dire que tu es ici ?

Son amie répondit vivement :

— Non, s'il te plaît. Je veux voir sa réaction quand je me présenterai devant lui. Je saurai alors s'il m'aime ou non.

— Je ne crois pas que ses sentiments aient changé.

— Mais sa tête continuera-t-elle à commander son cœur ?

Quatre jours plus tard, Meggan ouvrit sa porte pour trouver son frère Will sur le seuil, le visage barré d'un large sourire.

— Bonjour, Meg.

— Will ! Que fais-tu ici ? Oh, que c'est bon de te voir !

Ils s'embrassèrent avec le bonheur d'un frère et d'une sœur qui avaient toujours été proches et se retrouvaient après une trop longue séparation.

— Viens, entre ! Quelle bonne surprise ! Je ne pensais pas te revoir avant Ballarat.

— Je n'ai pas pu attendre aussi longtemps. Il fallait que je sois sûr que tout allait bien pour toi. Tu n'as jamais été loin de mes pensées, Meg.

— Et toi non plus. Mais viens voir Etty. J'avais hâte de te la montrer. Elle dort en ce moment, tu ne pourras donc rester que brièvement.

Ils pénétrèrent dans la pièce sur la pointe des pieds pour se rendre auprès du bébé endormi. Meggan observa son frère. Elle vit à son expression qu'il avait tout de suite vu la ressemblance.

Il la regarda, s'apprêtant à parler, mais elle posa un doigt sur ses lèvres et ils sortirent de la chambre.

— Ta fille est donc bien l'enfant de Connor Trevannick ! prononça-t-il aussitôt d'un ton accusateur.

— Oui.

— Ton mari le savait ?

Meggan sentit l'ombre de la culpabilité passer sur son visage.

— Non. J'avais l'intention de le lui dire le jour où il a été tué.

237

— Comme ça, sa mort lui a épargné le chagrin de savoir que sa femme avait un amant.

— Will, ce que tu dis est terrible ! s'exclama Meggan, les larmes aux yeux.

— Est-ce que Connor Trevannick est au courant ? poursuivit-il.

Soudain, elle sentit la colère monter. Elle redressa le menton pour affronter ce frère qui la jugeait, la condamnait.

— Oui. Je le lui ai écrit.

— Est-ce qu'il t'épouse uniquement pour légitimer sa fille ?

— Nous...

Meggan marqua une pause avant de marteler :

— Nous nous marions parce que nous nous aimons. Nous serions mariés depuis longtemps si j'avais cru en lui. Au lieu de cela, j'ai choisi la sécurité et j'ai épousé David.

— Non, Meggan. Tu as choisi ta carrière.

— C'est vrai, mais j'éprouvais une profonde tendresse pour David. C'était un homme merveilleux. C'est lui qui a fait de moi la grande artiste que je suis devenue. Sa mort m'a dévastée.

— Ça ne t'a pas empêchée de vivre une idylle avec un autre pendant que ton mari était ailleurs.

— S'il te plaît, Will, le supplia Meggan, blessée. Je sais combien cela t'a contrarié. J'espérais que tu m'aurais pardonné depuis.

Les larmes se mirent à couler sans qu'elle puisse les retenir. Will les vit aussi. Il s'approcha d'elle et la prit dans ses bras.

— Excuse-moi, Meg. Je n'avais pas l'intention de te faire de la peine. Seulement, je ne suis pas à l'aise à l'idée d'avoir Connor Trevannick comme beau-frère. Il s'est passé trop de choses entre nos deux familles.

Meggan s'écarta de lui et le regarda droit dans les yeux, en s'efforçant de chasser ses larmes. Elle déclara d'une voix ferme :

— C'est de l'histoire ancienne. Ça s'est passé il y a huit ans et Connor n'a jamais été partie prenante.

— Il ne s'appelle peut-être pas Tremayne, mais c'est la seule différence entre lui et le reste de la famille.

— Oh !

Dans un geste de colère, Meggan repoussa son frère avec force en lui appliquant les deux mains sur la poitrine, le faisant chanceler.

— Si tu as l'intention de te montrer aussi stupide, Will, tu peux retourner immédiatement à Ballarat. Ce qui est arrivé à Caroline n'est la faute de personne, si ce n'est Ma et Phillip Tremayne. Tu seras peut-être également contrarié d'apprendre que Rodney Tremayne entretient la tombe de Caroline.

Will eut la décence d'arborer une expression légèrement confuse.

— Non, Meg, je ne suis pas contrarié. Je suis heureux de savoir que notre sœur n'a pas été oubliée.

— Bien. Peut-être pouvons-nous maintenant changer de sujet. J'ai envie de savoir comment vont mes frères et comment se passe la vie à Ballarat.

Will mit ses pensées personnelles de côté.

— On a d'assez bons résultats, répondit-il. On exploite un nouveau gisement depuis juin. Il a fallu creuser beaucoup plus profondément pour trouver l'or, mais il est bien plus riche que nos gisements précédents.

— Si tu viens à Melbourne, est-ce pour dilapider ton or comme tant d'autres ?

— Jamais. Tu me connais, Meg, tu sais que je n'ai jamais été dépensier. Hal est devenu beaucoup plus prudent lui aussi. Il continue à travailler dur. Son but, c'est de réaliser son rêve, d'acheter un bateau.

Au moment où Meg s'apprêtait à répondre, Jenny entra dans le salon.

Will sursauta violemment, aussi choqué que si un spectre avait surgi devant lui.

Jenny se figea, non moins surprise. Elle ne s'était pas préparée à le voir à Melbourne. Ce fut elle qui reprit ses esprits la première.

— Bonjour, Will.

Il inclina la tête.

— Bonjour, mademoiselle Tremayne.

Avec un regard furieux à sa sœur, il ajouta :

— Je ferais mieux de partir.

Mais Meggan ne l'entendait pas de cette oreille.

— Non, Will, tu vas rester ! Maintenant que Jenny est là, je vais aller demander à Agnes de préparer le repas. Elle est à la cuisine, n'est-ce pas, Jenny ?

Jenny détourna brièvement le regard pour répondre par l'affirmative.

Meggan sortit et croisa les doigts en refermant la porte sur le couple.

Dans la pièce, le silence devint tendu. Jenny ne s'était pas attendue à être aussi peu sûre d'elle, aussi peu sûre de Will. Incontestablement, il était sous le choc. Le surprendre avait fait partie de son plan. Mais elle avait cru qu'aussitôt remis il la prendrait dans ses bras pour lui avouer son amour indéfectible. Toutes les nuits, depuis leur départ, elle s'était joué la scène en esprit. Plus le bateau se rapprochait de l'Australie, plus leurs retrouvailles se faisaient passionnées.

La réalité fut tout autre. Will lui tourna le dos pour aller se planter devant la fenêtre, apparemment plus intéressé par ce qui se passait dans la rue. Jenny, le cœur saignant, regardait fixement l'arrière de sa tête, en proie au désir ardent de passer ses doigts dans ses boucles noires, de le voir se retourner afin de le dévorer des yeux...

Puis elle eut soudain conscience de son immobilité, de la rigidité de ses bras le long de ses flancs, de ses poings contractés. Son cœur fit un bond. D'évidence, il se livrait à une âpre lutte intérieure.

Elle prit une profonde inspiration et serra les poings, elle aussi, pour empêcher ses mains de trembler.

— J'espérais que vous seriez content de me voir, Will, dit-elle d'une voix mal assurée.

Il fit volte-face. Devant la vive colère qu'elle lut dans ses yeux, Jenny fit involontairement un pas en arrière.

— Will ? murmura-t-elle.

— Que faites-vous ici ?

— Meggan et moi, nous avons voyagé ensemble depuis la Cornouailles.

— Vraiment ? rétorqua-t-il, sarcastique. Pourquoi êtes-vous revenue en Australie ? Ce n'est pas pour Trevannick !

241

Puis il la dévisagea d'un œil soupçonneux.

— Ou alors, c'est pour le voler à Meggan ? insinua-t-il.

Jenny protesta, outrée :

— Ne dites pas des choses pareilles ! Meggan et Connor s'aiment !

— Vous étiez censée épouser Connor quand vous êtes rentrée en Cornouailles.

— C'était le désir de mon père, pas le mien.

Elle saisit alors son courage à deux mains.

— Connor est comme un frère pour moi. Moi, j'ai envie d'épouser l'homme que j'aime.

Will se troubla légèrement mais ne dit rien. Elle le regarda droit dans les yeux. Et joua son va-tout :

— Je vous aime, Will. Je vous aime depuis le premier jour.

Elle vit tressaillir un coin de sa bouche et fut prise de l'envie irrépressible d'apaiser d'un baiser le minuscule muscle qui s'agitait.

— Je ne veux pas de votre amour, mademoiselle Tremayne, déclara Will avec fermeté. Si vous espériez m'entendre vous avouer que je vous aime, vous vous trompiez.

— Oui, c'est cet aveu que j'attendais, répliqua-t-elle avec une nuance de colère dans la voix. Moi, je crois que vous m'aimez. Meggan croit que vous m'aimez. Et vous, Will Collins, vous n'avez pas changé, vous êtes toujours aussi entêté.

Will riposta avec une expression féroce :

— Je vous l'ai dit il y a plus d'un an : je ne veux pas avoir affaire à vous. Mes raisons n'ont pas changé.

— Des raisons stupides ! s'emporta-t-elle, décidée à se battre jusqu'au bout. Nous sommes en Australie, pas en Cornouailles. Vous êtes maintenant votre propre maître et moi, je suis juste une femme, pas la fille du riche propriétaire. Votre argument, l'inégalité sociale, n'est plus valable.

— Vous venez d'une famille fortunée qui n'a jamais connu ni le labeur ni la misère. Vous ne pourriez pas survivre aux dures conditions de la vie dans les mines d'or.

Un petit sourire se dessina sur les lèvres de Jenny.

— Will, je serais prête à partager votre vie là où vous êtes. Vous n'avez qu'à me le demander.

Accompagnant sa réponse d'un geste de refus, il lança :

— Jamais je ne vous demanderai de partager une telle vie.

Le sourire qui errait sur les lèvres de Jenny se fit encore plus mystérieux. Oui, elle finirait par l'emporter. La propriété de Connor était proche de Ballarat. Will Collins la verrait beaucoup plus souvent qu'il ne s'y attendait.

L'assurance du jeune homme parut un peu ébranlée.

— Qu'est-ce qui vous fait sourire comme ça ? s'étonna-t-il.

Mais Jenny, éludant sa question, y répondit par une autre :

— Avez-vous déjà vu votre nièce ?

Perplexe, Will resta muet quelques instants, puis répondit :

— Elle dormait.

— Je suis sûre qu'elle est réveillée à présent. Meggan doit être auprès d'elle. Etty est un bébé adorable. Vous aimez les enfants ?

De plus en plus perplexe, Will se contenta de répondre par un signe de tête affirmatif.

— Moi, j'aimerais avoir une grande famille, poursuivit Jenny d'un ton anodin.

Au même moment, comme par une entente tacite, Meggan entra dans la pièce, sa fille dans les bras.

Le regard interrogateur que sa sœur jeta à Jenny Tremayne n'échappa pas à Will. Un regain de colère l'enflamma. Les deux femmes avaient tout manigancé. Qu'espéraient-elles ? Qu'il soit submergé d'émotion au point d'oublier qu'il n'acceptait pas d'aimer une Tremayne ?

Meggan s'approcha en disant :

— Will, voici Etty. Elle est bien réveillée maintenant. Etty, voici ton oncle Will.

Le bébé le dévisagea avec curiosité avant de lui tendre les bras. Will le prit contre lui et s'assit. Des petits doigts potelés parcoururent son visage et Will envia brusquement sa sœur. Et le père de l'enfant.

Il écarta la main du bébé, s'émerveilla de la douceur de sa peau. Il vit alors le regard de Meggan fixé sur eux, empli d'amour et de fierté, et sentit sa résistance envers son prochain mariage céder quelque peu.

— Meg, ta fille est magnifique, dit-il. Vous allez former une très jolie famille.

Meggan déposa un baiser sur la joue de son frère.

— Merci, murmura-t-elle.

Tout allait bien se passer. Will acceptait son mariage avec Connor.

Agnes frappa à la porte.

— Madame, vous voulez que je mette la table ?

— Oui, Agnes. Tu te souviens de mon frère Will ?

Agnes confirma d'un signe de tête.

— Vous étiez amis, avec Tom, se rappela-t-elle.

Will sourit à la jeune fille.

— La petite Agnes, celle qui nous empoisonnait la vie à vouloir jouer avec nous... Tu as bien grandi.

— Mais pas trop ! répliqua Agnes, faisant allusion à sa petite taille.

Tout en posant les couverts sur la table, elle poursuivit :

— Vous savez où il est, Tom ? J'aimerais bien le revoir. Meggan... euh, je veux dire, Mme Westoby, elle a dit comme ça à Ma que Tom, il est policier maintenant. Ma, elle est bien fière.

Will regarda sa sœur, qui baissa les yeux. Le comportement criminel de Tom à Burra resterait donc leur secret.

Il sourit à la jeune bonne.

— Tom est toujours policier. Nous le voyons très souvent.

Trop souvent à notre gré ! se dit-il. Car cet animal malfaisant ne faisait pas mystère qu'il brûlait du désir d'attraper l'un des frères Collins pour défaut de licence.

Cette pensée en amena une autre. Devait-il informer Meggan du traitement injuste qu'avait infligé Tom au capitaine Trevannick ? Meggan connaissait-elle l'existence du père de Connor Trevannick et de sa demi-sœur ? Mieux valait poser la question en dehors de la présence de Jenny.

Le bébé, qui avait glissé ses doigts dans sa chevelure et refusait de lâcher les mèches qu'il tirait allègrement, se mit à protester à grands cris lorsque son oncle tenta de se délivrer de son emprise.

Jenny offrit alors opportunément son aide :

— Viens, ma chérie. Tatie Jenny va t'emmener en promenade. Ne m'attends pas pour le déjeuner, Meggan, je n'ai pas faim.

Meggan vit le visage de son frère s'assombrir lorsque Jenny quitta la pièce en emportant Etty.

— Quand as-tu l'intention de repartir ? s'enquit-elle.

— Je pense rentrer dans deux jours, après avoir fait quelques provisions. La farine et le sucre sont bien moins chers à Melbourne.

— Connor sera peut-être arrivé d'ici là. Ce serait merveilleux si nous pouvions voyager ensemble.

— Tu avais prévu de me prévenir à quel moment ?

Meggan ne fit pas semblant de ne pas comprendre sa question.

— Je te l'aurais dit dans ma première lettre si Jenny ne m'avait pas demandé de n'en rien faire.

— Elle s'attendait à quoi ? À ce que je sois tellement heureux que je me jette sur elle en la dévorant de baisers ?

Le mépris cinglant qu'il affichait ne trompa pas sa sœur.

— Mais tu en avais envie, n'est-ce pas ? répliqua-t-elle.

Will se leva d'un bond et se mit à faire les cent pas dans la pièce.

246

— Je l'avais chassée de mon esprit. Je ne pensais pas la revoir un jour.

— Moi non plus, avant de retourner en Cornouailles, je ne pensais pas revoir Connor. Mais même si je le croyais sorti de ma vie pour toujours, je n'ai jamais cessé de l'aimer. Tu n'as jamais cessé d'aimer Jenny, toi non plus, même si tu t'en défends.

Will leva les mains dans un geste de désespoir et alla s'adosser au manteau de la cheminée. Meggan le rejoignit, lui prit le visage à deux mains et planta son regard dans le sien.

— Will, tu es l'homme le plus stupidement entêté que je connaisse. Jenny t'aime. Tu l'aimes. Nous sommes en Australie, un pays neuf, où la vie est différente. Il n'y a absolument aucune raison pour que vous ne soyez pas ensemble.

— Sauf que je n'ai pas de maison à lui offrir ! répliqua-t-il en se dégageant.

— Jenny ne veut pas d'un manoir ! rétorqua sa sœur. Tout ce qu'elle veut, c'est être ta femme.

— Elle ne pourrait pas vivre dans notre petite cabane. Hal et Tommy ne seraient pas d'accord. Il n'y aurait aucune intimité.

— Will, une fois de plus, tu cherches des excuses. Qu'est-ce qui t'empêche de vous construire une maison pour vous deux ? Je crois que Ballarat va devenir une jolie ville.

— Je ne vais peut-être pas rester à Ballarat.

— Quelle importance ? Tu peux construire une maison n'importe où. Jenny se moquera de l'endroit, tant qu'elle sera avec toi.

Will pinça les lèvres et jeta :

— Et il sera où, cet endroit ?

Meggan le regarda, interloquée.

— Tu as sûrement des projets d'avenir.

Pris d'une colère subite, son frère tapa du poing sur la cheminée. Une petite sculpture de porcelaine vacilla et menaça de basculer. Meggan la rattrapa de justesse.

— Je n'ai pas de projets, pas d'ambitions ! s'écria-t-il. Parfois, je me dis que je vais passer ma vie à vagabonder d'un endroit à l'autre. À quoi me sert mon or si je ne sais pas quoi en faire ? Hal sait quoi faire, Tommy sait quoi faire... Moi... conclut-il avec un geste d'impuissance.

— Will, tu n'es pas toi-même, je ne t'ai jamais entendu parler comme ça ! Tu as toujours été le garçon solide, l'organisateur, celui qui prend soin de ses jeunes frères !

— Je suis désolé, Meg. Mais au cours du voyage de Ballarat à Melbourne, j'ai passé de longues heures à tourner et à retourner ces pensées dans ma tête.

L'entrée d'Agnes annonçant que le repas était prêt mit un terme à leur conversation.

Will prit congé après le déjeuner sans attendre le retour de Jenny.

Cette dernière ne fut pas surprise de ne pas le retrouver. Elle se hâta de questionner son amie :

— Il s'est comporté comme s'il était fâché de me voir.

Meggan poussa un profond soupir.

— Il n'y a pas plus entêté que mon frère. Il t'aime, Jenny, mais il va falloir que tu te donnes beaucoup de mal si tu veux qu'il te l'avoue un jour.

— Je ferai tout, absolument tout, pour qu'il m'épouse.

Afin d'honorer la promesse que sa sœur lui avait arrachée, Will revint dîner. Il avait élaboré toutes sortes de stratégies pour éviter de se retrouver tête à tête avec Jenny, mais il n'eut pas besoin d'y avoir recours.

Meggan parla abondamment de son séjour en Cornouailles et du cottage qu'elle avait acheté pour leur mère. Lui, de son côté, décrivit la vie des chercheurs d'or.

— Saviez-vous que Connor possédait un domaine non loin de Ballarat ? s'enquit poliment Jenny.

Ignorant si sa politesse n'était pas un préambule à quelque assaut ultérieur, Will répondit prudemment :

— Pas avant que je reçoive la lettre de Meggan.

— Dans ce cas, il ne sait pas que vous êtes si proche de lui.

— Oh ! s'exclama Meggan, frappée. Will, je ne crois pas t'avoir mentionné dans mes lettres. C'est une erreur de ma part.

— Aucune importance, Meg. Les chercheurs d'or et les éleveurs de moutons n'ont pas de contacts, sauf quand les mineurs jouent de malchance et qu'ils ont besoin de toucher des gages quelque temps pour s'en sortir.

La conversation roula donc sur les chercheurs d'or, les éleveurs, leurs heurs et malheurs.

Avant de partir, Will demanda à revoir sa nièce.

— Je veux bien, lui dit sa sœur, mais, surtout, ne la réveille pas, sinon, tu seras condamné à la bercer jusqu'à ce qu'elle se rendorme.

Il se rendit sans bruit dans la chambre et se pencha sur le petit lit. Il ne connaissait pas grand-chose aux bébés. Devant ce chérubin, il ressentit une émotion inconnue. Le simple fait de le regarder dormir l'emplit d'attendrissement. Voyant ses traits se tordre en une grimace, il fit un pas en arrière de peur de le réveiller. Mais la grimace se mua en un petit sourire comique, et l'enfant se détendit.

Une voix douce prononça alors à côté de Will :

— Je crois qu'elle est en train de rêver ; elle fait toujours des grimaces quand elle rêve. Elle est belle, n'est-ce pas ?

Il se retourna et se retrouva presque tout contre Jenny.

— Notre enfant serait encore plus beau, chuchota-t-elle.

La lueur de la lampe baignait son visage d'une douce lumière qui teintait ses cheveux clairs d'une nuance dorée. Ses yeux étaient brillants, ses lèvres légèrement entrouvertes. C'était la femme la plus adorable du monde.

Il pencha la tête lentement sans savoir véritablement ce qu'il faisait. Leurs lèvres se rapprochèrent, si près que... Il recula brusquement.

Le charme se rompit.

— Je dois partir, dit-il.

Il se retourna et se rua hors de la pièce.

Rejetée, déçue, mais curieusement heureuse, Jenny sourit malicieusement au bébé endormi.

— Il m'a presque embrassée, petite chérie.

Le lendemain, Meggan sortit sa fille pendant que Jenny supervisait les travaux de couture d'Agnes.

La jeune bonne n'était pas aussi experte que son mentor mais prenait néanmoins beaucoup de plaisir à la couture. Meggan, qui n'avait plus touché une aiguille depuis le jour de son mariage avec David Westoby, n'était que trop heureuse de leur laisser cette tâche.

Une brise venue du sud rafraîchissait l'air, apportant un changement bienvenu après la température étouffante des journées précédentes qui avaient vu les assauts d'un vent du nord. Meggan flâna le long de Collins Street, puis s'arrêta en face du *Grand Hôtel* et sourit. Un panneau indiquait : CHANGEMENT DE PROPRIÉTAIRE.

M. Richards avait rondement mené les choses lorsqu'elle lui avait exprimé son désir d'acheter l'établissement. La vente avait été conclue en quelques jours. Le couple qu'elle avait engagé pour le diriger avait possédé à Sydney un hôtel modeste dont il tirait de bons revenus, avant qu'un incendie ne détruise tout. Anéantis par la mort d'un client, et pour ajouter encore à la tragédie, poursuivis par l'hostilité des enquêteurs, ils avaient quitté Sydney pour Melbourne afin de prendre un nouveau départ.

Personne, hormis les intervenants directement impliqués, ne savait qu'elle était la nouvelle propriétaire du *Grand Hôtel*.

Meggan se promena sur la berge du fleuve pendant une bonne demi-heure en faisant la conversation à sa fille qui venait de se réveiller et observait les mouettes d'un œil intéressé. Puis elle prit le chemin du retour.

Elle se trouvait dans Collins Street lorsque, en se redressant après avoir ramassé le bonnet jeté par

Etty, elle leva les yeux et vit devant elle l'homme pour lequel elle avait traversé les océans.

— Connor !

— Meggan !

Ils restèrent plantés face à face, refrénant héroïquement leur désir de se précipiter dans les bras l'un de l'autre au milieu de la rue la plus animée de Melbourne.

Connor s'approcha du landau et regarda le bébé, lequel lui rendit son sourire. L'émotion lui coupa le souffle à la vue de la petite réplique féminine de lui-même qui lui faisait des grâces.

Meggan, luttant vaillamment contre les larmes, posa une question dont elle attribua la stupidité à l'intensité de son émotion :

— Notre fille te plaît-elle ?

Connor plongea ses yeux noirs dans les yeux noirs de Meggan.

— Je t'aime, répondit-il.

Une passante adressa un sourire bienveillant à ce couple apparemment captif d'un sortilège. Meggan, revenant sur terre, se sentit rougir.

— Ce n'est pas ainsi que j'imaginais nos retrouvailles, dit-elle.

— Moi non plus. Mais ne choquons pas les bonnes gens de Melbourne. Courons chez toi, je ne voudrais pas être arrêté pour comportement indécent.

Devant la rougeur qui envahit à nouveau les joues de Meggan, Connor sourit, puis demanda :

— Ma fille m'autorisera-t-elle à la porter ?

Meggan se pencha pour sortir le bébé de son landau.

— Voici ton papa, chérie.

Connor tendit les bras, et Etty se pencha en avant pour venir à leur rencontre.

— Je crois que je lui plais, constata-t-il.

Rien, au cours de ses trente années d'existence, ne l'avait préparé à la bouffée de joie extraordinaire qu'il ressentit lorsque la petite main toucha sa joue.

— Tu vas bientôt la trouver lourde, le prévint Meggan.

— Ma fille ne sera jamais trop lourde !

Meggan se demanda si elle pourrait jamais trouver les mots capables d'exprimer ses sentiments à la vue d'Etty dans les bras de son père.

Ils cheminèrent ensemble, Meggan poussant le landau vide, Connor portant sa fille qui se retrouva au centre de leur conversation.

— J'ai plus d'un an à rattraper, fit remarquer Connor. Je veux tout savoir.

Meggan lui fit un compte rendu détaillé des quinze premiers mois de la vie d'Etty, pendant qu'il marchait à ses côtés et la regardait de biais, un sourire aux lèvres.

Sur le seuil de la maison, Connor reposa l'enfant dans son landau.

Dès que la porte de leur logis se fut refermée sur eux, il prit Meggan dans ses bras. Sa bouche chercha la sienne avec avidité.

Meggan eut le sentiment d'être enfin arrivée chez elle. Chez elle, c'étaient les bras de cet homme qu'elle aimait, la chaleur de ce corps contre le sien. Elle enfouit ses mains dans son épaisse chevelure brune et retint sa tête, de crainte qu'il ne soit tenté de séparer ses lèvres des siennes.

Etty, qui ne comprenait pas grand-chose, fit entendre un son plaintif. Trente bonnes secondes s'écoulèrent avant que le cri de protestation de leur fille les atteigne.

C'est alors que Jenny entra dans le couloir.

Elle s'arrêta avec une exclamation de surprise joyeuse :

— Connor !

Ce dernier lâcha sa bien-aimée pour embrasser sa sœur adoptive.

— Jenny ! Que c'est bon de te revoir ! Tu es magnifique !

— Je ne peux pas en dire autant de toi, rétorqua la jeune fille. Qu'as-tu donc fait pour avoir cette mine de papier mâché ?

— C'est la conséquence de longues journées de travail. La vie d'un éleveur de moutons n'est pas des plus faciles.

Après une brève conversation avec Jenny, Connor suivit Meggan dans la chambre où elle était allée coucher le bébé. Lorsque la petite reposa paisiblement, il lui saisit la main.

— Nous allons nous marier dès demain, annonça-t-il. J'ai pris toutes les dispositions pour qu'un ministre du culte accomplisse le service.

Demain ! Demain elle serait la femme de Connor. Tout au long de ces longues semaines de voyage, elle avait rêvé de ce moment, mais, malgré tout, celui-ci conservait toujours un caractère irréel.

Connor, étonné de son silence, la dévisagea avec perplexité.

— Tu vas m'épouser, n'est-ce pas ?

Le sourire de Meggan le rassura.

— Tu en doutais ? Le destin nous a séparés pendant trop longtemps pour reculer encore !

Le lendemain matin, à dix heures, par une journée éclatante de soleil, Meggan et Connor échangèrent leurs alliances. Will Collins et Jenny Tremayne furent leurs témoins avec, pour seule invitée, Agnes qui s'était chargée d'Etty.

Lorsque Will eut pris congé, Connor conduisit son épouse jusqu'à un phaéton attelé d'un superbe rouan.

— Voici notre voiture, dit-il.

— Où allons-nous ?

— Tu vas voir. C'est une surprise.

— Très bien. Si tu ne veux pas me dire où nous allons, parle-moi de Langsdale. J'ai hâte de voir ta maison.

— Notre maison, ma sirène vagabonde.

Dans un éclat de rire, Meggan rétorqua :

— Je suis beaucoup plus sédentaire maintenant qu'à l'époque où tu m'as donné ce nom.

— Ce sera ton nom pour toujours.

Il se tut un instant, puis lui passa un bras autour des épaules.

— Aujourd'hui, c'est le jour de notre mariage. Je voudrais que tu me fasses un cadeau.

— Tout ce que tu veux, mon cher époux.

— Je voudrais que tu me chantes « Les Adieux des vrais amants ».

Meggan posa la tête sur l'épaule de son mari. Ils étaient seuls sur la route. De sa belle voix pure, elle se mit à chanter :

Ô mon aimée, je dois partir, adieu,
Et pour un temps te quitter
Mais où que j'aille, je reviendrai,
Même si c'est à dix mille lieues, ô mon aimée,
Même si c'est à dix mille lieues.

Dix mille lieues, c'est si loin,
Et seule tu vas me laisser,
Abandonnée, à gémir et à pleurer,
Or tu n'entendras pas ma plainte, ô mon aimé,
Or tu n'entendras pas ma plainte.

Que le corbeau si noir de couleur, ô mon aimée,
En blanc change sa couleur
Si d'aventure ma foi je trahis,
Et que le jour se change en nuit, ô mon aimée,
Et que le jour se change en nuit.

Oh, vois là-bas la colombe blanche
Haut perchée sur cette branche,
Qui son cher amour pleure,
Comme pour toi je pleure, ô mon aimé,
Comme pour toi je pleure.

Jamais rivière sans eau ne coulera,
Ni roche au soleil ne fondra,
Mais tout cela adviendra avant
Que je trahisse celle que j'aime, ô mon aimée,
Que je trahisse celle que j'aime.

Lorsque les derniers mots moururent sur ses lèvres, Connor la remercia d'un baiser.

Un silence trahissant l'émotion qui les étreignait s'installa quelque temps. Ce fut Connor qui le rompit en annonçant :

— J'ai quelque chose à te dire.

Alarmée par le sérieux de son ton, Meggan se redressa.

— Que se passe-t-il ?

— J'ai rencontré mon père. Il est ici, à Victoria.

— Oh, c'est merveilleux, n'est-ce pas ?

Inquiète, elle l'interrogea du regard.

Il la rassura d'un signe de tête affirmatif.

— Oui. J'ai aussi découvert que j'avais une sœur. Elle s'appelle Selena. Tu vas l'aimer, ma chérie.

Il lui fit le récit de sa rencontre avec Selena déguisée en garçon, puis de ses retrouvailles avec son père.

— Selena vit maintenant avec moi, précisa-t-il. Mon père est resté à Creswick Creek.

— Je crois que j'aime déjà ta sœur. Il est étrange que nous soyons tous réunis dans ce pays lointain. Peut-être est-ce réellement le pays des rêves et des promesses.

La route avait suivi le cours du fleuve Yarra jusque dans les collines. Ils atteignirent un village pittoresque où Connor arrêta le phaéton devant une imposante bâtisse de bois s'élevant sur deux étages. Une inscription en grandes lettres jaunes indiquait qu'il s'agissait de l'hôtel *Warringal*.

— Si nous avions été en Australie méridionale, je t'aurais emmenée à Hansdorf, là où nous avons passé un peu, trop peu, de temps ensemble. Ici, nous sommes à Heidelberg. Ce petit village niché dans les collines s'appelait autrefois Warringal, d'où le nom de l'hôtel.

— Warringal est un nom aborigène, n'est-ce pas ?

— Oui. Il signifie « nid d'aigle ».

— Comment connais-tu cet endroit ?

— Quand je t'ai quittée, à Adélaïde, j'ai pris le premier bateau pour n'importe où. Ce bateau allait à Melbourne. Un autre caprice du destin m'a amené jusqu'ici. Cet endroit m'a rappelé Hansdorf. Lorsque j'ai reçu ta lettre, j'ai su que c'était ici que je voulais passer ma nuit de noces avec toi.

La chambre offrait une vue superbe sur la vallée du Yarra baignée dans la lumière dorée du soleil qui jetait ses derniers feux, jouant sur les troncs des arbres et les feuilles bruissant sous la brise.

— Je crois que cette vue est encore plus belle qu'à Hansdorf, murmura-t-elle, la tête posée contre la poitrine de Connor.

Ce dernier lui chuchota à l'oreille :

— Et moi, je crois que, incroyable mais vrai, tu es encore plus belle que tu ne l'étais à l'époque.

Il la prit dans ses bras et le désir les embrasa.

Plus tard, lovée dans les bras de son mari, Meggan murmura :

— Connor...

— Oui ?

— Il me semble que ce soir, nous avons fait un petit frère ou une petite sœur à Etty.

Ils reprirent le chemin de Melbourne par un temps aussi affreux que le jour où le *Fair Australia* était entré au port. Pendant la nuit, le vent avait tourné, apportant une pluie froide venue du sud. Mais ils n'en avaient cure. Dans la voiture qui les ramenait, Meggan serrait le bras de Connor, la tête sur son épaule.

— Jamais je n'aurais cru qu'on pouvait être aussi heureux, souffla-t-elle.

Il déposa un baiser sur ses cheveux.

— Mon non plus, répondit-il.

Il dégagea son bras pour le lui passer autour des épaules et déclara :

— Je te promets que nous serons heureux pendant le reste de notre vie.

2

Son chariot n'était pas le moyen de transport le plus confortable. Connor invita Jenny et Agnes à emprunter plutôt une diligence Cobb pour se rendre à Ballarat. Ce service efficace les y déposerait dans la soirée. Elles pourraient descendre au *Bath*, le meilleur établissement de la ville. Connor, sa femme et sa fille les rejoindraient le lendemain avec le chariot.

Mais ses paroles restèrent sans effet. Jenny était déterminée à prouver à tous qu'elle était capable d'affronter les conditions les plus rudes qui soient. Elle tint à voyager en chariot. Connor disposa donc les sacs et les caisses de manière à procurer à ces dames le plus de confort possible, non sans avoir prévenu sa sœur adoptive qu'il n'accepterait aucune plainte de sa part.

— Je ne me plaindrai pas, affirma-t-elle. Nous allons camper pendant la nuit, et je suis sûre que cela me plaira.

Elle tint sa promesse. Le ciel clair, rempli d'étoiles, la douce nuit estivale, le crépitement agréable du feu de camp s'associèrent pour créer une atmosphère magique. Ils dormirent sous le chariot, couchés sur des matelas confortables, protégés par des toiles tendues pour assurer leur intimité. Connor eut beau lui faire remarquer qu'elle eût pris beaucoup moins de plaisir à camper par une nuit d'hiver, elle resta fermement convaincue qu'elle était de taille à enfoncer les défenses de Will.

Son seul regret, lorsqu'ils remontèrent la Grand-Rue et qu'elle aperçut les trois frères de Meggan qui les attendaient, fut de ne pas être à son avantage. Son visage était barbouillé, sa robe poussiéreuse, la transpiration avait dessiné des auréoles sur son corsage et il y avait fort à parier que ses yeux secs et douloureux soient striés de rouge. Ceux de Meggan l'étaient, et pourtant, celle-ci était accoutumée à la chaleur brûlante de l'été australien.

Will ne vit rien de tout cela. Il vit simplement la femme qu'il aimait. Depuis qu'il l'avait quittée à Melbourne, le jour du mariage de Meggan et de Connor, il savait qu'il voulait l'épouser. Peut-être l'année suivante. Il serait alors assez riche pour lui offrir la vie qu'elle méritait. Une vie de confort, dans une jolie maison, avec des domestiques pour combler ses besoins.

Connor arrêta le chariot. Meggan se pencha afin de permettre à Will de la déposer sur le sol. Elle serra brièvement son frère préféré contre elle avant que Hal puis Tommy la prennent dans leurs bras à leur tour.

— Oh, c'est si bon de vous revoir ! J'ai peine à croire que nous sommes à nouveau réunis.

— Nous aussi, répondit Hal. Tu as changé, Meggan. Tu ne ressembles pas à la sœur que j'avais dans la tête.

— J'ai pris de l'âge, et je suis plus sage maintenant, répliqua-t-elle dans un rire. Tu vas vite t'apercevoir que je n'ai pas vraiment changé, n'est-ce pas, Will ? Oh, nous avons tant de choses à nous raconter ! Je veux voir où vous vivez et tout savoir sur vous.

Connor s'avança à son tour.

— Connor, lui dit-elle, te souviens-tu de mes deux plus jeunes frères, Hal et Tommy ?

— Je crains que non. À Pengelly, vous étiez encore des écoliers. Je suis heureux de faire votre connaissance.

Il laissa retomber la main qu'il tendait en voyant les deux jeunes gens porter la leur à leur chapeau.

— Enchantés de faire votre connaissance, monsieur Trevannick, dirent-ils en chœur.

Connor fronça les sourcils. Meggan éclata de rire.

— Et moi qui pensais que nous étions dans un pays où tout le monde était sur un pied d'égalité ! Mon cher mari, je suppose que mes frères se croient encore en Cornouailles. Non, Hal et Tommy, pas d'excuses. Nous formons une même famille à présent, aussi apprendrez-vous à appeler mon mari par son prénom : Connor.

Cette fois, ce fut au tour de Will d'éclater de rire devant l'expression de ses frères :

— Vous trouvez toujours qu'elle a changé ?

Les deux jeunes gens sourirent. Hal bafouilla :

— Mille excuses, monsieur... monsieur Trevannick... euh... Connor... Bon Dieu, ça va pas être facile !

— Ne vous inquiétez pas, le rassura Connor. Vous allez bientôt perdre le sens de la hiérarchie. Je vous assure que je travaille aussi dur qu'un mineur.

Le groupe se sépara. Connor accompagna Jenny et Agnes à leur hôtel, tandis que Meggan suivait ses frères jusqu'à leur cabane. La petite Etty, reconnaissant Will, lui avait tendu les bras et ce dernier ne fut que trop heureux de la prendre contre lui.

Lorsque Connor vint les rejoindre quelques heures plus tard, les frères et leur sœur furent surpris de constater que l'après-midi était déjà bien avancé.

— Il nous semble que nous venons juste de commencer à parler, déplora Meggan. Nous avons encore tant de choses à nous dire !

— Souhaites-tu passer une journée de plus à Ballarat ? suggéra Connor. Agnes a dit qu'elle aimerait voir son frère, si c'était possible.

Son épouse et Will échangèrent un rapide regard qui ne lui échappa pas.

— Qu'y a-t-il ? s'étonna-t-il.

— Rien, rien, se hâta d'affirmer Meggan. Seulement, je suis pressée de voir ma nouvelle maison. Je pourrai rendre visite à mes frères de temps en temps, et ils pourront venir me voir. J'aimerais partir demain matin.

Selena était en train de découper et de graisser du papier pour tapisser l'intérieur des moules dans lesquels Mme Clancy ferait cuire ses gâteaux de Noël lorsqu'elle entendit le roulement du chariot.

— Les voilà ! hurla-t-elle.

Elle disparut de la cuisine avant de permettre à la gouvernante de lever les yeux de sa terrine remplie de pâte mouillée de rhum.

La brave femme soupira. La sœur du maître ne se comportait pas comme il seyait à une jeune dame. Par la fenêtre, elle la vit courir vers le chariot, jupes relevées très haut de la manière la plus indécente, révélant des jambes nues non moins indécentes. Cette fille avait bien besoin d'être prise en main par un homme.

Bon, se dit Mme Clancy, je ferais mieux de me dépêcher d'enfourner mes gâteaux avant l'arrivée de la nouvelle maîtresse.

À Meggan qui lui posait la question, Connor répondit en souriant :

— Cette jeune impétueuse est ma sœur. Certains pourraient la trouver un peu garçon manqué. Bonjour, Selena. Tu ne sais donc pas marcher comme tout le monde ?

— J'étais tellement impatiente ! expliqua-t-elle en tendant la main pour qu'il l'aide à grimper auprès d'eux.

Connor l'attrapa et Selena grimpa avec une agilité très peu convenable pour une dame jusqu'aux sacs où elle se laissa choir à côté d'Agnes.

— Je suis Selena, annonça-t-elle à la ronde.

— Je leur ai déjà dit qui tu étais, répondit Connor d'une voix aussi sèche que la poussière qui tourbillonnait sous les roues du chariot. Voici ma femme, ta nouvelle belle-sœur, Meggan...

— Vous êtes encore plus belle que je ne m'y attendais. La description de Connor ne vous rend pas justice. Je suis très contente de faire votre connaissance.

— Moi de même, répondit Meggan, décontenancée.

Connor pivota sur son siège.

— Voici Jenny, ma sœur adoptive.

— Jenny Tremayne... commença Selena.

264

Mais elle fut incapable d'ajouter un mot, saisie par une horrible vision où les coups de feu, le sang et la mort venaient assombrir la lumière de cette éclatante matinée estivale.

Elle eut un vertige, la bile lui monta à la gorge. Comme de très loin, elle entendit Connor prononcer son nom, sentit un bras autour de ses épaules, puis de l'eau humecter ses lèvres.

Enfin, elle reprit conscience du présent, du chariot et des gens qui l'entouraient avec inquiétude.

— Tout va bien, les rassura-t-elle. Ce n'est qu'un malaise.

— Cela t'apprendra à courir comme une folle sans chapeau par une chaleur pareille ! l'admonesta Connor.

— Oui, marmonna-t-elle.

Mieux valait les laisser croire que c'était une question de chapeau. Elle ne pouvait révéler à personne ce qu'elle savait.

Le dîner, ce soir-là, fut une grande fête. Connor avait envoyé Ned chercher son père à Creswick. Le capitaine Trevannick était assis fièrement à la droite de son fils, Jenny lui faisant vis-à-vis. Meggan faisait face à Connor. Il y avait suffisamment de chaises autour de la longue table pour accueillir trois fois plus de personnes.

— Je me suis rendu compte, dit Connor pendant qu'ils attendaient qu'Agnes serve le dessert, que Noël est dans trois semaines. Nous allons avoir un grand Noël familial cette année. Il y a quantité de choses à fêter : l'épidémie ne m'a pas complètement ruiné ; j'ai retrouvé mon père et j'ai découvert l'existence d'une sœur ; et le plus beau de tout est que j'ai épousé la mère de ma fille.

Il leva son verre à Meggan.

— Bien, bien ! fit le capitaine en l'imitant. Merci, très chère, de m'avoir donné cette magnifique petite-fille.

— Que penserais-tu d'inviter tes frères à passer Noël avec nous ? demanda Connor à son épouse.

— C'est une bonne idée, mais je ne peux promettre qu'ils accepteront.

Jenny se joignit à leur conversation :

— Il faut que tu les convaincs, Meggan. Je trouve cette idée de faire une grande fête de famille tout à fait merveilleuse.

Seule Meggan savait que Will était celui des frères que Jenny souhaitait voir.

Ned leur porta l'invitation écrite lors d'un voyage à Ballarat et revint avec l'accord des trois jeunes gens. Hal et Tommy avaient répondu avec enthousiasme, tandis que Will avait été forcé de reconnaître que cette idée lui souriait.

Mme Clancy, une fois au courant, grommela un peu à cause du surcroît de travail, avant de se lancer avec passion dans les préparatifs d'un menu de Noël. Malgré son antipathie envers Tom Roberts, Meggan estima qu'il était de son devoir de demander à Agnes si elle souhaitait inviter son frère à partager le dîner des domestiques. Elle fut soulagée en entendant la jeune bonne décliner.

— Tom et moi, on a jamais été très proches, madame Trevannick. Ce serait bien de le revoir, mais je saurais pas quoi lui dire.

Jenny proposa de faire un arbre de Noël :

— Je sais que nous ne pourrons pas avoir de vrai sapin, Connor, mais Ned m'a dit qu'il pourrait trouver un arbre ressemblant. Etty serait ravie d'avoir un arbre de Noël ! ajouta-t-elle pour appuyer sa demande.

— Que pourriez-vous utiliser comme décorations ?

— Nous les fabriquerons nous-mêmes, décréta Meggan. Il se peut même que l'on trouve des boîtes de guirlandes à Ballarat.

Selena s'exclama :

— Oh, je m'en souviens, j'ai vu des guirlandes dans la boutique de Henry à Creswick ! Nous pouvons y aller tous ensemble, ainsi je pourrai montrer notre tente à Meggan et à Jenny.

Elle se tourna vers cette dernière :

— Je dis « notre » tente, car j'ai vécu là-bas avec mon père, jusqu'à ce que Connor insiste pour que je vienne vivre à Langsdale.

— Je croyais que tu te plaisais ici, petite sœur, protesta Connor.

— Oui, c'est bien, mais c'est tellement ennuyeux ! Je préférerais recommencer à manier le pan au bord du ruisseau.

— Vraiment ? s'étonna Jenny. Vous cherchiez de l'or ?

— Bien sûr ! Comme des tas de femmes. N'avez-vous jamais entendu parler de Mme Kennedy et de Mme Farrell ?

— Non. Qui étaient ces dames ?

— Ce sont elles qui ont découvert les gisements d'or de Bathurst. Imaginez que vous découvriez un nouveau gisement ! Peut-être que je devrais faire des fouilles sur ta terre, Connor. Et si je trouvais de l'or ? Tu te rends compte ! Ce serait tellement excitant !

— J'espère bien que non, rétorqua Connor.

— Non quoi ? Faire des fouilles ou trouver de l'or ?

— Ni l'un ni l'autre.

— Pourquoi ?

— Si on trouvait de l'or sur mes terres, j'essaierais de garder cette découverte secrète le plus longtemps possible. Mais toi, ma chère sœur, tu la claironnerais dans le monde entier. Je n'ai aucune envie de voir ma terre mise à mal par les chercheurs d'or.

— Oh, tu me crois incapable de garder un secret ?

— Parce que tu en es capable ?

Malgré la malice contenue dans les yeux de son frère, Selena garda son calme.

— Oui, affirma-t-elle.

Sur ce, elle se hâta d'aiguiller la conversation sur les décorations de Noël pour éviter d'être interrogée sur un éventuel secret.

Deux jours plus tard, Meggan emmena son petit monde à Creswick en charrette. À la vue de la colonie, elle fut aussi enchantée que Selena l'avait été.

— Que c'est joli ! Tout est tellement plus vert qu'à Ballarat !

L'arrivée de trois jolies jeunes femmes bien habillées éveilla un grand intérêt parmi la population à prédominance masculine. Un certain nombre d'orpailleurs abandonnèrent leur tâche pour venir les saluer en soulevant leur chapeau, accompagnant parfois leur geste d'une parole de bienvenue, ou, tout simplement, pour dévorer des yeux ces beautés rares en ce lieu.

Selena vécut un instant d'embarras dans la boutique de M. Henry. En la voyant entrer, les traits du commerçant prirent une expression perplexe. Dès que le client qu'il était en train de servir fut sorti, il s'avança vers ces dames.

— Vous êtes nouvelles en ville, dit-il tout en scrutant le visage de Selena avec beaucoup d'attention. Mais je crois que je vous ai déjà vue, mademoiselle.

— C'est la première fois que je viens, répondit-elle avec un froncement de sourcils d'avertissement à Jenny et Meggan, trop surprises pour la contredire.

Avec un charmant sourire à M. Henry, elle prétendit :

— Vous avez sûrement vu mon frère, Selwyn. Il travaillait avec mon père jusqu'à une date récente.

— Hum, fit le commerçant, visiblement guère convaincu. Je me souviens de lui. Il est où, maintenant ?

— Oh, il est retourné à Melbourne. Il s'est lassé de chercher de l'or.

— Je suppose que vous vivez avec votre mère ?

— Je vis avec mon autre frère à Langsdale. Voici ma belle-sœur, Mme Trevannick, et voici une sorte de cousine, Mlle Tremayne.

— Je vois… dit M. Henry, en proie à une grande confusion. En quoi puis-je vous être utile ?

Ce fut Meggan qui répondit :

— Nous sommes venues dans l'espoir que vous ayez des guirlandes ou des décorations pour arbres de Noël.

— Voyons… Si j'en ai, c'est dans ce coin, là-bas.

Le bon M. Henry farfouilla parmi quantité de boîtes contenant les marchandises les plus disparates avant de mettre la main sur des guirlandes.

— Voici, mesdames. Juste ce qu'il vous faut.

— Je vous ai bien dit... commença Selena, avant de se souvenir qu'elle était censée n'être jamais venue en ville auparavant, et encore moins dans cette boutique... Je vous ai bien dit que nous devrions voir ce que nous avons d'autre à acheter tant que nous y sommes.

Elle sortit un mouchoir et le maintint devant sa bouche pour cacher un sourire qui menaçait de se transformer en éclat de rire.

Une fois dehors, une demi-heure plus tard, la jeune fille se laissa aller à sa gaieté.

— Oh, ce pauvre M. Henry ! Vite, allons tout droit voir père pour le prévenir qu'il a deux fils et une fille, dit-elle en riant de plus belle.

— Selena, la rabroua Jenny, tu es en train d'attirer l'attention sur toi !

La jeune fille se reprit à grand-peine.

— Maintenant, tu sais pourquoi mon père et mon frère disent que je suis incorrigible, dit-elle.

Meggan, qui observait la scène avec amusement, poussa une exclamation soudaine.

— Ce n'est pas possible !

— Quoi donc ? interrogea Jenny.

Les deux jeunes filles suivirent le regard de Meggan.

Aussitôt, le cœur battant, Selena se retourna en faisant mine de s'intéresser à la vitrine voisine.

— Cet homme... expliqua Meggan, je suis sûre que c'est Joshua Winton.

— Qui est-ce ?

Un meurtrier, répondit mentalement Selena à Jenny.

— La famille Winton est arrivée en Australie sur le même bateau que notre famille, poursuivit Meggan. Nous nous sommes liés d'amitié pendant la traversée. Peu après notre arrivée à Adélaïde, nous nous sommes séparés. Ma famille s'est installée à Burra, et les Winton ont acheté une terre sur les rives du Murray.

— Et tu ne l'as pas revu depuis.

— Ni Joshua ni Adam qui était l'ami de Will. J'ai revu brièvement M. et Mme Winton, et Anne, à Adelaïde. Au cours de la soirée où j'ai vu Rodney.

— Je suis très heureuse que Rodney soit retourné en Cornouailles, dit Jenny. Non seulement pour le bien de mon père, mais également pour le mien. Je n'aurais pas pu venir en Australie si mon père avait dû rester seul.

— Maintenant que tu es là, penses-tu avoir fait quelques progrès avec Will ?

— Ton frère est entêté, Meggan.

Selena pivota sur ses talons.

— Will t'aime, Jenny ! déclara-t-elle d'un ton péremptoire avant de passer en tête de leur groupe et de se diriger à grands pas vers le ruisseau.

Elle ne risquait plus rien, maintenant que Joshua Winton n'était plus en vue.

Jenny jeta un coup d'œil interloqué à sa belle-sœur.

— Selena a réagi bien vivement ! Est-ce que je me trompe en pensant qu'elle est amoureuse de Will ?

271

Meggan haussa légèrement les épaules et fit la moue.

— Je ne connais pas les sentiments de Selena. Ce que je sais, en revanche, c'est que Will t'aime.

— Et moi aussi, je l'aime. Et je vais l'épouser, quoi qu'il arrive.

Les trois frères arrivèrent à Langsdale pour le réveillon. L'arbre de Jenny resplendissait dans un angle du salon. Tôt le matin, Ned avait apporté un petit arbre fraîchement coupé qui avait tout à fait l'allure d'un sapin. Jenny, Meggan et Selena, avec le concours maladroit d'Etty, passèrent une agréable matinée à le garnir avec les guirlandes achetées à Creswick et des décorations faites maison.

Toutes les chambres de la maison étaient occupées, aussi les frères prirent-ils leurs quartiers dans la cabane des tondeurs. C'était une simple construction en écorce, au sol de terre battue, avec des rangées de lits d'un côté et un étroit couloir. Tous trois étaient encore intimidés à l'idée d'être devenus les parents par alliance d'un membre de la riche famille Tremayne.

Pour la fête, ils revêtirent un pantalon de moleskine chamois, une large chemise bleue, un foulard rouge qu'ils nouèrent autour de leur cou, le tout ayant été acheté pour la circonstance. Ce qui ne les empêcha pas de se sentir gauches et empruntés lorsqu'ils franchirent le seuil de la salle à manger pour le repas.

Will prit place à côté de Jenny, en face de Selena. Dans l'après-midi, cette dernière n'avait pas accueilli son arrivée avec son exubérance habituelle, ce qui l'avait intrigué. Il fut soulagé en voyant le sourire joyeux dont elle le gratifia en réponse à son salut, et en même temps rassuré : en s'entretenant avec ses vis-à-vis, Selena et le capitaine assis à la gauche de sa fille, il éviterait d'être accaparé par Jenny.

Pendant le premier service, la conversation manqua de naturel, les frères Collins s'étant réfugiés dans l'absorption de leur consommé d'agneau. Ensuite, en attendant que l'on serve le plat principal, Meggan égaya les convives avec des anecdotes sur l'excentrique Mme Marietta qui avait été son professeur de chant à Adelaïde.

Selena applaudit lorsque sa belle-sœur mima une dispute entre la dame en question et le pianiste.

— Oh, Meggan, tu aurais dû être actrice, pas chanteuse ! s'exclama-t-elle. Tu es si drôle !

— C'était bien mon intention, répondit Meggan.

Puis, se tournant en souriant vers ses frères :

— Et vous, vous avez sûrement des histoires amusantes à raconter, les encouragea-t-elle.

— Je sais, s'écria Selena, nous allons faire un concours à celui qui racontera l'histoire la plus amusante ! Toi, Connor, tu pourrais être le juge.

— Je veux bien, mais seulement après avoir terminé l'excellent rôti que Mme Clancy va bientôt nous servir.

Voyant sa jeune sœur faire la moue, il éclata de rire.

— Will, dis-nous ce qui se passe en ce moment à Ballarat, proposa-t-il.

— Est-ce que vous savez que LaTrobe a mis en place un nouveau tarif pour les licences ?

— Non, répondit Connor en se tournant vers son père. Vous ne m'en avez rien dit.

Avec un haussement d'épaules, le capitaine rétorqua :

— Il y a des mois que je n'ai pas payé pour la licence. Personne ne s'en préoccupe beaucoup à Creswick.

— Y a donc pas de descentes contre les chercheurs d'or à Creswick ? s'étonna Tommy.

— Non, pas comme à Ballarat. Les policiers viennent de temps en temps pour une vérification. Mais comme les mineurs sont tous prévenus de leur arrivée, ils sont faciles à éviter.

— Quel est le nouveau tarif ? s'enquit Meggan.

Will répondit :

— C'est un tarif progressif qui a remplacé les trente shillings mensuels que tout le monde paie sur les champs aurifères, qu'on soit chercheur d'or ou non. Maintenant, le tarif, c'est une livre pour un mois, deux livres pour trois mois, quatre livres pour six mois. On peut aussi acheter une licence de douze mois pour huit livres.

Meggan fit un rapide calcul mental.

— Ce qui équivaut à dix livres de moins par an. Vous devez être contents.

— Les chercheurs d'or ne se plaignent pas, intervint Hal. C'est les commerçants qui protestent. Maintenant, ils doivent payer cinquante livres annuelles pour avoir le droit de tenir un commerce. Y en a beaucoup qui vont être obligés de quitter les mines d'or.

— C'est un sujet bien triste pour un soir de Noël ! protesta Selena.

— Je suis bien de ton avis, renchérit Jenny. Tous les sujets qui concernent le travail et la politique devraient être bannis pour les deux jours à venir. Tu n'es pas d'accord, Connor ?

— Si. Oublions les problèmes de l'année écoulée.

L'atmosphère guindée se dissipa et la conversation devint plus animée. Après le dessert, Will lui-même était assez détendu pour rire ouvertement à une remarque de Jenny. Quand on fut passé au salon, cette dernière apprit à Selena, au capitaine et aux frères Collins à jouer aux devinettes mimées, ce qui déclencha force éclats de rire.

Ensuite, Selena en revint à son concours d'histoires drôles. Le capitaine fut déclaré vainqueur à l'unanimité avec le récit d'une mésaventure au cours de laquelle, par une hilarante succession de méprises, il avait été à deux doigts d'atterrir dans une geôle à Bombay.

— Quelle merveilleuse fête de Noël ! déclara Meggan. Je vais demander à Mme Clancy, à Ned et à Agnes de venir se joindre à nous pour chanter des cantiques.

— J'y vais ! se proposa Selena en se levant d'un bond.

— Je t'accompagne, dit Jenny.

À mi-chemin, Jenny effleura le bras de Selena.

— En fait, dit-elle, je dois me rendre aux commodités.

— Oh, très bien. Viens, suis-moi.

— Merci. J'essaie de trouver le courage de sortir seule la nuit. Il y a tant de bruits qui me sont inconnus ! Je saute en l'air dès que je vois bouger une ombre.

— Tu vas t'habituer à ces sorties nocturnes. Il le faudra, si tu épouses Will.

Jenny s'arrêta dans son élan. Confuse, et heureuse que sa rougeur soudaine ne soit pas trop visible dans les ténèbres, elle demanda :

— Que veux-tu dire ?

— Je sais que tu es amoureuse de Will. Tu veux qu'il t'épouse.

— Oh, je croyais que Meggan était la seule à connaître mes sentiments.

— Peut-être suis-je plus perspicace que la grande majorité des gens.

— En tout cas, tu l'es plus que Will ! s'exclama Jenny. Même quand je lui répète que je l'aime, il refuse de croire que je suis prête à mener la même existence que lui. Jamais il ne me demandera de l'épouser.

— Dans ce cas, c'est à toi de lui demander.

— Ce serait aller trop loin pour moi.

— Jenny, maintenant je connais très bien Will. Si tu veux qu'il t'épouse, c'est à toi d'en faire la demande.

— Peut-être as-tu raison.

Pendant qu'elle attendait Jenny, Selena observa les étoiles, le cœur lourd. Elle aussi aimait Will, d'un amour aussi profond que celui de Jenny. Mais elle ne pouvait se mettre en travers de leur route. Elle n'avait pas eu besoin d'observer le visage de Will pour savoir ce qu'il ressentait pour Jenny.

Le matin de Noël, un tas de cadeaux s'amoncelait au pied de l'arbre. On se rassembla pour la distribution après le petit déjeuner.

Mme Clancy, Ned et Agnes furent invités les premiers à entrer pour recevoir les cadeaux du maître et de la maîtresse. Il y eut une nouvelle pipe pour Ned et un châle écossais pour Mme Clancy, présents qu'ils reçurent tous deux avec plaisir.

Pour Agnes, qui n'avait jamais rien possédé d'élégant, ce furent six mouchoirs brodés de dentelle. La jeune bonne fondit en larmes.

— Oh, grand merci, madame Trevannick ! Je les garderai toujours. Ils sont bien trop beaux pour que je me mouche dedans.

La réaction de la jeune fille toucha Meggan.

— Non, Agnes, sers-t'en ! protesta-t-elle. Tu as une bonne vie, à présent.

— Oui, c'est vrai. Je pourrai jamais vous remercier assez de m'avoir donné cette chance.

— Et j'ai bien fait. Tu es une bonne fille.

— Je confirme, ajouta Connor. J'espère que tu resteras très longtemps avec nous.

Cette déclaration bouleversa Agnes encore un peu plus.

— Oh, oui, oh, oui ! Jamais je voudrai quitter Langsdale.

Lorsque les Clancy furent sortis, suivis d'une Agnes toujours aussi émue, on procéda à la distribution des cadeaux pour les membres de la famille.

— Nous allons commencer par Etty, décida son père.

Il assit sa fille par terre en face d'un grand paquet enveloppé d'un papier aux couleurs vives. Etty regarda tour à tour les visages qui l'observaient.

— Ouvre-le, ma chérie, l'encouragea sa mère.

Selena alla s'asseoir à côté du bébé.

— Regarde, comme ça, expliqua-t-elle en tirant sur l'un des coins du papier.

Etty n'eut pas besoin d'autre démonstration. Aidée de sa tante, elle déchira le papier et exposa aux regards une poupée aux cheveux blonds, vêtue de rose pâle et de vert. Avec un cri de ravissement, la petite serra la poupée contre elle, tête en bas et jambes en l'air.

— Non, chérie, dit Selena en remettant la poupée à l'endroit. Voilà comment il faut la tenir.

Etty gazouilla joyeusement. Tout le monde éclata de rire.

— Selena, à ton tour maintenant, puisque tu es la plus jeune après Etty, dit Connor.

— Effectivement. Est-ce que c'est une manière de me dire que je suis toujours une enfant ? répliqua Selena avec une moue faussement offensée.

— Selena, ma chère sœur, tu es beaucoup trop exubérante pour qu'on te considère comme une jeune dame. Tiens, poursuivit Connor en lui tendant un paquet oblong, j'espère que ça te plaira.

La jeune fille enleva soigneusement le papier, qui révéla une boîte recouverte de velours lie-de-vin. Avec un regard interrogateur à son frère, elle défit la petite attache qui maintenait le couvercle. Et poussa une exclamation de surprise ravie.

Sur un écrin du même velours reposait un petit pistolet en argent muni d'une poignée en nacre.

Meggan fut la seule dans la pièce à ne pas être étonnée, car elle avait déjà vu le cadeau. Les frères Collins ouvrirent des yeux ronds et incrédules, tandis que le capitaine souriait et que Jenny exprimait sa curiosité :

278

— Connor, pourquoi offres-tu une arme à Selena ?

Ce fut le capitaine qui répondit avec un petit rire :

— C'est qu'il connaît bien sa sœur. Je ne doute pas que le jour viendra où cette incorrigible gamine aura besoin de se défendre.

Selena était aux anges, muette.

Connor sourit.

— Je crois que ma petite sœur sera toujours attirée par l'aventure, quoi qu'il arrive. Comme je l'aime, je veux m'assurer qu'elle a les moyens de se protéger.

— J'espère que, pour moi, tu n'as pas choisi une arme, remarqua Jenny.

— Non, pour toi, j'ai quelque chose de plus féminin.

Jenny déballa une petite boîte dorée. L'intérieur du couvercle renfermait un médaillon, lequel, lorsqu'elle le souleva, libéra un petit oiseau en émail qui déploya ses ailes et se mit à chanter. Etty se désintéressa immédiatement de sa poupée : prenant appui sur ses quatre membres, elle se mit debout avec des cris de joie et trottina jusqu'à Jenny, les mains tendues.

Lorsque la distribution des cadeaux reprit, Will insista pour offrir son cadeau à Meggan car, dit-il, il ne pouvait attendre plus longtemps.

— C'est un bijou, devina-t-elle en voyant la boîte mais, lorsqu'elle l'ouvrit, des larmes d'émotion lui vinrent aux yeux.

Un superbe collier en malachite montée sur or, présenté avec les boucles d'oreilles assorties, reposait sur un écrin de satin.

— Oh, Will, c'est magnifique ! s'extasia-t-elle.

— Je t'avais promis un collier en malachite quand nous étions à Burra.

— C'est vrai. J'avais oublié.

— Pas moi. J'ai extrait la malachite à Burra et l'or à Ballarat. C'est ton cadeau de notre part à tous les trois.

Meggan embrassa tour à tour ses frères.

La distribution se poursuivit. Le dernier présent était celui que Connor réservait à sa femme. Il le ramassa sous l'arbre et le lui remit avec un baiser sur la joue.

— C'est un cadeau tout à fait spécial, annonça-t-il.

Le paquet était beaucoup trop grand et trop lourd pour contenir un bijou, et sa forme n'évoquait ni une boîte à musique ni un pistolet. Meggan découvrit une figurine de porcelaine représentant un personnage chinois doté d'un crâne chauve et d'une longue barbe. Portant une tunique de couleurs vives, il tenait un rouleau de parchemin à la main droite et une pêche dans sa main gauche. Il mesurait bien trente centimètres de hauteur.

— Il est très joli, Connor, mais qu'a-t-il de si particulier ?

— C'est Shou Lao, le dieu de la Longévité. Je l'ai trouvé dans une boutique chinoise, à Ballarat, le jour où nous sommes arrivés de Melbourne. J'espère, ma chère femme, qu'il nous accordera une longue et heureuse vie.

— Shou Lao. Je prendrai grand soin de lui.

Cette fête de Noël devait rester dans les mémoires comme un jour béni pour toute la famille. Après le repas, à l'heure la plus chaude de l'après-midi, seuls

Will, le capitaine et Selena se retrouvèrent dans la véranda, à bavarder. Les autres avaient décidé de se reposer, voire de faire une sieste.

— Envisagez-vous de rester à Creswick ? demanda Will au capitaine.

— À la vérité, ma fille me manque, répondit le capitaine en serrant la main de Selena. Je me demande si nous n'avons pas réagi trop vivement en insistant pour qu'elle reste ici.

— Je suis contente de vous l'entendre dire, approuva sa fille. Ce n'est pas moi qui ai voulu cette situation.

— C'est que nous avons estimé que tu serais plus en sécurité ici que dans les mines d'or.

Selena fit la grimace.

— Puis-je retourner à Creswick avec vous ? insista-t-elle.

— En fait, je ne suis pas sûr de vouloir rester là-bas, expliqua son père. J'ai trouvé de l'or, mais ce n'est pas le pactole non plus. Parfois, je songe à retourner en mer.

— Non, vous ne pouvez pas faire cela ! protesta Selena. Vous avez dit que vous vouliez trouver assez d'or pour remplacer l'*Island Princess*.

— Dans la vie, il faut savoir mettre ses rêves de côté et regarder la réalité en face. La mer me manque. Je pourrais très facilement reprendre le commandement d'un navire.

— Si tel était le cas, devrais-je venir avec vous ? demanda Selena, prête à discuter s'il répondait par l'affirmative.

Car elle désirait rester en Australie.

— Autrefois, j'aurais insisté pour que tu m'accompagnes, mais maintenant que tu as une famille qui n'est plus composée seulement d'un père, tu peux rester ici si tu le désires.

— Vous me manqueriez terriblement si vous partiez, mais je suis trop grande maintenant pour vivre sur un bateau. Je crois que je vais rester pour toujours en Australie.

— Capitaine, intervint Will, j'ai une proposition à vous faire. Si vous acceptiez de reporter votre départ en mer pour quelque temps, mes frères et moi serions heureux de vous prendre comme associé.

— Comme associé ? Sérieusement, Will ?

— Je ne vous poserais pas la question si ce n'était pas le cas.

Selena battit des mains, enchantée.

— C'est merveilleux ! Dites oui, père. Je viendrai à Ballarat avec vous.

Devant les yeux brillants de sa fille, le capitaine se pencha alors vers Will :

— Dites-moi exactement comment se passerait ce partenariat.

Le lendemain, les frères Collins se préparèrent à rentrer. Le capitaine retournerait à Creswick pour s'occuper de la vente de sa concession avant de partir pour Ballarat. Selena les rejoindrait une quinzaine de jours après le nouvel an, quand leur nouveau logis serait prêt.

Tous se félicitaient de cet arrangement. Tous, sauf Jenny, qui attendait toujours que Will donne quelques petits signes de son amour pour elle.

Pour finir, elle se jeta à l'eau. Guettant le moment propice, elle réussit à le surprendre alors qu'il était seul à l'écurie.

— Que faites-vous ici ? s'enquit-il, très détendu après ces deux journées passées en sa présence.

Éludant sa question, elle se contenta de constater :

— Nous avons passé un bon Noël.

— Oui, approuva Will, soudain sur ses gardes, convaincu que la jeune femme mijotait quelque chose.

— Vous étiez content de ma compagnie, reprit Jenny. Vous vous êtes laissé aller, au lieu de vous défendre d'être mon ami.

Il ne répondit pas, ne sachant où elle voulait en venir.

— Si nous pouvons être amis, il n'y a aucune raison pour que nous ne nous aimions pas, poursuivit Jenny. Aucune raison pour que vous ne m'épousiez pas.

— Je...

— Vous ne me le demanderez jamais, aussi est-ce moi qui vous le demande.

Avant de lui donner le temps de réagir, la jeune femme se serra contre lui, ses bras autour de son cou et sa bouche fermement pressée contre la sienne. L'espace de quelques secondes, il en resta paralysé. Puis ses barrières tombèrent. Il l'embrassa avec toute la passion qu'il avait retenue pendant si longtemps et la serra éperdument contre lui. Lorsqu'ils se séparèrent, il chancela, pris de vertige.

Jenny souriait d'un air mutin.

— Épousez-moi, Will, murmura-t-elle. Nous nous aimons.

— Vous m'avez pris par surprise, mademoiselle Tremayne, répondit-il sur le même mode, ce n'est pas juste.

Mais il souriait lui aussi.

— Je sais. Et c'était bien mon intention. Alors, Will Collins, allez-vous m'épouser ?

— Oui, je vais vous épouser. Dans un an. Quand je serai assez riche pour vous offrir une vraie maison.

Il lui prit la main, passa un doigt sur la peau douce de sa paume.

— Jenny, Jenny, dit-il, je ne vous demanderai pas de partager mon humble vie. Dans un an ou deux, quand je serai assez riche pour vous acheter une vraie maison, je vous épouserai.

Et aucun des arguments de Jenny ne put le faire changer d'avis.

3

Un petit vol de ces perroquets couleur arc-en-ciel qu'elle aimait tant passa en protestant bruyamment juste au-dessus de sa tête. Agnes les suivit des yeux et les vit se poser non loin de là, dans un arbre d'où s'élevèrent aussitôt les cris de leur dispute – à moins que ce ne fût un échange de salutations – avec d'autres perroquets qui y avaient déjà élu domicile. Elle s'attarda à la contemplation de ces oiseaux, émerveillée par l'incroyable éclat de leur plumage, d'un vert brillant sur le dos et les ailes, bleu et écarlate sur le ventre. C'étaient les plus beaux oiseaux qu'elle eût jamais vus.

Tout, dans son nouveau pays, la ravissait : les arbres, les oiseaux, les animaux, les vastes étendues, et la richesse qui dormait sous terre. Peut-être juste sous ses pieds.

Du bout de son bâton, elle remua doucement le sol poussiéreux. C'était la quatrième fois qu'elle venait seule au ruisseau, dans l'espoir d'y faire une grande découverte. Mais jusqu'alors, nulle paillette d'or n'avait lui à ses pieds.

Elle remonta encore un peu la rive, puis posa son bâton et s'assit. Elle ôta ses souliers et ses bas, releva ses jupes jusqu'aux genoux et plongea ses pieds dans l'eau. À cet endroit, des buissons à fleurs rouges en forme de pinceaux ombrageaient le bord du ruisseau. Par contraste avec la chaleur de l'aprèsmidi, l'eau était fraîche.

Elle remua les orteils, s'amusant à créer de petits tourbillons.

Que c'était bon de rester simplement assise comme ça, à se mouiller les pieds ! Les perroquets s'étaient calmés et installés dans les hautes branches en attendant le soir. Sur le sol, on entendait le frôlement des lézards qui se déplaçaient dans les feuilles. Au début, lorsqu'elle se promenait dans le bush, elle s'inquiétait des bruits étranges qui régnaient alentour. Mais plus maintenant, puisqu'elle connaissait leur provenance.

Agnes songea à tous les heureux changements qui s'étaient opérés dans sa vie en si peu de temps. La Cornouailles appartenait à un autre monde. Elle avait laissé là-bas, loin derrière elle, la pauvreté et le manque de perspectives. Maintenant, elle portait de bons vêtements et de solides chaussures, n'avait plus peur de ne pas manger à sa faim. Et, mieux encore, elle apprenait à lire et à écrire, et à s'exprimer correctement.

Alors qu'elle se livrait à ces réflexions tout en s'amusant à observer les motifs que le mouvement de ses pieds créait dans l'eau, elle crut déceler un éclat brillant dans le lit du ruisseau. Aussitôt, elle s'immobilisa. Son cœur se mit à battre à grands coups. Et si c'était de l'or... ? Le bruit courait qu'on pouvait trouver de l'or dans n'importe quel cours d'eau. C'était vrai : il y avait de l'or ici, là, juste à côté !

C'était bizarre… Contrairement à ce qu'on disait des mineurs qui faisaient la découverte de leur vie, elle n'était pas transportée de joie. Non, elle se sentait plutôt barbouillée. De l'or ! Son or à elle !

Elle jeta des coups d'œil à la ronde pour s'assurer qu'elle était seule. Un bruit sourd lui fit tourner la tête vers l'autre rive. Un wallaby gris s'éloignait en bondissant et disparaissait dans le sous-bois. Il y avait peut-être quelqu'un… quelqu'un qui l'avait effrayé… ?

Agnes scruta la rive et tendit l'oreille. Le bush retourna à sa léthargie estivale. Elle lâcha le souffle qu'elle avait retenu.

Là où brillait le trésor, l'eau semblait ne pas dépasser les soixante centimètres de profondeur. Malgré tout, elle lui arriverait largement au-dessus des genoux.

Agnes avait toujours été plus petite que ses sœurs. C'était parce qu'elle était la plus jeune. Ses sœurs disaient que Ma n'avait plus assez d'énergie pour faire de gros bébés. Il y avait eu treize autres naissances avant elle, y compris deux paires de jumeaux. La famille avait toujours été pauvre. Comment auraient-ils vécu, tous, si la moitié des bébés n'était pas morte ?

Depuis que Meggan avait décidé de l'engager, Agnes était déterminée à ne plus jamais souffrir ni de la faim ni du froid. Sa vie en tant que domestique de Mme Trevannick, qu'elle continuait à appeler en son for intérieur Meggan, était une bonne vie. Elle n'avait pas à se plaindre.

— Mais je veux plus que ça, chuchota-t-elle à l'or qui scintillait. Un jour, moi aussi j'aurai une belle maison. Mes enfants, ils souffriront jamais de la faim.

Agnes se leva. Puis elle regarda autour d'elle. Personne. Elle retira son corsage. Elle était seule... tant qu'à faire, autant enlever sa jupe aussi.

Vêtue de sa seule chemise, car, avec la chaleur, on ne portait pas plus de vêtements que le strict nécessaire, elle entra précautionneusement dans le ruisseau.

À mi-chemin du trésor, elle s'aperçut qu'en troublant l'eau elle ne le voyait plus. Elle eut quelques secondes d'affolement. Puis elle se dit qu'il lui suffirait de rester immobile pour que l'eau redevienne claire. Cela fait, elle avança jusqu'à l'endroit où la profondeur lui parut être la bonne.

Sur le lit du ruisseau, il n'y avait que du gravier marron. La panique et la déception la frappèrent simultanément.

Où c'est-y donc ? J'ai été trop loin, se dit-elle.

Elle se retourna prudemment, attendit à nouveau que l'eau se repose.

C'est là ! Je le vois.

Mais, dans sa précipitation, elle marcha sur une grosse pierre acérée et s'entailla la plante du pied gauche. Elle poussa un cri de douleur. L'eau se teinta de filets rouges qui jaillirent de son pied, s'échappèrent, sinueux comme des serpents, puis coulèrent en direction de l'or et le dissimulèrent une fois de plus.

Agnes plongea un bras dans l'eau en tournant la tête de côté afin d'éviter de se mouiller le visage. Ses doigts attrapèrent un objet lisse. Elle se redressa. Lisse et arrondie par l'érosion, la pierre était de couleur marron. Nulle trace de jaune. Elle reposa sa prise et refit une tentative. Quatre pierres plus tard et toujours aussi décidée, elle plongea son visage dans l'eau, s'efforçant de garder les yeux ouverts pour attraper la bonne pierre.

Cette chose dorée qu'elle sentait sous ses doigts n'était pas une pierre ordinaire.

Elle ouvrit la main. Dans sa paume reposait un ovale parfait. Elle écarquilla de grands yeux incrédules. Ce n'était pas une pépite. C'était un médaillon de femme.

La curiosité remplaça bien vite la déception.

À qui ce médaillon peut-y bien être ? se demanda-t-elle. Et par quel miracle il a atterri dans c'te ruisseau, vu qu'y a presque pas de femmes blanches par ici ?

Ce n'était pas à l'une des dames de Langsdale, Agnes en était certaine.

Elle rejoignit la rive et examina la plaie. Son pied l'élançait douloureusement. La coupure était longue, profonde, et le sang continuait à couler. Mais, au moins, la plaie semblait propre.

Elle s'arma de courage. Une fille assez hardie pour marcher seule dans le bush n'allait pas perdre ses moyens pour une simple coupure. Si elle bandait son pied et parvenait à remettre sa chaussure, elle pourrait accomplir la distance qui la séparait de la propriété. En guise de bandage, elle avait le choix entre déchirer sa chemise ou utiliser l'un de ses bas. Sa chemise était trempée, son bas ferait donc l'affaire.

Agnes retourna à cloche-pied vers l'endroit où elle avait laissé ses souliers.

Elle commença par glisser le médaillon dans la poche de sa jupe. Ensuite, elle réfléchit et décida d'enfiler sa jupe. Elle remettrait son corsage après s'être occupée de son pied. Peut-être sa chemise serait-elle sèche d'ici là.

Les chaussures à la main, elle clopina jusqu'à un rocher voisin, s'y assit et posa son pied gauche sur son genou droit.

— M'est avis que vous pourriez avoir besoin d'un coup de main, mam'zelle.

De surprise, Agnes sauta littéralement en l'air. Sur l'autre rive, adossé à un arbre, un homme l'observait. Depuis combien de temps était-il là ? Était-il dangereux ? Pauvre idiote ! se morigéna-t-elle. Pourquoi que tu t'es promenée toute seule dans le bush ? Avec ça que tout le monde t'avait prévenue !

Que faire ?

Elle glissa la main dans sa poche.

— Qui êtes-vous ? Pourquoi que vous êtes là ? cria-t-elle.

— Je prospecte, comme vous, à ce qui me semble. Et m'est avis que vous avez trouvé quelque chose.

— Vous m'avez regardée faire ! s'écria-t-elle, outrée au point d'en oublier sa peur.

— Seulement depuis que vous êtes sortie du ruisseau. Vous m'avez tout l'air d'être blessée. Ah, pour sûr, vous vous êtes bien arrangé le pied.

Impossible de nier, avec ce sang qui continuait à couler comme une fontaine sur sa jupe.

— Je m'en vais le bander avec mon bas. La propriété est qu'à un jet de pierre.

Qu'est-ce qui lui prenait de parler comme ça avec cet homme qui pouvait traverser le ruisseau à tout moment pour se jeter sur elle ? Et elle qui ne pourrait pas s'enfuir à cause de son maudit pied ! Il le savait sûrement. C'était peut-être pour ça qu'il prenait son temps, le bougre !...

Mais ce qu'il ignorait, l'animal, c'était que sa main droite était crispée autour d'un petit revolver. M. Trevannick avait insisté pour que tout le monde apprenne à tirer. Il tenait aussi à ce que les femmes ne s'éloignent jamais de la propriété sans être armées. Et il avait ajouté que les femmes ne devaient jamais aller nulle part sans la protection d'un homme. Il serait fâché quand il découvrirait qu'elle avait désobéi. Elle pouvait même perdre sa place. C'est-à-dire... si elle vivait assez longtemps pour ça.

— Je vais pas vous faire de mal, dit l'autre. J'ai une bande dans mon sac. Je traverse et je viens m'occuper de votre pied.

Qu'elle le veuille ou non, il semblait déterminé à la rejoindre !

Agnes attendit qu'il soit au milieu du ruisseau. Elle remarqua fugitivement que l'eau n'atteignait même pas ses genoux. Il baissait la tête pour regarder où il mettait les pieds.

— N'approchez point ! lui ordonna-t-elle.

Elle tenait le revolver à deux mains pour l'empêcher de trembler. Aurait-elle le courage de tirer sur quelqu'un, même pour sauver sa peau ?

L'homme s'arrêta et leva les deux mains.

— Doucement, mam'zelle ! Vous savez vous servir de ce machin ?

— Vous croyez que j'le pointerais sur vous, sinon ?

— Peut-être bien que oui, peut-être bien que non, fit-il en l'observant de biais. Écoutez, mam'zelle, j'ai pas l'intention de vous faire du mal.

Agnes ne répondit pas. Son cerveau évaluait à toute vitesse les différents aspects de la situation. Pouvait-elle... pouvait-elle faire confiance à un étranger ?

Ledit étranger sembla deviner ses pensées.

— Vous pouvez me faire confiance, mam'zelle. Parole d'honneur. Et pour l'amour du ciel, rangez ce satané revolver.

— Ma foi, je sais point si je dois.

Il avait l'air honnête, sincère. Mais cependant rien ne garantissait ses bonnes intentions. Elle garderait l'arme braquée sur lui même si ses poignets commençaient à faiblir.

— Nom de Dieu ! Allez, je traverse.

— Non !

Agnes se leva d'un bond, oubliant sa blessure. La douleur fut telle qu'elle leva instinctivement le pied, perdit l'équilibre et tomba en arrière, tout en tirant involontairement un coup de revolver en l'air. Un vol de perroquets s'égailla dans les airs en poussant des protestations furieuses.

L'homme lâcha un nouveau juron, puis elle l'entendit fendre l'eau avec force éclaboussures. Elle n'eut pas le temps de se relever que déjà il était agenouillé à côté d'elle et l'aidait à retrouver un meilleur équilibre.

— Faut faire attention avec ça, mam'zelle ! Vous auriez pu vous faire très mal.

Toujours assise, Agnes entreprit maladroitement de glisser sur l'herbe pour s'éloigner de l'inconnu, tout en maintenant son arme cachée dans les plis de sa jupe. Elle espérait qu'il ne s'en apercevrait pas. Elle devait rester sur ses gardes jusqu'à ce qu'elle soit absolument sûre de ne plus courir aucun danger.

Il émit un claquement de langue exaspéré, se releva et fit un pas en arrière.

— Écoutez, mam'zelle, je veux pas vous faire de mal. Combien de fois faut que je vous le répète ?

S'il pensait la rassurer, il se trompait du tout au tout. Il la dominait de sa haute taille, et elle se faisait l'effet d'une naine à la merci d'un géant.

Elle se remit péniblement debout, avec une absence de dignité qui la rendit furieuse. En équilibre instable sur son pied valide et sur le talon de son pied blessé, elle clopina jusqu'à un arbre auquel elle s'appuya. Pendant ce temps, l'homme l'observait, les bras croisés. Elle en éprouva plus d'embarras que de crainte.

— Vous êtes bien peu galant de n'point me proposer d'aide ! lui reprocha-t-elle.

L'homme eut une esquisse de sourire.

— Ah, voilà que vous me faites confiance à présent ! Alors faites-moi le plaisir de ranger ce revolver de malheur !

Agnes regarda son arme, puis l'inconnu qui souriait toujours.

— Je sais point si je peux, avoua-t-elle.

Il eut une nouvelle manifestation d'exaspération. Puis :

— Bon, faut vous décider maintenant. Si vous voulez, je traverse en sens inverse et je vous laisse vous débrouiller. Moi, comme je vois les choses, vous avez besoin que je vous donne un coup de main. Vous avez une vilaine blessure au pied, et y a personne à la ronde pour vous aider, je me trompe ?

Agnes prit une profonde inspiration. Son instinct lui disait qu'elle pouvait faire confiance à cet étranger. De fait, elle le trouvait plutôt séduisant, malgré sa taille impressionnante. Il n'était pas bel homme comme M. Trevannick. Mais il était brun et ça lui plaisait bien : ses cheveux, sa peau et ses yeux étaient tous d'un brun différent. Sauf ses yeux qui avaient des petites taches d'or, comme les taches d'or qu'elle avait vues dans le ruisseau. Fugitivement, elle se dit que la richesse qu'elle cherchait se trouvait peut-être dans ces taches d'or-là.

— Alors... ? la pressa-t-il.

Cette question la décida. Elle vit une lueur amusée briller dans les yeux qu'elle venait de scruter si attentivement. Elle baissa rapidement les siens, ce qui les amena à mi-hauteur de la poitrine de l'homme.

— Je vous saurais gré de m'aider, monsieur, concéda-t-elle.

— Bien. Attendez-moi ici pendant que je vais chercher mon cheval. J'ai une bande et un onguent dans mon sac de selle.

Il se détourna et retraversa le ruisseau.

Agnes s'assit avec aussi peu de dignité qu'elle s'était levée, renonçant définitivement à essayer de se comporter en dame.

Elle vit son sauveur atteindre l'autre rive, se retourner brièvement avant de disparaître sous les arbres. Une soudaine panique la saisit. Et s'il ne revenait pas ? Alors qu'elle s'était apprêtée à rejoindre Langsdale en clopinant de son mieux, elle comprenait à présent combien ce serait difficile et douloureux !

Ce fut avec un immense soulagement qu'elle entendit les sabots du cheval. L'animal, de même que son cavalier, était brun, de haute taille. Elle ne s'y connaissait pas beaucoup en matière de chevaux, mais suffisamment cependant pour estimer que celui-là était de bonne race et, par conséquent, de prix. Elle trouva très noble la manière dont il avança prudemment sur le lit rocailleux du ruisseau.

L'étranger attacha sa monture à quelques mètres d'elle, puis la rejoignit avec la bande et l'onguent promis, et muni d'une flasque qu'il déboucha et lui tendit. Agnes regarda l'homme et la flasque d'un air soupçonneux.

— Qu'est-ce que c'est donc ? s'inquiéta-t-elle.

— Du whisky. Pas envie que vous tourniez de l'œil.

— Moi, je tourne jamais de l'œil.

— À votre aise.

D'un haussement d'épaules, l'homme lui signifia qu'il trouvait son attitude stupide.

Il s'assit de manière à pouvoir reposer sur son genou le pied gauche blessé, et écarta les lèvres de la blessure. Agnes gémit de douleur en fermant les yeux, ce qui l'empêcha de le voir verser du whisky sur la plaie. Sous le choc, elle ouvrit brutalement les yeux en poussant un hurlement.

— Désolé, dit-il. L'alcool va nettoyer la plaie.

Les joues ruisselantes de larmes, Agnès marmonna entre ses dents serrées :

295

— Pourquoi que vous m'avez point prévenue ?

Pour toute réponse, elle obtint un nouveau haussement d'épaules assorti d'un geste lui proposant le whisky. Elle refusa en secouant énergiquement la tête.

L'inconnu plaça alors un tampon recouvert d'onguent sur la plaie, puis entreprit de lui bander le pied.

Agnes contempla les cheveux qui bouclaient sur sa nuque. Tout bien considéré, elle avait envie d'en apprendre plus sur cet homme.

— C'est comment, vot' nom ?

— Larry Benedict, mam'zelle.

Après trois nouveaux tours de bande, il ajouta :

— Et vous, vous me dites pas le vôtre ?

— Agnes Roberts.

— Et qu'est-ce que vous faites toute seule au milieu de nulle part, Agnes Roberts ?

— Je suis point au milieu de nulle part. Ça, c'est le ruisseau de la propriété. La maison est pas bien loin.

Le bandage mis en place, il proposa :

— Je vais vous aider à vous relever. Voyons si ça va.

Il plaça une main sous son coude droit et, de l'autre, lui tint la main gauche, ce qui lui permit de se tenir debout avec un peu plus de dignité. Il continua à la maintenir pendant qu'elle entreprenait de porter son poids sur son pied gauche avec précaution. Le gros bandage protégeait son pied contre la douleur.

— Comment ça va ? s'enquit son sauveur.

— Ça fait un peu mal, mais point trop. Merci. Je vais pouvoir marcher jusqu'à la propriété, maintenant.

— Vous allez nulle part à pied, mam'zelle Agnes. Je vous emmène sur mon cheval.

— Oh !

Monter sur le dos de cet animal ? Elle aurait bien trop peur de tomber !

— Pas la peine d'avoir l'air si horrifiée. Vous êtes sûrement déjà montée à cheval ?

— Jamais.

— Vous risquez rien. Je vous tiendrai bien solidement.

Le rire contenu dans sa voix lui attira un regard sévère de la part d'Agnes, laquelle se disait qu'après tout la méfiance était peut-être de mise.

— C'est pas votre chemin, objecta-t-elle.

— Je vais nulle part en particulier. Aucun galant homme ne laisserait tomber une jeune dame blessée.

— Alors comme ça, vous êtes un galant homme ?

Grand Dieu, qu'est-ce qui te prend de faire la coquette ? se gourmanda-t-elle aussitôt.

— Je suis en tout cas assez galant homme pour faire comme si je voyais pas que vous êtes à moitié déshabillée, dit-il en lui tendant le corsage qu'elle avait complètement oublié. Vaudrait peut-être mieux que vous le remettiez avant que je vous ramène chez vous.

Agnes attrapa son corsage et tourna prestement le dos à son sauveur, embarrassée au-delà de toute expression. Oui, c'était sûrement un galant homme.

Elle était restée en chemise devant lui, et il n'en avait pas profité !

Respectablement sanglée dans son corsage, Agnes se retourna et le vit muni de l'arme qu'elle avait laissée tomber quand il lui avait versé du whisky sur la plaie.

— Vous savez vraiment vous en servir ? s'enquit-il.

— Et pourquoi je trimballerais un revolver, si je savais point m'en servir ?

— Vous m'auriez tiré dessus ?

— Seulement dans l'épaule, pour que vous avanciez pas.

Il haussa les sourcils, dubitatif.

— Vous tirez si bien que ça ?

Elle tendit la main vers l'arme et releva le défi :

— Vous voyez ce morceau d'écorce qui part du tronc, là-bas ? Je m'en vais l'atteindre d'ici.

— D'accord, dit-il en lui rendant son revolver.

Agnes leva la main et tira. La balle alla se ficher dans le tronc, légèrement plus bas, et à gauche de la cible.

Le galant homme poussa un grognement :

— Bien content que vous ayez pas essayé de me tirer dans l'épaule. Vous m'auriez sans doute troué le cœur.

— Vous moquez pas de moi ! Je rate jamais.

— Sauf cette fois, mam'zelle Agnes, et je suis sérieux, croyez-moi. Les armes et les femmes qui ne savent pas viser, c'est une combinaison très dangereuse.

— Je vous ai dit…

— Ouais, je sais. Donnez-moi cette chose.

Il lui prit le revolver des mains. Mais elle ne protesta pas, contrariée au plus haut point. C'était trop fort ! Alors qu'elle tirait beaucoup mieux que Mme Trevannick et Mlle Tremayne ! Seule Mlle Selena était capable de la battre.

Larry Benedict glissa l'arme dans sa ceinture.

— Parfait. Maintenant, à cheval. Je vais vous aider à monter.

Ils se dirigèrent vers la monture sans mot dire. Agnes n'était que trop heureuse de son soutien.

Lorsqu'ils furent arrivés devant le cheval, il l'encouragea :

— Allez, montez !

Mais elle secoua vigoureusement la tête. Monter sur cette bête ? Elle lui arrivait à peine au niveau du dos !

Lorsque le cheval tourna la tête pour la regarder, Agnes recula de terreur.

Larry Benedict fronça les sourcils.

— Vous avez vraiment peur, pas vrai ? Il faut pas. Samson vous fera pas de mal. Je vais vous mettre en selle. Tout ce que vous aurez à faire, c'est de rester là-haut pendant que je le guiderai.

— Jamais je monterai sur ce cheval ! protesta Agnes en reculant toujours sans quitter l'animal des yeux.

— Moi, je vais pas pouvoir vous porter tout le long du chemin, et vous, vous pouvez pas marcher.

Il la lâcha et sauta sur sa selle. Avant de lui laisser le temps de comprendre ce qui lui arrivait, il l'avait attrapée aux aisselles et assise devant lui. Agnes poussa un cri. Il raffermit son étreinte.

— Restez comme ça et bougez plus, lui intima-t-il.

299

Agnes était bien trop pétrifiée pour bouger. Déjà bien beau si elle arrivait à respirer !

— Vous êtes anglaise, pas vrai ?

— De Cornouailles, précisa Agnes.

— Y a une différence ? demanda-t-il avant d'enchaîner sans attendre de réponse : C'est sans doute ça qui explique votre façon de parler. Un peu... à l'ancienne.

Agnes sentit la rougeur lui monter au front. À l'ancienne ? Elle avait été si perturbée par l'apparition de cet homme, qu'elle avait complètement oublié de bien parler. Et voilà qu'elle découvrait que la proximité de leurs corps était encore plus troublante. Il était tellement... fort. Elle frissonna inexplicablement.

Son sauveur avait dû le sentir car il lui demanda :

— Encore nerveuse d'être à cheval ?

— N... non.

Ce qui la rendait nerveuse, c'était l'effet qu'il avait sur elle. C'était la première fois de sa vie qu'elle touchait un homme d'aussi près.

Sur un ordre silencieux, le cheval s'arrêta, arrachant par la même occasion un cri de frayeur à la jeune bonne.

— Vous risquez rien, mam'zelle Agnes. Je vais pas vous laisser tomber.

Le bras qui lui entourait la taille la serra encore plus fort. Pendant quelques instants, Agnes en oublia de respirer.

— Parlez-moi de la propriété. Qui est-ce qui y habite ?

— M. Trevannick et Mme Trevannick et le bébé, Etty.

— Est-ce qu'il y a des employés ?

— Seulement M. et Mme Clancy.

— Personne d'autre ?

— Les bergers et les gardiens des cabanes avec les troupeaux. Et pourquoi vous voulez savoir tout ça ?

— Parce que je cherche quelqu'un.

— Qui ça ?

— Un homme.

— Y a encore Mlle Jenny et Mlle Selena, c'est tout.

— Qui est-ce ?

— M'est avis que vous posez beaucoup de questions.

— D'accord, mam'zelle Agnes. Juste une dernière question.

— Laquelle ? répondit Agnes tout en se demandant pour quelle raison elle acceptait de répondre.

— Quelle est votre position dans la famille ?

— Je suis la bonne de Mme Trevannick.

— Elle vous permet de vagabonder toute seule dans le bush ?

Agnes se sentit rougir.

Pourvu qu'il le voie pas ! se dit-elle.

— Ah bon. Vous n'avez pas obéi !

Agnes ne répondit rien. Elle regarda devant elle les bâtiments de la propriété, désireuse d'arriver au plus tôt, de descendre de ce cheval et de se débarrasser de cet homme.

Sans doute lut-il dans ses pensées, car il lança son cheval au petit galop.

— Non ! Arrêtez ! hurla-t-elle.

Elle rebondissait dans tous les sens, malgré le bras d'acier qui la maintenait. Elle cria de plus belle, jusqu'au moment où elle s'aperçut que le cavalier riait à gorge déployée ! Elle cessa de crier. Le cheval se remit à marcher au pas. Ah, le bougre, il l'avait fait exprès !

Larry Benedict arrêta son cheval à l'arrière de la propriété.

— Bougez pas, je descends.

Et pendant ce temps, tu vas me laisser toute seule sur le dos de cette bête ? lui demanda mentalement Agnes.

Lorsqu'il sauta à bas de sa monture, elle fut tentée de l'imiter. Sauf que la terre était si basse !

Les mains de son compagnon l'attrapèrent par la taille et elle se retrouva en train de tournoyer en l'air. Puis, au lieu de toucher le sol, elle atterrit dans ses bras, le bras droit de l'homme sous son dos, et le gauche sous ses genoux. Elle comprit qu'il avait l'intention de la porter.

— Posez-moi par terre !

— Non. Faut d'abord que je trouve une chaise pour vous asseoir.

— Je peux marcher !

Sans tenir compte de ses protestations, il se mit en route.

— Passez votre bras autour de mon cou. Et vite, sinon, je vous laisse tomber.

— Vous oseriez pas ! le défia-t-elle, les dents serrées.

Aussitôt, elle se sentit glisser vers le sol. Instinctivement, elle lança ses deux bras autour de son cou pour se rattraper.

Il sourit.

— Voilà ! C'est beaucoup mieux ! se réjouit-il.

Pour toute réponse, il récolta un regard furibond qui élargit encore son sourire. Agnes détourna ostensiblement la tête et la laissa ainsi jusqu'à ce qu'il l'eût déposée dans le fauteuil préféré de Mme Clancy.

— Merci, dit-elle alors.

— C'est tout ? Juste merci ?

Soupçonneuse, Agnes le dévisagea. Qu'est-ce qu'il voulait de plus ? Qu'elle le paie ?

Une fois encore, il lut dans ses pensées.

— Je n'ai pas besoin d'argent, mam'zelle Agnes, mais il me faudrait autre chose.

Dans un mouvement rapide, il se pencha en avant et posa sa bouche sur la sienne. La surprise l'empêcha de réagir. Lorsqu'il se redressa, la regardant de tout son haut en souriant, elle ne put que le dévisager avec étonnement.

— J'avais envie de faire ça depuis le moment où vous avez pointé ce revolver sur moi.

— Oh !

Une voix offusquée intervint alors :

— Ooh, vraiment, mademoiselle ! Qui est cet homme à qui tu permets de t'embrasser ? Et dans ma cuisine, encore !

Agnes se sentit affreusement coupable. Depuis le jour de son arrivée à Langsdale, Mme Clancy la traitait comme sa propre fille.

— Non, je lui ai pas permis, madame Clancy.

— Mais je t'ai pas vue non plus protester.

— Pardon, madame, mam'zelle Agnes a rien fait de mal.

— Arrêtez de m'appeler madame. Mon nom, c'est madame Clancy. Mais vous feriez bien de vous dépêcher de m'expliquer tout ça avant que j'appelle M. Clancy.

— Moi, c'est Larry Benedict.

— Vous êtes un de ces Américains, là...

Le ton de la gouvernante ne laissait planer aucun doute quant à son opinion sur les Américains.

— M. Benedict, il m'a soignée, madame Clancy, expliqua Agnes. Quand je me suis fait mal au pied.

Retroussant un peu sa jupe, elle montra son pied bandé.

— Ah oui ? Et d'abord, comment tu t'es fait mal au pied ? Je parie que tu as fait quelque chose que t'étais pas censée faire, hein ?

Agnes se mordit la lèvre inférieure avant de répondre :

— J'étais en train de marcher dans le ruisseau. Je me suis coupé le pied sur une pierre. Si M. Benedict, il était pas arrivé à ce moment-là, je sais pas comment j'aurais fait pour rentrer.

Le courroux de Mme Clancy se dissipa. Elle poussa un profond soupir résigné.

— Eh ben... Entre toi et Mlle Selena, toujours à courir la campagne toutes seules, je vais attraper des cheveux blancs avant l'heure.

Elle se dirigea vers le fourneau, où elle prit une bouilloire.

— Vous avez sans doute besoin d'une bonne tasse de thé, vous deux, proposa-t-elle.

— Merci beaucoup, madame... euh, madame Clancy. Est-ce que le patron est là ? J'aimerais le voir, répondit Larry Benedict.

304

— Ils sont tous partis à Creswick Creek. Ils seront de retour en fin d'après-midi. Vous pouvez attendre ici si vous voulez.

— J'veux bien, merci.

— Je vais aller chercher M. Clancy pour son thé, annonça la gouvernante.

Avec un regard sévère à Agnès, puis à l'étranger, elle ajouta :

— Je peux vous laisser seuls cinq minutes ?

— Sur mon honneur, madame Clancy ! affirma Larry Benedict, avant de faire le tour de la grande table pour aller s'asseoir de l'autre côté, loin d'Agnes.

Avant de sortir, Mme Clancy lui décocha un coup d'œil exprimant sans ambages qu'il avait intérêt à ne pas bouger, et un autre à Agnes signifiant « Tiens-toi correctement ».

— Eh ben ! s'exclama Larry. Elle est toujours aussi tyrannique ? Ah, vous souriez !

En effet, un large sourire barrait le visage d'Agnes.

— M'est avis qu'elle vous aurait bien donné un coup de louche ! dit la jeune bonne avec un rire franc.

— Ouais, je crois aussi. Dites-moi, mam'zelle Agnes, qu'est-ce qu'elle entendait par « toujours à courir la campagne » ?

— J'aime bien aller voir dans le ruisseau.

— En espérant trouver de l'or.

— Peut-être, répondit prudemment Agnes, encore un peu méfiante.

— Et qui est Mlle Selena ?

— Mlle Selena, c'est la demi-sœur de M. Trevannick. Pendant des mois, elle était habillée en homme et tout le monde la prenait pour un garçon. Elle continue à s'habiller comme ça pour faire du cheval à califourchon.

L'Américain haussa ses sourcils bruns.

— M'est avis que c'est une jeune dame intéressante.

— Mlle Selena, elle avait jamais grimpé sur un cheval avant de vivre ici. Elle a appris vite.

— Vous aussi, vous devriez apprendre.

— Moi ? Que non ! Du diable si je m'en va grimper sur le dos d'une de ces créatures bien trop grandes pour moi !

— Voilà que vous recommencez à parler bizarrement.

Il pencha la tête de côté en la regardant avec une expression qui la fit se sentir toute molle à l'intérieur. Le retour de Mme Clancy lui évita de prononcer des paroles qui l'auraient embarrassée encore davantage.

Ned qui, à n'en pas douter, avait été avisé par sa femme qu'elle avait surpris l'Américain en train d'embrasser Agnes, s'employa sur-le-champ à questionner l'étranger pour lui arracher des informations personnelles. Pendant tout l'interrogatoire, son regard passa alternativement du suspect à la jeune bonne.

Agnes, pour sa part, consacra obstinément son attention à sa tasse de thé et ne leva la tête qu'au moment où Ned détourna les yeux pour s'adresser à sa femme. Elle capta alors un énorme clin d'œil par lequel M. Benedict lui faisait comprendre qu'il s'amusait beaucoup de la détermination avec laquelle M. Clancy cherchait à savoir si oui ou non il était honorable. Elle répondit par un sourire, naturellement intercepté par Mme Clancy, laquelle se leva immédiatement pour lui placer une bassine de pommes de terre sur les genoux.

— Tiens, ma fille, rends-toi utile en épluchant ces pommes de terre.

— Oui, madame Clancy.

Agnes n'osa plus relever les yeux, de peur d'un nouveau clin d'œil. Elle risquait d'éclater de rire et de s'attirer les foudres de la brave gouvernante.

Cette dernière proposa alors :

— Ned, tu pourrais emmener M. Benedict avec toi. Il a sûrement envie de faire un petit tour dehors.

— Oui, bien sûr, madame, répondit l'Américain. Il a envie !

— Hummph ! grogna la gouvernante en posant à grand bruit un saladier sur la table avant d'y verser de la farine.

Ned s'exécuta.

— Vous vous y connaissez en moutons ? s'enquit-il en se levant.

— Un peu. Ça m'intéresserait de voir le troupeau.

Hormis le bruit que faisait Mme Clancy en battant la pâte, le silence régna dans la cuisine après le départ des deux hommes. Agnes ouvrit la bouche à plusieurs reprises pour s'expliquer et défendre son sauveur, mais la referma à chaque fois avec un petit sourire, le nez sur ses pommes de terre.

— Qu'est-ce qui te fait sourire ? interrogea la gouvernante.

— Rien, madame Clancy.

— C'est cet Américain. Ça y est, tu as le béguin.

— Non, c'est pas vrai, protesta Agnes.

307

— Hummph... Et tu vas me dire que si tu as les joues rouges, c'est à force d'éplucher les patates ? Fais bien attention. Tombe pas amoureuse du premier gars qui passe.

— Non, madame Clancy, répondit Agnes tout en se disant : Trop tard, madame Clancy, m'est avis que je suis déjà amoureuse. Voilà, j'ai fini les pommes de terre, reprit-elle à voix haute.

— Bon, alors tu vas graisser et fariner les moules.

Larry Benedict fut invité à passer la nuit. Il se révéla un convive intéressant et parla de lui de bonne grâce.

— Je suis arrivé avec mon père en 52, pas long-temps après le début de la ruée. Mais faut croire que, nous autres, on faisait pas partie des gars chanceux à qui il suffisait de se baisser pour ramasser l'or, alors on a décidé de creuser un puits.

— Et vous n'avez toujours rien trouvé ? s'enquit Meggan.

— Si, madame. On a trouvé de l'or au fond. Malheureusement, ça lui a coûté la vie, à mon pauvre père.

Des murmures de sympathie parcoururent l'assemblée.

— Il a été tué par quelqu'un qui en voulait à son or, précisa Benedict.

Son auditoire compatit.

— Le responsable a-t-il été arrêté ? demanda Connor.

— Non, ça s'est passé pendant la nuit. Moi, j'étais à Melbourne. Le temps que je rentre, mon père était déjà enterré.

Il s'arrêta un instant, comme pour écouter le silence qui s'était installé dans la pièce, puis ajouta :

— Cet homme, je veux lui mettre la main dessus, même si je dois y passer le reste de ma vie.

— Si personne ne l'a vu, comment saurez-vous que c'est lui ? s'étonna Connor.

Benedict répondit avec un petit rire :

— Il a laissé l'empreinte de ses pas.

— Cela vous suffit ? s'étonna Meggan.

— Oui, madame. Il marche avec le pied gauche tourné légèrement en dedans ; il porte son poids à l'extérieur de son pied droit ; il est de taille moyenne, pareil pour sa corpulence. Il…

À cet instant, Selena poussa un petit cri. Larry se tut. Tout le monde se tourna vers la jeune fille. Celle-ci, très pâle, se tenait le ventre des deux mains. Elle se leva d'un bond et sortit en s'excusant.

Jenny repoussa sa chaise pour la suivre, mais le capitaine Trevannick l'arrêta d'un geste.

— Laissez, Jenny. J'irai la rejoindre plus tard.

Puis il encouragea l'Américain à poursuivre :

— Vous disiez ?

Benedict s'exécuta de bonne grâce :

— L'assassin a volé un médaillon contenant une mèche de cheveux de ma mère. Mon père le gardait enveloppé dans un papier huilé, enfermé dans notre coffre.

— Dites-moi, monsieur Benedict, intervint Meggan, comment se fait-il que vous sachiez tellement de choses sur cet homme d'après les seules empreintes de ses pieds ?

— C'est mon oncle et mon grand-père qui m'ont appris. Ma mère était une Arapaho.

— Une Indienne ?

— Oui. Elle est morte quand j'avais treize ans. Je me suis alors enfui pour aller rejoindre son peuple. J'ai vécu là-bas sept ans, et puis un jour une vieille femme avisée m'a fait comprendre qu'en partant je n'avais fait qu'augmenter le chagrin de mon père. Je suis retourné auprès de lui, et on a travaillé tous les deux pour un éleveur de moutons. Après, on est allés sur les champs aurifères. On espérait trouver assez d'or pour acheter notre propre ferme, chez nous, au Colorado, ou alors ici, en Australie.

— Vous continuez à chercher de l'or ? demanda Jenny.

— Non. Je n'ai pas beaucoup de besoins. Jusqu'à ce que je retrouve l'assassin de mon père, tout ce qu'il me faut, c'est trouver à manger pour moi et mon cheval, et me payer une chambre quand c'est nécessaire. À condition de vivre frugalement, il me reste assez pour tenir plusieurs années.

— Monsieur Benedict, interrogea Meggan, vous avez dit que vous pourriez identifier cet homme grâce à l'empreinte de ses pieds. Est-ce que vous suivez vraiment sa piste depuis tout ce temps ?

— Non, madame. Il y a peu de chances de suivre la piste de qui que ce soit dans les mines d'or, avec les milliers de personnes qui vont et viennent tous les jours.

— Si vous n'y êtes pas retourné dans les deux jours qui ont suivi la mort de votre père, comment pouvez-vous être sûr que ces empreintes ont été laissées par le meurtrier ?

— Je les ai vues à l'intérieur de notre tente. L'assassin est entré pour trouver notre coffre.

Il devança la question suivante :

— Je parcours les mines d'or et les élevages les yeux rivés au sol. Un jour, je les verrai, ces empreintes.

La dureté de son expression ne laissait planer aucun doute sur le sort qu'il réservait à l'assassin lorsqu'il aurait mis la main dessus. Il se tut. Personne ne souffla mot. Puis il reprit :

— Œil pour œil, dent pour dent, madame. Je suis à moitié indien par ma mère.

Personne ne jugea opportun de rappeler les termes de la loi à Larry Benedict.

Le capitaine Trevannick dissipa la tension en se levant pour se rendre auprès de sa fille.

Selena était assise sur une marche de la véranda, les yeux perdus au loin, dans la nuit noire. Il s'assit à côté d'elle.

— Tu me diras ce que tu sais quand tu seras prête, murmura-t-il.

— Le père de Benedict est l'homme que j'ai vu tuer, prononça-t-elle d'une voix atone.

Le capitaine Trevannick avait déjà entendu cette voix bien des fois. D'abord sortie des lèvres de la grand-mère de Selena, puis, quand elle n'avait que six ans, des lèvres de Selena elle-même.

Il ne répondit rien.

Selena se redressa et poursuivit :

— J'ai su que c'était le père de M. Benedict quand il a parlé des empreintes de pieds. De la même manière que j'ai vu le visage de l'assassin sans l'avoir vu réellement cette nuit-là.

Elle termina sa phrase par un soupir venu du plus profond d'elle-même, un soupir si désespéré que

311

son père l'enlaça et la serra contre lui. Elle posa sa tête contre son épaule réconfortante et reprit avec un nouveau soupir :

— Oh, comme je souhaiterais ne pas posséder ce don qui me fait voir des choses que je préférerais ignorer !

Le capitaine saisit alors l'occasion pour aborder la question qui le tracassait depuis longtemps :

— Selena, quand nous sommes arrivés à Ballarat, tu as vu quelque chose…

— Oui.

— Vas-tu maintenant me dire de quoi il s'agit ?

— J'ai vu une sanglante bataille. Une bataille dans les mines d'or, entre les prospecteurs et les soldats.

Le capitaine garda le silence un certain temps, réfléchissant à l'importance de ce qu'impliquait la vision de sa fille.

— Le mécontentement des mineurs contre le gouvernement est grand. Peut-être as-tu vu la vérité, dit-il enfin.

— Ce que je vois arrive toujours, voilà pourquoi ce don, ou plutôt, cette malédiction, est si difficile à supporter. Je ne prévois jamais d'événements heureux.

— Quand cette bataille aura-t-elle lieu ?

— Je ne sais ni quand ni où. Je sais simplement qu'il y aura de nombreux morts.

Je sais aussi que Will va tomber, se dit-elle.

Mais cela, elle le garda pour elle.

Pour Agnes, ne pouvoir servir le dîner la veille avait été à la fois un soulagement et une déception.

312

Le lendemain matin, toujours incapable de marcher autrement qu'en boitant lamentablement, elle fut informée qu'elle pourrait rester dans sa chambre pour la journée à ravauder les draps. De sa fenêtre, elle suivit des yeux son Américain qui s'éloignait, juché sur son cheval, en compagnie de M. Trevannick. Elle pria le ciel pour qu'il revienne, qu'il ne parte pas ailleurs, pour toujours...

Au milieu de la matinée, Mme Clancy lui apporta une tasse de thé ainsi que deux jupons appartenant à Mlle Selena et une chemise de soie déchirée.

— Cette jeune dame n'a aucun respect pour ses habits. Y a pas un vêtement dans sa garde-robe qui n'a pas un accroc. Et ton pied, comment ça va ?

— Mieux, madame Clancy.

— Bien. Reste ici et repose-toi. Tu as assez de couture à faire pour t'occuper.

— Vous êtes sûre que Mme Trevannick est pas fâchée ?

— Mme Trevannick est une bonne maîtresse. Garde bien ça en tête pour la prochaine fois que tu auras envie d'aller patauger toute seule dans un ruisseau.

— Oui, madame Clancy.

Lorsque la gouvernante eut refermé la porte, Agnes sortit le médaillon de sa poche. Toute à sa rencontre avec Larry Benedict, elle avait complètement oublié sa découverte. C'étaient les dernières paroles de Mme Clancy qui lui avaient rappelé la raison pour laquelle elle était entrée dans le ruisseau.

Malgré tous ses efforts, elle ne parvint pas à ouvrir le médaillon. Sans doute avait-il séjourné trop

313

longtemps dans l'eau. Il était très joli, avec ses volutes gravées. Je vais le garder, décida-t-elle. Ce serait son tout premier bijou. En proie à un soupçon de culpabilité, elle coupa une longueur du ruban de velours mauve qu'elle était censée utiliser pour raccommoder une des jupes de Mlle Selena et y attacha le médaillon de manière à le porter en pendentif. Bizarrement, elle avait l'impression que, même si M. Benedict s'en allait, ce bijou serait un souvenir de lui.

En fin d'après-midi, quand elle entra en clopinant dans la cuisine, elle découvrit que son sauveur n'était pas parti. Mme Clancy s'empressa de divulguer l'information.

— Paraît que l'Américain va rester ici. Il va travailler pour M. Trevannick.

— Oh ! souffla Agnes, sentant son cœur manquer un battement.

— Tu ferais bien de faire attention, ma p'tite. Pour moi, cet homme, il m'a tout l'air d'aller vite en besogne.

4

Jenny faisait preuve d'un entêtement dont personne ne l'aurait crue capable.

— Connor, je pars avec Selena, que cela te plaise ou non. Tu n'es pas responsable de moi !

— Tant que tu seras sous mon toit, je serai responsable de toi. Sois raisonnable, Jenny. Et d'ailleurs, je n'aime pas plus l'idée que Selena retourne à Ballarat.

— Tu ne l'as pas empêchée de partir, alors qu'elle est ta sœur.

— Toi aussi, tu es ma sœur ! Écoute, Selena est habituée à cette vie. Pas toi. Qu'est-ce que tu espères prouver ?

— Que je ne suis pas une fleur fragile destinée à rester bien au chaud sous une cloche de verre et qu'il faut soigner avec attention.

— Il n'y a pas d'autre raison ?

Jenny pinça les lèvres, croisa les bras et tourna la tête avec ostentation.

Connor soupira.

— Jenny, je sais qu'il y a quelque chose entre toi et Will Collins. Quoi que tu essaies de prouver, c'est de la folie.

— Selena n'est pas de cet avis.

315

— Selena n'est pas la meilleure conseillère qui soit. Elle est beaucoup trop impulsive. Elle agit sans penser une seconde aux conséquences de ses actes.

— Tu peux dire ce que tu veux, ma décision est prise.

Sur ces entrefaites, Meggan entra dans la pièce.

— Et où pars-tu ? s'enquit-elle.

— Jenny s'est mis en tête l'idée stupide d'aller vivre dans les mines d'or avec Selena et mon père. Essaie de la raisonner, Meggan. Moi, je n'y arrive pas. Je crois que mes moutons, bêtes comme ils sont, m'écoutent davantage.

Il sortit, laissant une Meggan perplexe et une Jenny furieuse.

— Il est contrarié, constata Meggan. Tu envisages vraiment de partir avec Selena ?

— Oui. Je pars avec Selena. C'est décidé.

— Crois-tu que ce soit la meilleure solution pour inciter Will à demander ta main ?

— Il l'a déjà fait. Oh, n'aie pas l'air aussi surprise, Meggan ! Il me l'a demandée le lendemain de Noël.

— Ah bon ? Vraiment ? C'est merveilleux ! Mais... dans ce cas, pourquoi partir à Ballarat ?

— Parce qu'il veut que j'attende deux ans, le temps qu'il réunisse assez d'argent pour m'installer dans une belle maison. Il est hors de question que j'attende deux ans. Je projette de me marier avant l'hiver.

— Dans ce cas, je te souhaite bonne chance, même si je doute que tu reçoives la bénédiction de Connor.

En état d'infériorité numérique devant les trois femmes, Connor prédit que Jenny serait de retour

316

sous quinzaine. Sa sœur adoptive affirma qu'elle n'en ferait rien. Meggan, qui partageait secrètement la conviction de son mari, était persuadée que Jenny ne supporterait pas la dure vie des mineurs. Selena garda ses pensées pour elle.

Ned conduisit les jeunes femmes en charrette. Mme Clancy les accompagnait, profitant de l'occasion pour se rendre en ville. Elle montra sa désapprobation à voir des jeunes dames partir vivre dans les conditions primitives des champs aurifères en gardant le silence pendant tout le trajet. Jenny, elle aussi, resta muette, trop occupée à grimacer intérieurement à chaque cahot qui meurtrissait la partie de sa personne sur laquelle elle était assise. Seuls Ned et Selena faisaient la conversation.

— Bonne chance à vous deux, leur souhaita le brave homme en déposant les deux jeunes filles dans la Grand-Rue. Vous avez plus besoin de moi ?

— Non, Ned. Nous allons tout droit chez Mme Baxter, comme l'a demandé père. S'il n'y est pas, nous l'attendrons là-bas.

Mme Clancy se dérida pour leur souhaiter bonne chance :

— Faites bien attention à vous. Y a un tas de gens louches ici. Méfiance !

— Nous ferons attention, madame Clancy. Jenny sera en sécurité avec moi. J'ai vécu longtemps dans les mines d'or, j'en connais les dangers.

— En tout cas, moi, je comprends pas pourquoi vous voulez quitter un foyer confortable pour une tente, et toi, m'sieur Clancy ?

Ned secoua la tête d'un air lugubre.

Selena dédia au couple son plus charmant sourire.

— Merci de nous avoir amenées jusqu'ici. Nous reviendrons à Langsdale de temps en temps. Mon frère me l'a fait promettre.

Après un nouvel échange d'« au revoir », de « bonne chance » et force recommandations, les jeunes filles se mirent en route, chargées de leurs grosses valises. Selena était aussi intéressée que Jenny par le spectacle alentour.

Elle remarqua le nombre accru de boutiques et d'hôtels.

— Il y a presque un an que je ne suis pas venue à Ballarat, déclara-t-elle. La ville s'est considérablement développée. Regarde, là, le théâtre Victoria, et la salle des fêtes ! Mon Dieu, Ballarat est devenue presque civilisée !

— Oui.

Ce fut tout ce que Jenny parvint à répondre. Raide, le séant endolori par les cahots, elle se demanda comment elle avait pu oublier la poussière, la crasse, les mouches, ainsi que la puanteur des ordures pourrissant à la chaleur de l'été. Elle prenait maintenant conscience de la ville, tandis qu'à son arrivée – à peine six semaines plus tôt – elle n'avait eu d'yeux que pour Will. Le regret de s'être lancée dans cette aventure s'insinua en elle alors même qu'elles n'avaient pas encore atteint les mines d'or.

Avait-elle péché par naïveté en s'imaginant pouvoir affronter ce genre de vie ? Déjà, sa valise lui semblait trop lourde à porter, alors qu'elle ne contenait que très peu de vêtements. Deux jupes, deux

318

corsages, trois paires de manches, et les sous-vêtements obligatoires, c'était là tout ce que Selena avait jugé nécessaire.

En croisant une femme dont les vêtements paraissaient n'avoir jamais été lavés depuis le jour où ils avaient été achetés, Jenny soupira. Pourrait-elle s'habituer à porter autre chose que des vêtements immaculés ?

— Qu'est-ce qui se passe ? s'enquit Selena. Tu es fatiguée ?

— Non, mais je commence à me demander si j'ai bien fait.

Selena s'arrêta.

— Tu as envie de retourner à Langsdale ? s'inquiéta-t-elle.

— Non, non. C'est hors de question. Je dois prouver que je peux le faire.

— Tu sais que je ferai mon possible pour t'aider.

— Oui, je sais, Selena, je t'en suis très reconnaissante. Je n'ai jamais pensé que ce serait facile, mais je suis déterminée.

— Cette existence n'est pas si mauvaise quand on y est habitué. Évidemment, ce sera très différent de ce que tu as connu jusqu'à présent. Mais tu n'es pas la première dame comme il faut à vivre dans les mines d'or.

— Tu me considères comme une dame comme il faut ?

— Bien sûr. Tu es plus âgée que moi, Jenny, mais je connais la vie mieux que toi. Je n'ai pas eu une enfance protégée comme toi.

— Il me semble que tu as eu une vie incroyable, et pourtant, tu n'as que dix-sept ans.

— Tu sais, avant d'arriver en Australie, je ne trouvais pas que ma vie sortait de l'ordinaire. Mais maintenant, je comprends que ce que j'estimais normal est très exotique pour beaucoup de gens… Regarde ! Voilà la cabane de Will et de ses frères, et, là-haut, celle de Mme Baxter !

Jenny regarda la maison de Will. Était-ce là qu'ils vivraient une fois mariés ? Elle avait hâte de voir l'intérieur de cette cabane de bois et de toile. Et par-dessus tout elle avait hâte de voir Will. Il serait surpris. Et fâché. Probablement insisterait-il pour qu'elle retourne chez Connor. Mais quand il verrait sa détermination à prouver qu'elle était capable d'affronter les défis de la vie sur les champs aurifères, il serait fier d'elle.

— Madame Baxter ! appela Selena lorsqu'elles furent à proximité de la maison. Je suis arrivée ! Viens, Jenny !

Elle attrapa son amie par la main pour accomplir les derniers mètres au pas de course et se précipiter vers Mme Baxter qui les attendait sur le seuil.

— Bonjour, madame Baxter ! Je vous présente Jenny. C'est une sorte de cousine. Je dis que c'est ma sœur.

— Eh bien, Selena, tu n'as pas changé ! remarqua la brave femme en la serrant contre elle, tout sourire. Enchantée de faire votre connaissance, Jenny, mais… est-ce que le capitaine sait que vous êtes là ? Il n'a parlé que de Selena.

Selena répondit avec vivacité :

— C'est une surprise.

Mme Baxter eut une moue dubitative.

— Pour ça oui ! Allez, entrez. Je suis sûre que vous aimeriez prendre une tasse de thé et manger un morceau.

— Oh oui ! applaudit Selena. Je meurs de faim !

— Merci, madame Baxter, murmura Jenny.

La jeune fille tenta de ne pas se montrer impolie en examinant l'intérieur de la cabane avec une curiosité trop marquée. Les meubles étaient des plus sommaires, mais cette grande pièce semblait confortable, même si une fine couche de poussière recouvrait tout.

— Pas moyen d'empêcher la poussière d'entrer, se plaignit Mme Baxter.

— Oh ! fit Jenny tout en ôtant vivement le doigt qu'elle avait passé sur la table. Je n'avais pas l'intention de vous froisser.

— Non, non, je suis pas froissée, ma petite. Je suppose que c'est la première fois que vous entrez dans la maison d'un chercheur d'or.

Mme Baxter posa une boîte de biscuits sur la table, ainsi que des tasses et des soucoupes dépareillées, puis entreprit de faire le thé dans une énorme théière noire de suie.

— Vous m'avez tout l'air d'une fille qui a toujours eu la vie facile.

La légère chaleur qui rosissait les joues de Jenny se transforma en brûlure cuisante. Selena confirma le fait qu'elles étaient devenues cramoisies.

— Jenny, tu es gênée ! s'exclama-t-elle. Ce n'est pas la peine, n'est-ce pas, madame Baxter ?

— Non, pas du tout, confirma l'interpellée.

Ne sachant que répondre, Jenny choisit de se taire.

Mme Baxter servit le thé, remit la théière à sa place au coin du feu et poussa une boîte de métal peint vers ses visiteuses.

— Prenez du sucre.

— Toi d'abord, dit Selena en présentant la boîte à Jenny.

À la vue du thé quasi noir, Jenny prit trois sucres au lieu des deux habituels et se demanda si elle parviendrait à avaler ce breuvage. Elle qui adorait le thé léger, avec un nuage de lait... Mais le lait semblait absent. Pouvait-elle poser la question ? Demander s'il y avait du lait était une chose qu'elle n'avait jamais eu à faire. Le lait et le sucre avaient toujours figuré sur le plateau apporté par les bonnes.

Elle parvint à capter le regard de Selena et forma silencieusement le mot « lait ».

Selena, après un léger signe négatif de la tête, porta sa tasse à ses lèvres. Jenny comprit le message et se jeta vaillamment à l'eau. Hélas, le goût de ce thé était tellement infect qu'elle eut le plus grand mal à avaler la minuscule gorgée qu'elle avait prise. Elle reposa sa tasse.

La bonne Mme Baxter comprit et, à sa question, Jenny répondit :

— Je suis désolée, madame Baxter, je n'ai pas l'habitude de boire du thé fort.

— Et je parie que vous prenez du lait avec.

La jeune fille confirma d'un signe de tête, malheureuse qu'une chose aussi banale que boire du thé prenne une telle ampleur.

Mme Baxter prit la tasse.

322

— Je vais jeter ça et rajouter de l'eau chaude, ça sera meilleur pour vous, affirma-t-elle. Mais pour ce qui est du lait, c'est pas possible. Ça tourne trop vite, par ce temps-là.

Pendant qu'elle sortait renverser le liquide sur le pas de la porte, Selena se pencha vers son amie et lui chuchota :

— Le thé noir n'est pas la pire des choses auxquelles il te faudra t'habituer.

Même si ce thé allégé était presque aussi imbuvable que l'autre, Jenny termina sa tasse au prix d'un grand effort.

— Ton père a tout préparé pour ton arrivée, révéla Mme Baxter à Selena. Il a choisi un joli endroit près des arbres.

— Vous a-t-il dit que nous avions une véritable cabane en écorce à Creswick ?

— Oui. Il prévoit d'en construire une nouvelle avant l'hiver. En attendant, votre tente est vraiment confortable. Tu vas voir.

— J'aimerais lui faire la surprise de préparer son dîner. Un curry, peut-être.

— Tu fais toujours cette cuisine étrangère ?

— Bien sûr. Père adore le curry. Vous voulez bien nous montrer notre logis ?

Mme Baxter accompagna les jeunes filles jusqu'à la tente qui serait leur foyer. Elle souleva le rabat.

— Regarde, Selena. C'est du beau travail qu'il a fait là, le capitaine.

Selena s'exclama, ravie :

— Oh oui, c'est vrai ! Décidément, je vais lui préparer un plat spécial pour le remercier !

Pendant que Selena disait au revoir à Mme Baxter, Jenny examinait avec attention l'endroit où elle allait vivre. Les meubles, si ce terme pouvait s'appliquer à des objets aussi rudimentaires, consistaient en une sorte de sofa qui semblait également servir de lit. Il y avait une table et deux chaises, ainsi qu'un trépied. Sur la table, de la vaisselle bleu et blanc, ainsi qu'un saladier en porcelaine à feu et deux plats en étain. À côté, des couverts hétéroclites.

De hautes étagères avaient été fixées sur la charpente de bois brut qui soutenait le toit en pente. Un sac de farine, un sac de riz, ainsi que divers objets étaient posés dessus. Des marmites noircies pendaient, accrochées à l'une d'elles. Une grande caisse de bois à même le sol semblait l'unique rangement supplémentaire. Le plancher était constitué d'un morceau de toile étalé par terre.

— Que penses-tu de notre maison, Jenny ?

— Où sont les lits ? demanda cette dernière en guise de réponse.

Elle ne pouvait révéler à Selena qu'elle ne se sentait guère capable de vivre dans un tel lieu.

— Ça, c'est le lit de père, indiqua Selena. Viens, suis-moi.

À l'arrière de la tente, Selena souleva un morceau de toile que Jenny avait pris pour le mur du fond et annonça triomphalement :

— Voici notre chambre !

Jenny la suivit dans une pièce sensiblement de la même taille que la première. Là aussi, des étagères avaient été arrimées aux supports du toit. Il y avait également une commode fabriquée à partir d'une caisse. Des piquets fichés dans la charpente du mur du fond faisaient office de patères. La toile de sol était partiellement recouverte d'un tapis.

— Il n'y a qu'un lit, constata-t-elle.

Mais, au moins, c'était un vrai lit.

— C'est que mon père ignorait que tu viendrais vivre avec nous. Ne t'inquiète pas. Si nous ne trouvons pas de lit d'ici ce soir, je dormirai par terre.

— Oh, non ! Je ne te le permettrai pas. J'irai à l'hôtel.

— Ne dis pas de bêtises ! Tu vas rester ici, avec moi. J'ai dormi par terre à notre arrivée à Ballarat, et j'ai recommencé à Creswick. Bien. Voyons un peu les provisions... Il nous faudra peut-être nous rendre à la boutique.

Jenny chercha le foyer des yeux. Il n'y en avait pas.

— Où vas-tu faire la cuisine ? s'étonna-t-elle.

— Dehors. Tu n'as pas vu le foyer ?

— Non... Ah ! Si ! Mais je n'avais pas compris que c'était pour la cuisine.

— En été, il est préférable de cuisiner dehors. Il risque de faire beaucoup trop chaud à l'intérieur de la tente si on y fait du feu. En hiver, c'est différent. Mais d'ici là, nous aurons une cabane en dur.

Jenny se décida ensuite à poser la question délicate :

— Selena, où sont les commodités ?

Selena parut un peu surprise.

— Je ne sais pas, répondit-elle. Il va falloir que nous les trouvions. Il y a un seau dans le coin de notre chambre, tu peux l'utiliser. Nous irons le vider quand nous aurons trouvé les cabinets d'aisances.

En dépit de sa répugnance à utiliser un seau, Jenny s'exécuta, soulevant à grand-peine jupe et jupon. L'humiliation lui fit monter les larmes aux yeux.

Si Selena le remarqua, elle n'en laissa rien voir.

— Allons aux commissions, proposa-t-elle. Il me faut de la viande et des épices.

Mais avant de mettre le cap sur la Grand-Rue, Selena fit le tour de la tente.

— Regarde, Jenny, père est merveilleux, tu ne trouves pas ? s'exclama-t-elle, enchantée. Il nous a construit nos propres commodités à l'arrière de la tente !

Elle indiqua une structure en écorce d'environ un mètre carré cinquante, munie d'une porte, en écorce également, posée sur une charpente de bois brut, à quelque distance de la tente.

Légèrement rassurée à l'idée de ne plus avoir à se battre avec le seau, Jenny se demanda comment se débrouillait le reste de la population. En effet, on ne voyait que fort peu de constructions semblables. Elle se remémora une conversation où il avait été question de l'utilisation de puits désaffectés. Assurément, cela expliquait en partie l'odeur pestilentielle qui lui faisait pincer les narines.

— Cette odeur... elle est toujours là ?

— Elle fait partie de l'été, comme la chaleur et la poussière. Mais ne t'inquiète pas, tu t'habitueras bientôt à tout ça. Tu ne remarqueras plus ce genre de choses.

Jenny se demanda avec inquiétude si elle y parviendrait jamais.

Elles passèrent devant l'échoppe du boucher. C'en fut trop. La vision et la puanteur de l'amoncellement d'abats recouvert de mouches eurent raison de sa détermination à tout supporter.

Son cœur se souleva. Incapable de se retenir, elle vomit, souillant le devant de sa jupe.

Gênée et honteuse, la vue brouillée par les pleurs, Jenny fit demi-tour et parcourut en trébuchant la distance qui la séparait de la tente.

Là, cachée aux regards, elle tomba à genoux, le visage enfoui dans ses mains et sanglota sans retenue.

À peine arrivée, elle était déjà découragée ! Comment allait-elle apprendre à faire face ? Qu'allait penser Selena ?

Son amie répondit à sa question informulée en lui caressant les épaules :

— Chut, Jenny. Tu n'as aucune raison de te mettre dans cet état.

— J'ai tellement honte... de moi...

— Il ne faut pas. C'est la première fois que tu tombes sur un spectacle aussi répugnant. Allez, oublie tout ça. Tu vas changer de jupe pendant que je nettoierai l'autre.

Jenny pensa à la dizaine de robes qui garnissaient son armoire à Langsdale. Passant mentalement en revue les soieries et les satins, les velours, les tissus écossais et les vichys qui avaient composé sa garde-robe jusqu'alors, elle éclata d'un rire mêlé de nouvelles larmes.

Une claque dûment administrée par Selena arrêta à la fois ses rires et ses larmes. Les yeux agrandis par le choc, elle porta la main à sa joue en feu.

— Excuse-moi, Jenny, dit Selena d'un ton qui ne contenait nulle trace de regret, mais tu devenais hystérique.

De nouvelles larmes jaillirent.

— C'est la première fois que je me laisse aller ainsi, avoua Jenny en s'efforçant de ravaler ses sanglots, et jamais je ne me suis sentie aussi misérable. Toi qui es plus jeune que moi, tu es tellement plus raisonnable ! J'ai commis une erreur en t'accompagnant. J'aurais dû écouter Connor.

Selena lui prit les deux mains.

— Non, c'est ton cœur que tu as écouté. Tu es venue parce que tu aimes Will et que tu ne veux pas l'attendre trop longtemps. Tu as bien agi. Il faut vous marier bientôt. Tout ira bien, tu vas voir.

— Je l'espère, répondit Jenny.

Puis une pensée étrange lui vint à l'esprit.

— Selena, reprit-elle, pourquoi dis-tu : « Il faut vous marier bientôt » ? Tu avais l'air si... Je ne sais pas... Comme s'il y avait une raison...

Elle ne termina pas sa phrase, incapable de mettre des mots sur l'urgence qu'il lui semblait avoir saisie dans les paroles de son amie.

— Tout ce que je voulais dire, c'était que vous êtes faits l'un pour l'autre, expliqua cette dernière. Allons, n'y pense plus. Je vais mettre ta jupe sale dehors. Sèche tes larmes et n'oublie pas que tu es déterminée à prouver à Will que tu peux faire face. Tu m'accompagnes à la boutique ?

Jenny esquissa un faible sourire.

— Pas si nous repassons devant l'échoppe du boucher.

328

— Tu préfères rester seule ici ? J'en ai pour moins d'une heure.

— Oh !

Jenny réfléchit. Aurait-elle peur, toute seule ? Il faisait jour, le soleil était haut dans le ciel. Peut-être cela serait-il une manière de mettre son courage à l'épreuve. Elle en avait bien besoin.

— Oui, je reste ici, dit-elle enfin. Je peux utiliser ton lit ?

— C'est ton lit. Je te le laisse. Et inutile de protester.

— Merci, Selena.

— La meilleure façon de me remercier, c'est de retrouver la détermination que tu sembles avoir perdue.

Avec une nouvelle tentative de sourire, Jenny promit :

— Je vais essayer.

Une fois seule, elle se reprit. Se leva. Se dit : Je veux que Will soit fier de moi. Je vais commencer par faire connaissance avec ma nouvelle maison, jusqu'au moindre détail. Après, j'irai découvrir les environs. Non, je vais d'abord nettoyer ma jupe moi-même. Ce ne doit pas être trop difficile.

Sa confiance en elle et sa bonne humeur tant admirées par Jenny abandonnèrent Selena au moment même où elle sortait de la tente, le cœur alourdi par le trouble qui habitait son esprit. Les fils de la prescience, aussi inconsistants que les tentacules quasi invisibles d'une méduse, s'entortillaient autour de ses pensées pour mieux les embrouiller.

Un jour, dans un avenir qui semblait dangereusement proche, ces fils se démêleraient, dévoilant des événements qui apporteraient le deuil et le chagrin à ceux qu'elle aimait. Et il n'y avait rien, rien au monde, pour les contrecarrer. Elle se dit alors que c'était elle, plus que Jenny, qui avait un besoin urgent de réconfort. Un réconfort qu'elle ne trouverait que dans les bras de son père.

Elle se dirigea vers l'endroit où elle pensait le trouver.

Elle contourna la tente des Baxter pour éviter de se retrouver engagée dans une conversation avec sa propriétaire. Devant celle des Collins, elle vit le puits abandonné, si profitable pour les trois frères. Selon ce qu'elle avait appris à Noël, ils étaient en train de creuser un nouveau puits sur le filon Eureka. Avec la diminution de l'activité minière pendant les mois d'été, elle n'aurait pas de mal à trouver l'endroit.

Le capitaine et Tommy étaient en train de faire passer des longueurs de bois scié à deux paires de mains qui sortaient d'un trou. Sans doute celles de Hal et de Will.

Au moment où il se redressait, son père l'aperçut.

— Selena !

— Père !

Elle se précipita vers les bras qu'il lui tendait, l'enlaça avec force, pressa sa joue contre la sienne. L'étreinte de son père se resserra.

— Il y a quelque chose qui ne va pas, ma chérie ? s'inquiéta-t-il.

— Ne vous tourmentez pas, père, répondit Selena en se dégageant. Ce n'est rien de plus que mes soucis habituels. Les mêmes que ceux qui me perturbent depuis plus d'un an.

— Tu t'es peut-être trompée ? Le temps a passé, depuis.

— Non, je ne me suis pas trompée. Cette chose terrible va se produire un jour ou l'autre. Mais je vais mieux maintenant que je vous vois.

Son père la serra encore brièvement contre lui, puis lui reprocha gentiment :

— Tu es censée être chez Mme Baxter, et pas ici, auprès de ton père !

— Vous devriez mieux me connaître ! Bonjour, Tommy, bonjour, Hal !

— C'est bon de te revoir, Selena.

— Bonjour, Selena ! lança Will, sortant du trou. Comment vas-tu ? Et comment vont-ils, à Langsdale ?

— Tout le monde va bien, et ils vous envoient le bonjour. Père, je suis allée voir notre tente.

— Ah, toujours aussi impatiente ! Ta nouvelle maison te plaît-elle ?

— Elle sera suffisamment confortable pour l'été. Nous avons simplement besoin d'un deuxième lit pour ma chambre. Nous avons une locataire.

— Une autre jeune fille ? Où l'as-tu rencontrée ?

— Selena ! intervint Will d'une voix coupante. C'est Jenny qui est venue avec toi ?

— Oui.

La colère qui envahit le visage de Will fit hausser les sourcils à ses frères.

— Tu ne l'as pas empêchée de venir ? Pourquoi ? Pourquoi est-ce que Connor ou Meggan ne l'en ont pas empêchée non plus ?

— Jenny n'a pas voulu les écouter. Elle était déterminée à venir.

— Jenny n'est pas à sa place ici. Ce n'est pas une vie pour une femme de sa condition.

— Peut-être qu'elle veut justement prouver le contraire, rétorqua Selena. Père, pouvez-vous m'accompagner pour acheter un lit ?

Will jeta d'un ton furieux :

— Vous allez gaspiller votre argent. Il faut renvoyer Jenny chez son frère !

— Si tu te frottes à elle, Will, tu ne feras que renforcer son entêtement. Allez, venez, père, je ne voudrais pas faire attendre Jenny trop longtemps.

Après le départ de Selena et de son père, Hal regarda le visage courroucé de son frère.

— Will, qu'est-ce que tu nous as caché ?

— Qu'est-ce que tu veux dire ?

— Qu'il y a quelque chose entre toi et Jenny Tremayne.

— Oh, le gros malin ! railla Tommy. Où t'avais les yeux pendant la fête de Noël ? Tu n'as pas vu comment ils se regardaient tous les deux ?

— Notre frère et Jenny Tremayne ! s'exclama Hal en arborant une expression de feinte désapprobation. Meggan, au moins, elle a appris à être une dame avant d'entrer dans le grand monde.

— Fermez-la, vous deux ! J'ai jamais dit que j'allais l'épouser.

— Mais tu vas le faire ? insista Hal.

— Si je le fais, ça sera pas vos oignons.

Sur ces mots, Will sauta au fond du trou, d'où s'éleva aussitôt un concert de coups de marteau.

Hal et Tommy se regardèrent, un large sourire aux lèvres. Leur grand frère était amoureux.

Il ne suffisait pas d'être déterminée.

Jenny fut perdue dès qu'elle se retrouva à l'extérieur, la jupe à la main. Devant la tente se trouvait une sorte de banc. Constitué de quatre gros piquets enfoncés dans le sol et surmonté d'un large morceau de bois brut cloué dessus, il semblait servir de table à laver. Un morceau de savon était posé dans une soucoupe, une serviette était accrochée à une extrémité du banc et un baquet était appuyé contre l'un des montants, à côté d'un seau en bois. Mais d'où venait l'eau ? Elle ne vit rien qui pût servir de bassin.

Indécise, Jenny remit sa lessive à plus tard et résolut d'aller vider dans les commodités le contenu du seau qu'elle avait utilisé. Plus vite elle s'accoutumerait à ce genre de tâches répugnantes, plus vite elle s'habituerait à sa nouvelle vie.

Son séjour à Grasslands, la ferme d'Australie méridionale où elle avait eu un premier aperçu de la vie des éleveurs de moutons, puis dans la propriété de Connor, l'avait familiarisée avec l'aspect sommaire du siège qui recouvrait un trou creusé dans le sol. Elle vida son seau et, ne sachant où le rincer, le posa la tête en bas à côté du baquet.

— Bonjour ! lui souhaita une voix masculine derrière elle. Vous venez d'arriver, hein ?

Jenny se retourna. Un policier était en train de gravir la pente. Peut-être pourrait-il la tirer d'embarras.

— Bonjour, monsieur l'agent. Pourriez-vous me dire où je puis trouver de l'eau ?

— Agent Roberts, à votre service, mademoiselle... ?

Jenny poussa un petit cri de surprise. Le policier fronça les sourcils, puis l'examina attentivement. Un lent sourire se forma sur ses lèvres, un sourire qui la fit frissonner d'appréhension.

— Je veux bien être pendu si c'est pas Mlle Jenny Tremayne. Qu'est-ce qu'une grande dame comme vous fait dans la tente d'un chercheur d'or ?

— Je suis chez ma cousine et mon oncle. Ils vont bientôt revenir.

Grand Dieu ! Pourquoi lui avait-elle révélé qu'elle était seule ? Pouvait-on faire confiance à un homme qui avait laissé sa femme se noyer ? Elle l'avait trouvé plutôt charmant, à Burra, quand elle avait fait sa connaissance, mais Will n'avait-il pas déclaré que Tom Roberts haïssait les Tremayne et les Trevannick ?

La manière dont il la dévisageait avec un sourire en coin en semblant réfléchir n'était pas faite pour la rassurer. Elle observa brièvement les alentours d'un regard circulaire. Personne. Ils étaient seuls. Viendrait-on à son secours si elle criait ? Mais il ne lui avait pas fait de mal... Le mieux était peut-être de lui tourner tranquillement le dos et de partir comme si elle avait à faire.

— Je crois que vous trouverez de l'eau dans ce tonneau, là-bas, sous les buissons.

Jenny regarda dans la direction qu'il lui montrait. À l'ombre parcimonieuse prodiguée par un arbre malingre, elle aperçut un tonneau en chêne protégé du soleil par des morceaux d'écorce.

— Oh, merci.

— À votre service, mademoiselle Tremayne.

Le policier s'éloigna. Jenny poussa un soupir de soulagement. Elle qui avait espéré ne jamais rencontrer cet être malfaisant à Ballarat ! Elle devinait confusément que, maintenant qu'il connaissait sa présence, il rôderait souvent à proximité. Et elle ne pourrait faire grand-chose pour l'éviter... Oh, et après tout, que lui importait cet homme !

Jenny souleva le baquet et entreprit d'aller chercher l'eau au tonneau. Elle s'aperçut alors qu'elle disposait tout juste d'assez de forces pour porter le baquet rempli à moitié. Elle ignorait que l'eau pesait si lourd. Chez elle, au manoir, les bonnes ne semblaient avoir aucune difficulté à monter et descendre les escaliers en portant des seaux remplis à ras bord.

De toute façon, mieux valait peut-être éviter de prendre trop d'eau sans savoir de quelle source elle provenait. Elle avait bien appris sa leçon à Grasslands, puis chez Connor : l'eau était à utiliser avec parcimonie dans ce pays sec. Elle se servirait de son eau de lavage pour rincer le seau des commodités.

Contente d'avoir pris cette résolution, Jenny étala sa jupe sur la table à laver, prête à réparer les dégâts. L'odeur qui imprégnait le tissu évoqua le souvenir nauséabond du tas pourrissant qui décorait l'avant de l'échoppe du boucher. Son estomac se souleva. Elle porta vivement la main à la bouche et déglutit péniblement, en s'enjoignant de retenir sa respiration...

Mais en reprenant haleine, elle eut un nouveau hoquet. Les larmes jaillirent. Qu'elle était faible ! Que Selena était forte ! Comment faisait-elle donc ?

Jenny serra les dents, retint son souffle entre deux petites inspirations par la bouche, et se mit à laver sa jupe.

Ensuite, apercevant deux cordes tendues entre les arbres sous lesquels se trouvait le tonneau d'eau, elle y suspendit le vêtement mouillé.

Cela fait, après avoir rincé le seau et replacé le baquet à sa place, elle posa les mains sur ses hanches et, avec une énergie renouvelée, embrassa du regard les tentes et les cabanes disséminées autour d'elle. Et voilà ! se dit-elle. Tout le monde va être étonné. Je vais leur prouver à tous qu'ils se trompent. Will va être très fier de moi.

Au même moment, Selena était en train de dire à son père :

— Comme vous, Connor et Meggan pensent que Jenny va renoncer au bout d'une ou deux semaines, si ce n'est un jour ou deux, mais elle est beaucoup plus forte qu'on ne croit.

— En ce qui me concerne, je ne suis pas convaincu que cette fille soit taillée pour notre vie. Pourquoi ne pas attendre qu'elle fasse ses preuves avant d'acheter un autre lit ? Tu peux dormir dans le mien. Il suffit que je me fabrique un matelas, et je dormirai dehors. Ce sera comme sur le pont de l'*Island Princess* les nuits d'été.

— Non. Jenny va penser qu'elle vous gêne. Il nous faut un autre lit.

— Comment lui est venu ce désir de venir vivre ici ? Tout de même, tu me dois une explication.

— C'est parce que Will l'a demandée en mariage.

Le capitaine lança un regard inquiet à sa fille, qui se hâta de le rassurer :

— Ne vous inquiétez pas, tout va bien pour moi. Will pense qu'ils devraient attendre, le temps qu'il lui construise une grande maison confortable. Mais il lui a dit que cela pourrait prendre deux ans. Jenny n'a pas envie d'attendre.

— Je commence à comprendre.

— Si Jenny montre qu'elle est capable de vivre sur les champs aurifères, rien ne les empêchera plus de se marier tout de suite.

— Et toi, ça ne t'ennuie pas ?

— Non. Will et Jenny s'aiment.

— Toi aussi, tu aimais Will.

Selena parvint à faire un beau sourire et répondit :

— Vous l'avez dit vous-même, je suis encore jeune. Alors, père, consentez-vous à l'acheter, ce lit ?

— Seulement si tu me jures que tu n'as pas le cœur brisé.

— Oui, père, je vous le jure. Je n'ai pas le cœur brisé.

Lourd, mais pas brisé. Mais elle ne comptait pas perturber son père en lui révélant une chose qu'elle ne voulait pas savoir elle-même.

— Très bien. Si Jenny doit rester avec nous, je crois qu'il faut nous procurer plus qu'un simple lit.

Environ deux heures après que Selena l'eut quittée, laps de temps que Jenny mit à profit pour inspecter son nouveau foyer et ses alentours par le menu, un bruit de voix l'attira à l'extérieur.

Du seuil, elle vit Selena et Mme Baxter s'approcher, les bras chargés.

— Tu vas avoir une grande surprise ! lui promit Selena. Madame Baxter, débarrassons-nous de tout cela dans la tente.

La brave voisine posa sur la couche de Selena un paquet dont Jenny supposa qu'il s'agissait principalement de linge de lit.

Selena posa ses paquets sur la table, avant de déballer un morceau de viande qu'elle plaça sur une assiette avant de la recouvrir d'un morceau de gaze.

— Pour tenir les mouches à l'écart, expliqua-t-elle.

À l'association des mouches et de la viande, Jenny sentit monter l'amorce d'une nausée. Serait-elle donc incapable, désormais, de manger de la viande ?

Par bonheur, Mme Baxter détourna son attention en annonçant :

— Les gars sont là, je les entends !

Heureuse d'échapper à la vue de la viande crue, Jenny suivit Mme Baxter à l'extérieur. Le capitaine Trevannick, accompagné de trois garçons et de celui qu'elle supposa être M. Baxter, était en train de se rafraîchir à l'aide d'une chope d'étain qu'ils trempaient dans le tonneau empli d'eau.

— Ainsi, Jenny, l'apostropha le capitaine, vous avez décidé de vous joindre à nous ?

— J'espère que vous n'y voyez pas d'inconvénient, répondit-elle.

— Selena me dit que vous êtes résolue à rester. Nous allons donc rendre la maison un peu plus adaptée pour deux jeunes dames. M. Baxter et les garçons vont nous aider.

— Ravi de faire votre connaissance, mam'zelle, dit M. Baxter.

Les trois garçons lui sourirent timidement.

— Ah, voilà la charrette ! s'exclama le capitaine en suspendant la chope à une branche, au-dessus du tonneau d'eau. Il est temps de se mettre à la besogne, les garçons !

Le cœur de Jenny se mit à battre à tout rompre. C'était Will qui conduisait la voiture. Hal et Tommy étaient assis à l'arrière, jambes pendantes. Ils sourirent et la saluèrent de la main. Will était renfrogné. Jenny se mordit la lèvre. Lui en voulait-il ?

Elle ne fut pas longue à avoir sa réponse.

Il sauta de la charrette et vint se planter devant elle en lui décochant un regard furieux qui l'obligea à baisser les yeux. Oui, il était en colère.

— Sacré bon Dieu ! s'écria-t-il. Qu'est-ce que c'est que cette idée idiote ?

Elle releva aussitôt les yeux. De quel droit se permettait-il de lui lancer des jurons à la figure ?

— Will ! s'insurgea-t-elle.

— Oui, c'est une idée sacrément idiote, et je ne vais pas m'excuser d'utiliser ce langage.

Hal s'avança alors pour intervenir :

— Si vous voulez vous bagarrer, allez le faire ailleurs. Nous, on veut rien entendre.

Jenny sentit ses joues devenir chaudes, puis brûlantes, lorsque Will, après avoir marmonné une imprécation à l'adresse de son frère, l'attrapa par la main pour l'entraîner à l'arrière de la tente, hors de vue. Déjà, les larmes jaillissaient.

Will jura derechef, jeta un coup d'œil à la ronde, puis l'attira dans ses bras et l'embrassa avec force. Jenny se sentit fondre. Puis, avec un grognement, il la repoussa doucement. Elle le regarda droit dans les yeux.

339

— Will, je ne veux pas attendre pour me marier. Je vais vous prouver que je n'ai pas besoin d'une magnifique demeure. Je vais apprendre à vivre votre vie.

— Jenny, Jenny, vous n'avez pas besoin de me prouver quoi que ce soit !

— Êtes-vous prêt à m'épouser demain, ou la semaine prochaine ?

— Non. Cette vie est trop rude pour une femme élevée dans le grand monde.

— Un jour, je vous ai traité d'entêté et d'idiot. Décidément, vous n'avez pas changé. Mais je peux être aussi entêtée que vous. Je reste.

Sur ce, elle le planta là et alla rejoindre les autres. Selena, occupée à mettre du petit bois dans le foyer pour allumer le feu, lui jeta un regard interrogateur.

Jenny fit la grimace.

— Il n'est pas d'accord, bien sûr ! Eh bien, ça me stimule encore plus. Il finira bien par reconnaître qu'il se trompe. Dis-moi, Selena, quelle effervescence ! Qu'est-ce qu'ils font donc, à côté ?

Selena attendit pour répondre que le feu eût pris. Après avoir mis la grosse bouilloire à chauffer, elle sourit.

— Ils se préparent à monter deux tentes supplémentaires, une pour père, et la grande, pour nous. Ainsi, nous serons mieux installées et notre intimité sera préservée.

— Cela prendra beaucoup de temps ?

— Non. Ici, on est passé maître dans l'art de monter, démonter, déplacer les tentes et les cabanes. Ce sera fini ce soir. Nous allons tous dîner ensemble : les Baxter, Will et ses frères, et nous trois. Mme Baxter est retournée chez elle préparer quelque chose de son côté. Moi, je vais t'apprendre à faire la cuisine dehors.

À la surprise de Jenny, l'après-midi n'était pas terminé que, déjà, trois tentes, dont l'une dotée d'une cheminée en bois brut et en brique, se dressaient sur le terrain. Quelques heures auparavant, Will et le capitaine étaient retournés dans la Grand-Rue et en étaient revenus avec un lit en fer et un matelas pour Jenny. Ils en avaient également rapporté une grande table pour la tente-cuisine. Les deux sièges de la tente principale rejoignirent deux nouvelles chaises autour de la table.

Le dîner de fête, composé d'agneau et de pommes de terre rôtis, accompagnés d'oignons et de *damper* frais, fut pris autour du foyer sur lequel avait mijoté le repas préparé par Selena, sous l'œil de Jenny qui prenait sa première leçon. L'arôme appétissant de la viande qui cuisait dans une énorme marmite en fonte au-dessus des braises avait apaisé l'estomac révolté de la jeune fille. Comme les autres, elle mangea de bon appétit et, comme les autres, essuya le jus de son assiette avec un morceau de *damper*.

La contribution de Mme Baxter arriva sous la forme d'une tarte au raisin recouverte de flan confectionné avec des œufs de ses poules et du lait frais en provenance directe de la vache d'une voisine.

Le plaisir qu'avait pris Jenny au repas fut légèrement terni lorsqu'elle comprit qu'on attendait d'elle qu'elle aide Selena à laver les plats et à récurer les marmites. Mme Baxter, pendant ce temps, se reposerait avec les hommes.

— Vous, les jeunes, vous allez faire la vaisselle, décréta-t-elle. Moi, je profite de l'occasion pour y échapper ce soir.

Selena l'y encouragea :

— Bien sûr, madame Baxter. Nous aurons fini en un rien de temps.

C'était la première fois que Jenny plongeait ses mains dans une bassine d'eau brûlante et graisseuse. Alors qu'elles en étaient à la moitié, Will annonça qu'il rentrait. Ses frères décidèrent de l'accompagner. M. Baxter invita alors les siens à prendre également congé. On se souhaita mutuellement le bonsoir tandis que Jenny, le dos à demi tourné, attendait que Will vienne lui parler en particulier. Il ne le fit pas.

Dans un geste rageur, elle sortit si soudainement l'assiette qu'elle venait de laver qu'elle arrosa Selena au passage.

— Oh ! protesta cette dernière. Fais donc attention !

— Excuse-moi, Selena. Mais Will ne m'a même pas dit au revoir.

— Ne sois pas trop fâchée. S'il ne cède pas, c'est par amour pour toi, pour t'éviter justement ce que tu es en train de faire.

— Il se trompe. Je ne veux pas être mise sur un piédestal ! Écoute-moi bien : puisque c'est moi qui lui ai fait ma demande, sachant que lui ne l'aurait jamais faite, je vais continuer sur ma lancée. Nous serons mariés avant l'hiver.

Plus tard, quand Jenny se fut retirée dans leur tente, Selena s'assit sur une des pierres près du feu. Son père vint la rejoindre et ils contemplèrent tous deux la danse des flammes.

— Un sou pour les connaître, dit-il.

— Mes pensées ? devina Selena sans quitter le feu des yeux.

— J'espère que ce ne sont que des pensées, pas des visions.

— Je pense aux visions.

— Tu as envie d'en parler ?

— Ne vous êtes-vous pas demandé pourquoi je ne suis pas morte de chagrin quand j'ai appris que Will et Jenny allaient se marier ?

— J'ai supposé que tu avais compris que tes sentiments n'étaient qu'une inclination passagère.

Selena releva la tête avec vivacité et se tourna vers son père.

— Non, père. J'aime sincèrement Will. À sa manière, il m'aime aussi, mais il aime encore plus Jenny.

— Donc, tu acceptes de bonne grâce de t'effacer ?

Elle poussa un profond soupir et acquiesça :

— Oui. Parce que je sais que le jour viendra où Will et moi serons ensemble.

Le capitaine se tut quelques instants, puis murmura :

— Je vois.

Selena regarda son père droit dans les yeux.

— Promettez-moi que vous ne répéterez jamais ce que je viens de vous dire. Je vous l'ai confié uniquement parce que le poids de ce que je sais est trop lourd à porter seule.

Le capitaine enlaça les épaules de sa fille.

— Je ne dirai rien. Promis.

5

La chaleur se poursuivit pendant tout le mois de janvier. Parfois, Jenny avait le sentiment de faire parfaitement face aux rigueurs de la vie sur les champs aurifères. Pour preuve, elle réussissait même à passer devant l'échoppe du boucher sans haut-le-cœur. À d'autres moments, elle pleurait de frustration, s'apitoyant sur son sort, mais toujours en l'absence de témoins.

Elle souffrait continuellement du dos, et ses mains, si douces autrefois, devenaient rugueuses. Ses vêtements et ses cheveux étaient imprégnés de l'odeur du feu sur lequel elle faisait la cuisine. La plupart du temps, elle se sentait crasseuse à force de porter la même robe jour après jour, et de ne pas pouvoir prendre de bain faute d'eau, à part quand il pleuvait. Alors, ils sortaient des récipients pour recueillir l'eau de pluie et leur réservoir, un trou de soixante centimètres de profondeur tapissé de toile, se remplissait. Et même dans ce cas, le précieux liquide était utilisé avec parcimonie. Car qui pouvait prédire le retour de la pluie ?

Quand il pleuvait, la poussière était remplacée par la boue, de sorte qu'on ne pouvait pas passer de la tente-cuisine à la tente-chambre sans se crotter les souliers et souiller le bas de sa jupe. Quand la pluie cessait, elle laissait derrière elle une moiteur telle que la transpiration tachait le corsage. Jenny se languissait bien souvent de sa vie d'autrefois et regrettait amèrement le luxe qu'elle avait connu. Ah, se tremper dans un bain parfumé et changer de robe chaque jour ; parfois même plusieurs fois par jour, pour l'après-midi et la soirée... !

Rien de tout ce qui était pour elle une épreuve ne semblait affecter Selena, pas plus que les jeunes femmes qu'elle rencontrait de temps à autre. Mais sa détermination l'emportait sur son désir récurrent de retrouver le confort de Langsdale, d'autant que Will continuait à insister pour qu'elle retourne auprès de son frère.

« Je vous ai dit que je vous épouserais, et je le ferai, affirmait-il.

— Quand, Will ? Quand m'épouserez-vous ? La semaine prochaine ? Le mois prochain ? Quand ? Combien de temps dois-je rester ici avant que vous compreniez que je n'ai pas besoin d'avoir une belle maison ? Je n'ai pas besoin d'attendre d'être mariée pour partager la vie que vous menez. »

Mais c'était peine perdue. Chaque fois qu'ils se voyaient, c'est-à-dire quasi quotidiennement, il la pressait de retourner chez Connor. Chaque fois, elle refusait, car le capitaine lui avait confié que Will, même s'il ne voulait pas la voir sur les champs auri-fères, admirait son courage. Mais rien n'amenait cet entêté à choisir une date pour leur mariage. Jenny se lassait d'attendre.

— Il m'arrive de penser que vous ne m'aimez pas, lui dit-elle un jour.

— Si, je vous aime.

— Vous m'aimez comme une femme qui devra partager votre vie et votre lit, ou comme un trophée ?

— Dites donc, qu'est-ce que vous entendez par là ?

— Vous êtes en colère ? Moi aussi. Je veux être votre femme pour tout partager avec vous, les bonnes choses comme les mauvaises, mais vous m'avez mise sur un piédestal et vous voulez m'y laisser. Moi, je suis descendue de ce piédestal parce que c'est ici que je veux être. Avec vous.

— Moi aussi, je vous veux à mes côtés. Mais vous savez bien que je ne peux pas vous prendre dans la petite cabane que je partage avec mes frères. Nous devons être patients.

— Soyez patient tant qu'il vous plaira. Quant à moi…

Pendant un certain temps, ils gardèrent un silence contrarié. Jenny, bras croisés, regardait au-delà de Will, faisant mine d'ignorer sa présence. Dire que c'était l'être le plus têtu de la terre et qu'elle avait été assez stupide pour tomber amoureuse de lui dès le premier jour, et que cela durait depuis trois ans !

Will, de son côté, souffrait sincèrement de voir Jenny lutter pour s'adapter à la vie des mineurs. Malgré ses protestations, il savait que ce n'était pas chose facile pour elle. Si seulement elle acceptait de retourner auprès de Connor ! Il serait moins inquiet en la sachant à l'abri. Il mourait d'envie de la tenir dans ses bras, de baiser ses adorables lèvres boudeuses. Oui, il voulait la prendre pour femme, il avait besoin d'elle à ses côtés…

Ce fut lui qui rompit le silence, en saisissant la tête de sa belle de manière à la regarder au fond des yeux :

— La patience n'est pas dans mon caractère non plus, ma chérie. Mais vous voir vivre de cette façon me fait de la peine... Arrêtez de me regarder comme ça !

Il baissa la tête et, sans tenir compte des éventuels regards curieux, effleura ses lèvres d'un baiser.

— Nous nous marierons dès que possible, promit-il.

— Oh !

La moue fit place à un sourire radieux.

— À une condition : que vous retourniez vivre à Langsdale, poursuivit-il.

Le sourire radieux s'effaça dans un cri d'indignation :

— Non ! Je n'y retournerai pas ! Nous n'allons pas vivre chacun de notre côté tout en étant mariés !

— Je pourrais venir vous voir toutes les semaines. J'aurais dû y penser avant ! Je vous en prie, ma chérie ! Reconnaissez que vous détestez cette vie. Inutile que vous cherchiez à me prouver quoi que ce soit pour que je vous aime

Jenny réfléchit. Peut-être qu'une fois marié, Will s'apercevrait qu'il ne peut vivre sans sa femme, qu'il ne peut se contenter de la voir une nuit par semaine. Elle était presque certaine que ses deux frères accepteraient de leur fabriquer une cabane. Avec la transformation de la tente du capitaine et de Selena, elle avait été témoin de la rapidité avec laquelle on construisait sa maison dans les mines. Et elle en avait eu maint autre exemple.

347

— Très bien, dit-elle. J'accepterai de vivre chez Connor. Au moins un certain temps.

— Parfait. Allez donc faire vos adieux à tout le monde, pendant que moi, je vais de ce pas chez le pasteur prendre toutes les dispositions.

— Mes adieux ?

Will sembla perturbé par son trouble.

— Eh bien… je vous ramène à Langsdale immédiatement, expliqua-t-il.

— Ah non ! Certainement pas ! J'ai accepté d'y retourner après notre mariage, pas avant !

Et elle ne changea pas d'avis.

Ils se séparèrent en total désaccord, chacun persuadé de la mauvaise volonté de l'autre.

Dès le moment où il avait reconnu Jenny Tremayne, le policier Tom Roberts avait acquis la conviction qu'il allait bientôt pouvoir se venger du mal que lui avait fait cette maudite famille Tremayne en Cornouailles en 1845. Il n'avait pu réaliser le plan concocté à Burra, à l'époque où Trevannick et la fille Tremayne séjournaient dans le district. Dans un premier temps, il avait été fortement contrarié d'avoir été privé de sa vengeance, puis il avait enfoui son projet dans un coin de son cerveau.

Lorsqu'il avait vu apparaître le capitaine Trevannick et sa fille à Ballarat, son désir de vengeance avait resurgi. En apprenant l'identité de son prisonnier, ce fameux jour, son allégresse avait été telle qu'il avait failli éclater de rire et il s'était offert la satisfaction d'enchaîner un Trevannick à un tronc d'arbre. Mais, une fois de plus, son plaisir avait été gâché par ce satané Will Collins.

En ouvrant grands les yeux et les oreilles, Tom n'avait pas tardé à découvrir la raison de la présence de Jenny Tremayne sur les champs aurifères. Il avait également appris que, depuis longtemps, Connor Trevannick possédait un élevage à proximité. La vie les avait donc à nouveau réunis ! Seuls manquaient à l'appel Rodney Tremayne et Caroline Collins, les deux traîtres qui avaient brisé le bonheur auquel il avait droit.

Caroline avait payé ses péchés de sa mort. Quant à Rodney Tremayne, il paierait par l'intermédiaire de sa sœur.

Tom savait déjà comment assouvir cette part de la vengeance. Il lui restait à trouver comment faire payer le reste de la famille. Meggan pour avoir repoussé ses avances, Will pour avoir été témoin de la manière dont était morte Milly.

Lorsqu'il apprit que Meggan était mariée à Connor Trevannick et que Will prévoyait d'épouser Jenny Tremayne, il ne se sentit plus de joie.

Trop occupée par ses efforts d'adaptation et ses idées de mariage, Jenny n'avait pas pensé à parler de sa rencontre avec Tom Roberts. Ce dernier lui était presque immédiatement sorti de l'esprit.

Le lendemain du jour où elle avait extorqué à Will son consentement pour leur prochain mariage, elle écrivit une courte lettre à Connor et Meggan afin de leur annoncer la nouvelle.

Je voudrais que notre mariage ait lieu à Langsdale, et que ce soit Connor qui me donne à Will.

349

Je suis très heureuse, et j'attends avec impatience
que Will m'indique la date exacte.

Votre sœur affectionnée,

Jenny

Une fois la lettre cachetée, Jenny alla la porter au bureau de poste. Le facteur distribuait le courrier aux éleveurs de moutons une fois par semaine. Il partirait faire sa tournée le lendemain matin.

Devant le bureau de poste, elle tomba sur le policier Roberts. Celui-ci porta la main à sa casquette.

— Bien le bonjour, mademoiselle Tremayne.

Jenny répondit en inclinant la tête et poursuivit son chemin. Mais l'homme l'arrêta en lui posant une main sur le bras. Décochant un regard furieux à cette main inopportune, puis à son propriétaire, elle toisa celui-ci de toute sa hauteur.

— Enlevez cette main, lui ordonna-t-elle.

Il ne remua pas le petit doigt.

— Ça se pourrait, mais d'abord il faut écouter ce que j'ai à vous dire.

— Vous n'avez rien à me dire qui pourrait m'intéresser.

— Je crois que si. Y a une chose que vous savez pas sur votre frère Rodney. Je sais pourquoi il a quitté Pengelly.

Le cœur de Jenny se mit à battre plus vite. L'homme disait-il la vérité ? Comment pouvait-il la connaître, si son père d'abord, puis Connor, et jusqu'à Rodney lui-même, avaient refusé de l'éclairer ?

— Je ne vous crois pas.

350

Tom sourit intérieurement. Son intuition ne l'avait pas trompé. Cette oie blanche n'était pas au courant des trivialités de la vie. Il s'amusa à exciter encore un peu plus sa curiosité.

— Je sais aussi pourquoi Caroline Collins s'est suicidée, poursuivit-il. C'est à cause de votre frère.

— Non, ce n'est pas vrai.

Et pourtant... Et si c'était la vérité ? Jamais jusqu'alors elle n'avait eu l'idée de faire le rapprochement entre la disparition de son frère et la triste fin de Caroline Collins. À l'époque, elle avait été malheureuse et perturbée par le départ précipité, sans un adieu, de Rodney. Et voilà que cet homme insinuait que les deux événements étaient liés. Meggan connaissait-elle ce secret, le lui avait-elle caché ? Et Will ? Savait-il ?

Il fallait en avoir le cœur net.

— Parlez, dit-elle.

— Ah, vous voulez savoir, maintenant, hein ? Mais pas ici. Ce que j'ai à vous dire, ça se raconte pas là où y peut y avoir des oreilles indiscrètes.

— J'aimerais savoir ce que vous croyez savoir.

— Moi, ce que je sais, c'est la vérité, c'est pas des racontars. Si vous voulez vraiment entendre ce que j'ai à dire, vous feriez mieux de me suivre.

— Je ne crois pas pouvoir vous faire confiance, objecta-t-elle, tiraillée entre la curiosité et la prudence.

— Vous savez... Jenny, moi, je dis comme ça que vous feriez bien de connaître la vérité avant d'épouser Will Collins. Après, ça sera trop tard.

Elle hésita encore. Trop tard pour quoi ? Que savait exactement Tom Roberts ?

Son instinct, toutes les fibres de son corps lui dictaient de ne pas faire confiance à cet homme.

Mais, depuis neuf ans, elle se demandait quelle était la faute commise par Rodney, assez terrible pour qu'elle se voie refuser toute réponse à ses questions. Si cela concernait Will et sa famille, elle avait le droit de savoir. Et connaissant le caractère obstiné de Will et de Meggan, elle doutait fort d'apprendre un jour la vérité par leur bouche. Quant à Connor, elle avait renoncé depuis des années à lui demander des éclaircissements.

— Très bien. Je vous suis, si j'ai votre promesse que je ne cours aucun risque.

— Sur mon honneur de policier !

Ils n'allèrent pas très loin. Jenny le suivit sans mot dire jusqu'à une tente miteuse devant laquelle une grosse femme négligée sentant l'alcool les accueillit d'un air rogue.

— J'ai quelque chose à dire en privé à cette dame, dit Tom.

La souillon examina Jenny d'une manière telle que cette dernière s'empourpra et s'apprêta à tourner les talons. Mais Tom la rattrapa par le bras en disant :

— Vous occupez pas de cette vieille garce.

Il souleva le rabat de la tente et, du geste, invita Jenny à entrer.

L'intérieur empestait encore plus que sa propriétaire. Jenny porta son mouchoir à ses narines. Malgré tout, la présence de la créature malpropre sur le seuil la rassurait. En quoi elle se trompait, car elle n'avait pas entendu le policier lui intimer à voix

352

basse de déguerpir si elle tenait à poursuivre son commerce illicite.

D'un ton sec, Jenny enjoignit à Roberts de parler enfin.

— Vous feriez peut-être bien de vous asseoir, proposa-t-il en désignant le lit aux couvertures grises de crasse.

Jenny ne daigna même pas suivre son geste des yeux.

— Je vais rester debout, dit-elle.

L'autre répondit par un haussement d'épaules. Puis il se lança dans son récit, travestissant les histoires d'amours tragiques en sordides affaires de fornication. Jenny l'écouta avec une consternation grandissante. Pas un instant elle ne mit en doute la véracité de ses paroles. Caroline Collins était en réalité sa demi-sœur et celle de Rodney ; Rodney et Caroline avaient été amants ; Caroline s'était tuée en découvrant qu'elle était enceinte… Avait-elle découvert leur parenté ?

Le choc était trop rude à encaisser. Jenny se laissa tomber sur le lit, hébétée. Elle ne s'aperçut pas que Tom s'était installé à côté d'elle avant le moment où elle sentit son bras autour de ses épaules. Elle tourna la tête d'un mouvement vif pour le chasser, mais, au même instant, il la fit basculer en arrière et elle se retrouva sur le dos, sa bouche sur la sienne.

Terrifiée, elle se débattit, mais en vain. Ses cris furent étouffés par une main lourde, brutale, et ses sanglots semblèrent faire la joie de son agresseur. Sa répulsion lorsque les mains rugueuses s'introduisirent sous ses jupes pour forcer son intimité ne fut qu'un avant-goût de ce qu'elle ressentit ensuite. Elle

353

hurla de douleur, fut réduite au silence par une gifle assenée avec force.

Elle sombra dans l'inconscience.

Lorsqu'elle revint à elle, elle était seule. Le corps martyrisé, la bouche enflée, les joues ruisselantes de larmes, elle avait l'esprit vide, hormis cette seule pensée : j'ai été violée par Tom Roberts.

Elle resta prostrée sur le lit crasseux.

La grosse femme revint. La voyant allongée, elle l'attrapa par le bras et la remit rudement debout.

— Fous l'camp d'ma tente, sale traînée. Va faire ton tapin ailleurs.

D'une violente poussée, elle la flanqua dehors.

Désorientée, Jenny s'éloigna en titubant et se mit à errer sans but, la tête emplie d'images d'horreur et de douleur. Elle ne savait depuis combien de temps elle marchait ainsi lorsqu'elle entendit une voix s'exclamer :

— Oh, mon Dieu ! Qu'est-ce qui vous est arrivé ?

Le bras qui vint entourer ses épaules appartenait à Mme Baxter. Jenny leva les yeux sur ce visage plein de gentillesse et les larmes reprirent de plus belle.

— Là, là, mon enfant. Venez. Ne dites rien, dit la voix consolante.

Dans sa tente, Mme Baxter mit au lit la jeune fille frissonnante et l'enveloppa avec douceur dans les couvertures.

— Vous êtes sous le choc, mon enfant, dit-elle. Vous devez rester au chaud. Je vais vous apporter du thé.

Jenny parvint à acquiescer d'un signe de tête.

Elle tremblait de froid. Quand Mme Baxter revint avec le thé, elle lui tint la main et la força à boire jusqu'à la dernière goutte. Puis elle posa la tasse et recouvrit chaudement Jenny en lui demandant :

— Vous vous sentez mieux, mon enfant ?

— Oui, merci, répondit Jenny d'une voix assourdie avant de fermer les yeux.

Mme Baxter garda la main de la jeune fille dans les siennes jusqu'à ce qu'elle s'endorme, grâce au laudanum dont par bonheur elle ne se séparait jamais. Peut-être la pauvrette trouverait-elle le courage de désigner l'homme qui lui avait fait ça. Mme Baxter ne doutait pas qu'elle avait été violée.

Lorsque Jenny se réveilla, la tente baignait dans la lumière de la lampe. Selena était assise à son chevet. Les deux jeunes filles échangèrent un long regard. Jenny lut l'inquiétude dans les yeux bruns de Selena. Selena vit le désespoir qui voilait les yeux clairs de Jenny. Elle lui caressa tendrement la joue.

— Comment te sens-tu ? s'inquiéta-t-elle.

Jenny se contenta de secouer la tête en serrant les dents, tandis que les larmes perlaient à ses paupières.

— Madame Baxter, appela Selena d'une voix douce, Jenny est réveillée.

La brave femme apparut aussitôt et répéta la question de Selena. À nouveau, pour toute réponse, Jenny secoua la tête. Elle vit ses deux amies échanger un regard. Elles savaient. Elles n'avaient pas eu besoin qu'on le leur dise. Qui d'autre savait ? Pas Will ? Comment supporterait-elle que Will soit au courant ? Il se détournerait d'elle avec dégoût. Un nouveau flot de larmes jaillit.

Mme Baxter lui avait pris les mains.

— Jenny, la pressa-t-elle, il faut nous dire qui vous a agressée. Cet homme sera traîné en justice.

355

En justice ? Depuis quand les membres de la police des champs aurifères étaient-ils traînés en justice ? Will tuerait Tom Roberts s'il venait à découvrir ce qu'avait commis ce monstre. Et Will serait pendu comme meurtrier. Cette idée était insupportable.

Elle inspira à grand-peine, puis dit dans un souffle :

— Je ne le connais pas.

— Oh, quel dommage ! Vous êtes sûre ?

— C'est un étranger. Est-ce que... ?

Jenny détourna la tête, incapable de terminer sa phrase.

Ce fut la voix rassurante de Selena qui répondit :

— Personne ne sait ce qui s'est passé, sauf nous trois. C'est à toi de décider si d'autres personnes doivent être mises au courant.

— Personne. Je veux que personne ne le sache, surtout pas...

Une fois de plus, son nom refusa de sortir de sa bouche.

Et, à nouveau, ce fut Selena qui répondit :

— Will ne l'apprendra ni de Mme Baxter ni de moi.

Mme Baxter prit le relais :

— J'ai déjà dit à M. Baxter et à mes garçons que vous aviez fait une mauvaise chute. Si c'est ce que vous voulez, Jenny, c'est l'histoire qu'on racontera aux autres, y compris Will. Ça sera à vous de lui dire la vérité si vous le voulez.

— Merci à toutes les deux.

Dans les jours qui suivirent, Jenny découvrit la profondeur des sentiments de Will. Il paraissait fou d'inquiétude. Qu'aurait-il fait s'il avait connu la

356

vérité, et l'identité du criminel ? Elle pria pour qu'il n'apprenne jamais rien.

— Je vous ramène à Langsdale samedi. Là-bas, je saurai que vous êtes en sécurité.

Jenny refusa d'un ton calme :

— Il n'y a aucune raison. Les accidents peuvent arriver partout.

En réalité, elle craignait que ni Connor ni Meggan ne croient à une simple chute. Meggan serait sûrement aussi intuitive que Mme Baxter.

Aussi ridicule que cela pût être, elle se sentait en sécurité avec Selena et Mme Baxter. À chacun de ses déplacements, elle était accompagnée de l'une ou l'autre. Même si elle se refusait à parler de son drame, ses deux amies comprenaient ses silences, ce qui lui procurait un certain réconfort.

Mettre des mots sur l'horreur qu'elle avait vécue et qu'elle n'oublierait jamais lui était impossible. Comment avait-elle pu suivre cet homme, sachant ce qu'il avait commis dans le passé ? Comment avait-elle pu être folle au point de faire confiance à quelqu'un qui avait tué sa femme ? Sans compter que la raison de sa curiosité, le besoin de savoir ce qu'elle savait maintenant, lui faisait du mal. Elle regrettait de l'avoir appris. Malgré tout ce qui s'était passé, elle croyait que Tom Roberts lui avait dit la vérité.

Désormais, plus rien ne la poussait à se montrer à la hauteur. C'était sans importance. Chaque journée se suffisait à elle-même, n'avait aucun lien avec la précédente ou la suivante.

Jenny n'avait pas conscience de l'inquiétude de ses amis devant le changement qu'ils constataient en elle. Tous, ils souhaitaient la voir repartir à Langsdale.

Un jour, Will se mit en colère.

— Si vous m'aimiez, vous partiriez, gronda-t-il. Vous voulez que je me fasse des cheveux blancs à force de m'inquiéter pour vous ?

Devant son mutisme, il lui jeta :

— Est-ce que vous tenez à m'épouser ?

Son agressivité déstabilisa Jenny.

— Je... je vous aime toujours, affirma-t-elle.

Que dire d'autre, quand elle n'était plus sûre maintenant de se marier ?

Sa réponse ne calma pas Will pour autant :

— Qu'est-ce que ça veut dire : « toujours » ? C'est vous qui m'avez forcé à accepter d'avancer notre mariage...

— Oh !

— ... en refusant de quitter Ballarat avant que je vous épouse. Maintenant, je vous le dis, mademoiselle Tremayne : je ne vous épouserai pas tant que vous ne quitterez pas Ballarat.

Il pensait ce qu'il disait. Elle le voyait dans ses yeux.

Les mots s'échappèrent de sa bouche sans qu'elle y eût réfléchi :

— Peut-être que je ne veux plus vous épouser, Will Collins.

Et elle en ressentit un chagrin immense, mêlé à la honte, et à la pensée qu'il pût croire qu'elle disait la vérité.

Will, sans mot dire, se détourna et sortit.

Jenny brûla la lettre qu'elle n'avait jamais postée.

À la fin février, quand Meggan et Connor vinrent faire une visite à Ballarat, elle parvint à donner le change, aidée de Selena qui se montra une alliée loyale.

— Tu nous as prouvé que nous nous trompions, dit Meggan. Aucun de nous ne te croyait capable de supporter cette vie.

— Je reconnais que les premières semaines ont été difficiles.

— Et maintenant ?

— Jenny est devenue l'une de nous, affirma Selena, même si, en réalité, Jenny continuait à être rebutée par les aspects les moins engageants de la vie sur les champs aurifères.

— Qu'en pense Will ? Il est convaincu, maintenant ?

— Il pense que je devrais retourner à Langsdale.

— Donc, mon frère campe sur ses positions. Il reste convaincu que tu n'es pas à ta place ici.

— Moi, en tout cas, je lui ai dit qu'il n'était pas raisonnable, intervint Selena.

— Ah bon ? s'étonna Jenny.

— Qu'a-t-il répondu ? s'enquit Meggan, un sourire aux lèvres, s'imaginant la scène.

Selena avoua avec une grimace :

— Il m'a dit de m'occuper de mes affaires.

— C'est bien ce que je pensais ! dit Meggan en riant. Je te l'avais bien dit, Jenny. Quand mon frère a une idée en tête, impossible de le dissuader.

— Jenny et moi, nous allons nous y mettre à deux pour ce faire ! déclara Selena. Bien... donnez-nous les dernières nouvelles de Langsdale.

— Nous allons tous bien. Etty grandit merveilleusement bien. Elle commence à parler. Ned et Mme Clancy en sont fous.

Jenny se contraignit à demander :

— Comment va Agnes ? A-t-elle vu son frère ?

— Il me semble que son frère est le cadet de ses soucis. Je crois que c'est M. Benedict qui occupe toutes ses pensées.

— Une histoire d'amour ! s'écria Selena. Comme c'est romantique !

— Oui, Agnes est amoureuse. Il n'y a qu'à voir les étincelles qui brillent dans ses yeux quand M. Benedict est à la propriété.

Meggan se tut, eut un sourire secret, puis leva les yeux :

— J'ai encore une nouvelle : je vais avoir un enfant.

— Merveilleux ! applaudit Selena.

Jenny embrassa Meggan.

— C'est pour quand ?

— La naissance est prévue pour la fin du mois d'août, peut-être même le jour de mon anniversaire.

— Tu souhaites un garçon ou une fille ? demanda Selena.

— Connor doit espérer avoir un fils, supposa Jenny.

La conversation tourna alors entièrement autour de l'enfant à naître, et plus personne n'évoqua la question du mariage de Jenny et Will.

Le sujet n'avait pas non plus été abordé au sein du couple concerné, car ni l'un ni l'autre ne s'était excusé des paroles pleines de colère qu'ils avaient échangées.

Une semaine tout juste après sa visite à Ballarat, Meggan reçut une lettre de Jane Winton. Elle l'ouvrit fiévreusement, pressée de recevoir des nouvelles de sa chère amie et de Grasslands.

Ma chère Meggan,

Comme j'aimerais que tu habites plus près de moi, car j'ai cruellement besoin de tes conseils. Ce n'est pas un sujet dont je peux discuter avec Mme Heilbuth, malgré toute sa gentillesse, car elle ne connaît pas comme toi tous les détails de mon histoire.

Comme tu le sais, je suis restée en contact avec ma famille. Je considérerai toujours les Winton comme ma famille. Étant leur fille adoptive, j'ai passé presque autant d'années avec eux qu'avec mon peuple aborigène.

Anne et moi sommes réconciliées. Elle m'a entièrement pardonné ce que j'ai fait avec James. Pour moi, il n'est pas Rodney Tremayne. Je ne peux penser à lui, et je confesse que cela ne m'arrive que rarement, que sous le nom de James Pengelly. Après avoir rencontré Ernest French, Anne a découvert qu'elle n'avait jamais été amoureuse de James. Maintenant, je me demande si j'étais aussi amoureuse que je le pensais, quand je constate avec quelle facilité je l'ai chassé de mon esprit.

Il y a trois semaines, je suis descendue à Adelaïde pour une réunion de famille. Joshua n'y était pas, naturellement. Personne ne sait où il est, et d'ailleurs, personne ne s'y intéresse. Maman, papa, Adam, Anne et moi avons passé de merveilleux moments tous les cinq. Ernest venait nous rejoindre le soir, car il était occupé à son école dans la journée. Je l'aime beaucoup. Anne et lui s'accordent parfaitement.

Tout le monde adore Darcy. Il court partout et il commence à parler. Je suppose que ton Etty, qui a deux mois de plus que lui, fait de même. J'aimerais tant la revoir ! Elle n'avait que six mois quand vous êtes parties en Cornouailles. Je regrette terriblement que nos enfants ne puissent pas grandir ensemble. Je sais, c'est idiot.

Mais j'en arrive au sujet pour lequel j'ai besoin d'un conseil : Adam m'a demandé de l'épouser. Je ne devrais pas en être surprise. Quand je repense aux lettres qu'il m'a écrites, je comprends maintenant qu'il a cette idée en tête depuis longtemps. Moi, je croyais simplement qu'il souhaitait que je retourne à Riverview, de même que maman et papa. Je sais qu'ils aimeraient tous deux que je rentre à la maison. C'est moi qui me sens incapable de le faire.

Adam me dit qu'il est prêt à élever Darcy comme son fils. Il pense à lui comme à mon fils, et ne s'arrête pas au fait que l'enfant ait été engendré par James. Il a parlé aux parents de son intention avant de faire sa demande. Je crois qu'ils sont heureux pour lui à l'idée qu'il m'épouse et n'accordent aucune pensée à la différence raciale.

Meggan, ma chère amie, je ne sais pas ce que je dois faire. J'ai toujours bien aimé Adam, mais je ne crois pas que je l'aime. Ce n'est pas parce que j'ai été élevée comme sa sœur. Je n'ai jamais été proche d'aucun des garçons comme je l'ai été d'Anne, et je n'ai jamais éprouvé pour eux la profondeur de l'amour que je voue à nos parents.

Riverview me manque. Je crois que c'est le seul endroit au monde où je pourrai être vraiment heureuse. Je détonne dans la société européenne. Pense donc : une Aborigène civilisée qui a plus

362

d'éducation que bien des Blanches, et même bien des Blancs !

Les Heilbuth sont très bons pour moi et je n'ai pas à me plaindre de ma vie à Grasslands. L'année prochaine, les jumeaux auront huit ans et Barney partira en pension à Adelaïde. Il sera très dur pour Sarah d'être séparée de son jumeau, mais elle n'aura plus besoin de nounou. Les Heilbuth n'auront donc plus de raison de m'employer.

Je sais que tu vas dire que je devrais accepter la demande d'Adam, car, ainsi, mon avenir serait assuré. Par bien des aspects, c'est ce que je désire. Mais il y a une chose qui me retient.

Tu sais ce qui s'est passé avec Joshua, et tu sais comment j'ai quitté Riverview après qu'il m'a violée. À l'époque, j'ai juré de le tuer un jour. Je crois que ce jour arrivera. Je ne sais pas comment ni quand.

Meggan, comment pourrais-je épouser Adam si je suis presque certaine qu'un jour je tuerai son frère ?

Avec toute mon affection,

Jane

Meggan écrivit aussitôt sa réponse.

Ma très chère Jane,

C'est à toi, bien sûr, de prendre ta décision, et de faire ce que tu estimes être le mieux pour toi. Moi, je ne peux que t'écrire ce que je pense.

Adam est un homme bon, solide. J'ai deviné son affection pour toi le jour où il t'a amenée chez moi à Adelaïde. Avec Adam pour mari, tu

363

n'aurais plus jamais à t'inquiéter de ton avenir. Il prendrait toujours bien soin de toi et de votre fils. Tu avoues que tu te languis de Riverview. Je crois qu'épouser Adam est la solution idéale.

Ne te laisse pas décourager par le manque d'amour de ta part. Je n'aimais pas mon premier mari quand j'ai accepté de l'épouser. Je l'admirais et je le respectais. J'ai bien vite éprouvé beaucoup de tendresse pour lui. C'est quand il m'a été tragiquement arraché que j'ai compris combien je tenais à lui.

En ce qui concerne Joshua, oublie-le. Ne te laisse pas détourner du bonheur par une sombre prémonition. Je ne te raille pas de croire que le destin, un jour, frappera. Moi-même, j'ai fait une expérience similaire à l'âge de douze ans, lorsque j'ai vu le lièvre blanc.

Même si tu es fermement convaincue de ne pouvoir échapper à la fatalité, tu ne sais pas quand ton chemin croisera à nouveau celui de Joshua. Cette rencontre n'aura peut-être pas lieu avant de nombreuses années.

Aussi, chère Jane, épouse Adam et prends le bonheur que tu mérites.

Avec toute mon affection,

Meggan

Tandis qu'elle pliait et scellait la lettre, Meggan pensa à Joshua Winton. Will lui avait parlé de leur rencontre à Golden Point et de la bagarre qui avait suivi entre Hal et Joshua. Elle avait choisi de ne pas transmettre à Jane cette information et de ne pas évoquer davantage ce que Connor lui avait confié sur son passage à Langsdale.

Plus personne n'en avait entendu parler depuis qu'il avait quitté Ballarat. Dieu seul savait où il se trouvait.

Joshua commençait à douter de ses chances de s'enrichir par le travail. Certes, il avait connu quelque succès à Creswick. Certains jours, il avait été envié par des prospecteurs moins chanceux. Mais ces jours avaient été trop peu nombreux et trop espacés.

Après deux mois à Creswick, il était parti pour Bendigo en s'arrêtant sur les champs plus modestes qui jalonnaient le chemin. À chaque fois, il avait espéré faire la découverte de sa vie, la pépite géante qui le rendrait riche au-delà de ses rêves les plus fous. À chaque fois, il avait fait chou blanc. Et le jour de son arrivée à Eaglehawk Gully, près de Bendigo, son opinion était faite : le travail honnête ne payait pas. Si la chance refusait de lui sourire, eh bien, il trouverait un autre moyen, légal ou non, de devenir riche.

Mais son ancienne activité de voleur d'or nocturne ne rapportait plus comme avant. Il en avait été réduit à commettre une demi-douzaine de vols à main armée loin des mines d'or, sur des routes désertes. Quand il s'était aperçu que la police le soupçonnait, il avait quitté en hâte le district de Bendigo.

Le Mont Alexander lui convenait mieux. Sur ce champ où régnait l'anarchie la plus complète, la police était si inefficace et la population si terrorisée qu'on pouvait s'attaquer et se voler en plein jour, devant plusieurs témoins, en toute impunité. Pour sa part, il préférait commettre ses exactions le long des routes où à l'extérieur des mines, loin des regards.

À peu près au moment même où Meggan se demandait ce qu'il était devenu, Joshua Winton était en train de boire un verre avec deux frères irlandais dans un hôtel de Mont Alexander. Mick et Daniel Murphy, comme Joshua, préféraient laisser à d'autres le soin de s'échiner à trouver l'or et les en soulager ensuite. Les frères, après s'être vantés d'un de leurs hauts faits, qui avait consisté à détrousser des voyageurs qu'ils avaient ensuite abandonnés, attachés à un arbre, dans le plus simple appareil, proposèrent à Joshua de s'associer avec eux. Joshua déclina.

— Je préfère travailler seul, dit-il. Je m'en tire assez bien.

Daniel avala une bonne gorgée de son whisky.

— J'parie que tu changerais d'avis si la récompense était assez grosse.

L'intérêt de Joshua s'éveilla.

— Combien ? s'enquit-il.

Mais il sut la réponse en même temps qu'il posait la question. Il jeta un bref regard à la ronde, puis se pencha vers les frères et demanda confirmation à voix basse :

— C'est un convoi d'or ?

Les frères Murphy sourirent, railleurs :

— Tiens, tiens, ça t'intéresse maintenant, hein ?

Sur ce, ils se levèrent, laissant un Joshua incrédule sur son siège.

— Vous êtes sérieux ?

Leur expression lui révéla qu'ils ne plaisantaient pas. Mais il ne reçut pour toute réponse que l'assurance qu'ils le contacteraient au moment voulu.

6

Le premier puits qu'ils avaient creusé sur le filon Eureka dévoila son trésor à seulement trois mètres de profondeur. Une fois de plus, l'instinct de Will avait fait mouche. Les frères Collins et le capitaine espéraient bien trouver une grande quantité d'or supplémentaire.

Mais se posait désormais la question de protéger leur concession contre le vol.

— L'un de nous au moins devrait vivre à côté, déclara Will. On pourrait planter une tente et y habiter à tour de rôle.

— J'ai une autre idée, dit le capitaine. J'ai promis à Selena que nous aurions une cabane en bois avant l'hiver. Nous pourrions la construire ici, près de notre puits.

— C'est une bonne idée, approuva Hal.

Tommy se montra d'accord.

Will était songeur. Il n'était pas sûr d'avoir envie de la présence de Jenny près de lui chaque jour. Depuis son accident, leurs relations n'étaient plus les mêmes. Au début, il avait supposé qu'elle souffrait du choc de sa mauvaise chute. Mais il y avait maintenant trois mois de cela, et elle persistait à le traiter avec réserve.

Quand il l'embrassait, elle ne répondait pas à son baiser. Il n'avait jamais oublié la fougue avec laquelle elle s'était jetée dans ses bras le lendemain de Noël. Quelle pouvait être la raison de ce changement ? Lorsqu'il la suppliait de lui fournir des explications, elle lui donnait de vagues et peu convaincantes excuses.

Après leur dispute, la colère l'avait tenu loin d'elle, jusqu'à ce que Selena, à sa manière directe, lui fasse la leçon en le traitant d'âne bâté. Il avait donc fait le premier pas en demandant à Jenny de lui pardonner. Elle avait reconnu alors avoir été elle aussi attristée par leur querelle, et ils s'étaient embrassés avec une telle tendresse qu'il s'était imaginé que tout irait bien désormais.

« Nous ne devons plus jamais nous quereller, ma douce chérie, avait-il murmuré.

— S'il vous plaît, ne me demandez plus de quitter Ballarat, parce que je veux rester avec Selena.

— Vous savez ce que j'en pense. Je ne vous demanderai pas de partir. Mais vous ne réussirez pas à me décider à vous épouser plus vite en restant ici. »

Or, pour toute réponse, Jenny avait déclaré :

« Je ne parle pas de mariage. »

C'était la dernière fois qu'elle s'était blottie dans ses bras. Aussi, à présent qu'arrivait la fin du mois d'avril, se trouvait-il dans la plus grande perplexité.

Hal interrompit le cours de ses pensées.

— Alors, Will, qu'est-ce que tu en dis ? On peut s'arrêter de creuser pendant quelques jours pour construire une cabane.

— Très bien, je suis d'accord.

Peut-être la proximité de Jenny permettrait-elle de résoudre le problème qui avait provoqué un tel changement en elle ?

Mme Baxter, Selena et Jenny devisaient autour d'une tasse de thé et du cake aux fruits confectionné par leur hôtesse. Voyant Jenny prendre une deuxième part de gâteau, Selena leva les yeux au ciel, faussement horrifiée.

— Pas étonnant que tu te plaignes que tes robes soient trop serrées ! s'exclama-t-elle.

Jenny rougit.

— C'est que j'ai faim, expliqua-t-elle.

— Tu as toujours faim depuis quelque temps. Tu as peut-être des vers, tu devrais prendre un remède.

Jenny ne répondit pas. Mme Baxter fronça les sourcils. Selena continua à bavarder gaiement en racontant une scène dont elle avait été témoin dans la Grand-Rue. Un orpailleur qui mettait en vente son pic de mineur s'était mis à imiter un commissaire-priseur officiant de l'autre côté de la rue.

— Tout le monde riait devant l'imitation du mineur. Le mineur et le commissaire-priseur ont commencé à se lancer dans une compétition, et à la fin le mineur a mis le commissaire-priseur en vente. Oh, c'était d'un drôle ! J'ai bien ri.

— J'aurais bien voulu être là, commenta Mme Baxter, amusée.

— Il se passe toujours quelque chose d'intéressant dans la Grand-Rue, poursuivit Selena. Je me demande ce que ce sera aujourd'hui. Tu m'accompagnes, Jenny ?

— Non, je suis fatiguée. Je vais rentrer me reposer.

— Tu t'es déjà reposée hier après-midi.

— Oui, je sais.

— Bien, dans ce cas, je te retrouve à mon retour. Au revoir, madame Baxter. Merci pour le thé et le gâteau.

Jenny fit également mine de se lever, mais Mme Baxter la retint.

— Accorde-moi encore quelques minutes, Jenny.

Cette dernière se rassit.

Mme Baxter joignit les mains et dévisagea son invitée sans mot dire quelques instants, avant de se lancer :

— Tu sais ce que je vais te demander, n'est-ce pas ? Oh, mon Dieu !

Elle se déplaça aussi vite que le lui permettait sa corpulence pour aller placer un bras autour des épaules de Jenny. L'éclat brillant des larmes qu'avait provoquées l'exclamation inquiète de Mme Baxter se transforma en un flot intarissable. La jeune fille posa la tête sur la table, dans le creux de ses bras, les épaules secouées de sanglots, devant une Mme Baxter désolée qui lui caressait les cheveux.

— Vas-y, vas-y, mon enfant. Laisse-toi aller, tu te sentiras mieux après.

— Mieux ? s'exclama Jenny en relevant la tête. Comment voulez-vous que je me sente mieux ? Je ne sais pas quoi faire.

L'angoisse qui s'était peinte sur son jeune visage était déchirante. Que faire ? se demandait Mme Baxter. D'abord, attendre que les larmes tarissent, puis lui préparer une bonne tasse de thé sucré.

Ensuite, Mme Baxter prit une décision. Il n'y avait qu'une chose à faire. Dire la vérité à Will. Il aimait assez la jeune femme pour rester à ses côtés.

Il n'y avait pas de manière douce pour le dire, aussi, en fin d'après-midi, quand Will fut seul, Mme Baxter alla droit au but.

— Jenny n'a pas fait une mauvaise chute en janvier. Elle a été violée.

— Quoi !

Will devint cramoisi, puis livide.

— Non, non, protesta-t-il. Jenny me l'aurait dit.

— Justement, Will, c'est là le problème. Elle ne l'a dit à personne. Mais moi, je connais assez la vie pour deviner ce qui s'est passé.

— Vous auriez dû m'en parler ! Vous avez gardé ça pour vous ! Pourquoi ?

Il était sous le choc. Mais Mme Baxter savait que la colère ne tarderait pas à venir.

— La pauvre petite nous a suppliées de ne rien dire, répondit-elle.

— Nous ?

— Selena sait, elle aussi.

— Qu'est-ce qu'il y a de changé pour que vous me le disiez maintenant ?

— Le fond du problème est le même. Mais Jenny porte l'enfant de son violeur.

Will sembla sur le point de s'évanouir. Il était blême, et la main qu'il leva pour la passer dans ses cheveux tremblait.

— Jenny attend un enfant ? demanda-t-il d'une voix incrédule, comme incapable de saisir la signification de ce qu'il venait d'entendre.

— La petite a besoin de toi, Will. Elle ne sait pas vers qui se tourner. J'ignore combien de temps elle aurait essayé de cacher son état si je l'avais pas deviné.

— Je sais pas ce qu'il faut faire...

— Vas-y. Va lui parler.

— Oui, fit-il, l'air égaré. Il faut que je lui parle. Mais... qu'est-ce que je vais lui dire ?

— Sois gentil avec elle, c'est tout.

Il avait le vertige. Il était au supplice. Il avait l'impression d'avoir été violé lui-même. Et, par-dessus tout, il ressentait une rage meurtrière contre le monstre qui avait commis un tel acte. Il était également habité par un sentiment confus de perte. Celle qu'il aimait si profondément lui avait été dérobée. Mais il savait qu'il ne pouvait la laisser faire face à cette épreuve toute seule.

Il la trouva assise sur une pierre, à l'extérieur de la tente. Peut-être son expression le trahit-elle, car elle détourna la tête pour cacher ses larmes. Ce fut plus qu'il n'en put supporter. Il la fit lever, la serra contre lui et mêla ses larmes aux siennes.

Ils pleurèrent ensemble, agrippés l'un à l'autre dans un désespoir commun.

— Tu ne m'as rien dit ! Pourquoi ? gémit-il.

Elle répondit dans un murmure qui se perdit dans le creux de son épaule :

— J'avais trop honte.

Il la repoussa alors pour prendre son visage entre ses mains.

— Tu ne dois jamais avoir honte devant moi.

En la voyant essuyer une larme sur sa joue, il la reprit dans ses bras.

— Je t'aime. Je t'ai toujours aimée et je t'aimerai toujours. Nous allons nous marier le plus tôt possible.

— Non, répondit-elle en se dégageant et en se cachant le visage. Je ne peux pas t'épouser maintenant.

— Il le faut.

D'une voix tremblante, elle rétorqua :

— Je porte l'enfant d'un autre, un enfant que je ne devrais pas avoir et dont je ne veux pas.

— Tu préférerais être une fille mère et entendre les commérages des bonnes gens ?

— Je préférerais ne pas avoir cet enfant du tout.

Mais elle avait murmuré ces mots si bas que Will eut du mal à les entendre.

Il ne comprit ce qu'elle voulait dire que lorsqu'il croisa son regard. Il en conçut une douleur encore plus vive.

— Tu veux dire que tu veux t'en débarrasser ? se récria-t-il.

Jenny se passa la main sur les yeux pour chasser ses larmes et serra les lèvres d'un air de défi.

— J'ai entendu dire qu'il y avait des moyens, confirma-t-elle. Je crois qu'il y a une femme, à Golden Point, qui sait comment faire.

— Jenny, Jenny !

Cette fois, il l'attrapa par les épaules et plongea les yeux dans les siens.

— Il ne faut pas songer une seconde à faire une chose pareille. Oui, c'est possible, mais tu peux être

373

mutilée à l'intérieur. Tu peux même mourir. Tu veux mourir ?

— Non, je veux vivre. Je veux t'épouser et te faire des enfants. Je voulais devenir ta femme, reprit-elle au milieu de ses pleurs. Tous mes espoirs ont été détruits par un criminel.

— Tu es certaine que tu ne le connais pas ? Parce que, si tu peux donner son nom, je le tuerai.

— Et tu seras pendu pour meurtre. Non, Will. Je ne le connais pas.

— Promets-moi que si jamais tu revois ce salaud, tu me le diras.

— Jamais ! Pour l'amour de toi.

Ses mots, la soudaine fermeté de son ton le frappèrent, et il en fut tout à coup convaincu : Jenny connaissait son agresseur. Pourquoi cachait-elle son identité ? Puis il se demanda si c'était seulement par peur qu'il ne tue cet homme qu'elle gardait le silence.

Ce n'était pas le moment d'insister. Un jour, il la persuaderait de nommer le violeur. Pour le moment, il y avait un problème plus important à résoudre.

De nouveau, il lui prit le visage à deux mains.

— Tu vas m'épouser, dit-il. Inutile de protester.

— Et cet enfant ? Tu veux le garder ?

— Si tu décides de t'occuper de lui, je serai son père.

— Jamais je ne pourrai m'occuper de lui, affirma-t-elle avec véhémence.

Et cependant, malgré la conviction avec laquelle elle avait prononcé ses paroles, ses yeux trahissaient une douleur poignante.

— Embrasse-moi, demanda-t-elle d'une voix suppliante, proche du désespoir.

Will la prit dans ses bras mais, alors que leurs bouches étaient l'une contre l'autre, nulle passion ne monta en lui. Pis, il n'en remarqua rien.

— Je vais trouver un pasteur. Promets-moi que tu ne commettras aucune folie.

— Je te le promets.

L'or était une chose utile. Les hommes de Dieu eux-mêmes n'étaient pas immunisés contre son attrait. En l'appâtant avec une quantité substantielle du précieux métal, Will convainquit le soir même un pasteur de les marier. Le lendemain matin, Mme Baxter et la servante du pasteur firent office de témoins. À l'issue de la courte cérémonie, Will ramena Jenny chez Selena et le capitaine. Lui-même retourna auprès de ses frères.

Il s'assit sur une chaise pour ôter ses bottes.

— Je pars deux jours, annonça-t-il.

— Tu as un chargement à livrer ? s'enquit Tommy.

— Où ça ? demanda Hal.

— Jenny a décidé de retourner à Langsdale.

Cela ne correspondait pas exactement à la vérité. Il avait décrété qu'il allait la ramener chez son frère, et qu'il n'y avait plus à discuter. Elle avait cédé de mauvais gré.

— Je lui ai promis de la conduire là-bas, ajouta-t-il. Pendant mon absence, commencez donc à construire la nouvelle cabane près de notre concession.

— Alors comme ça, tu es d'accord avec le capitaine ?

— C'est une bonne solution. Il faut qu'on surveille notre concession.

Le long trajet séparant Ballarat de Langsdale ne fut pas une partie de plaisir. Seuls en compagnie l'un de l'autre, devenus mari et femme, aucun des deux ne savait que dire. Par une tacite convention, la raison de leur mariage précipité ne fut pas évoquée.

Will parla un peu des grands espoirs qu'il fondait sur la concession de l'Eureka, Jenny du beau temps, de l'agréable chaleur du soleil et de la beauté du ciel bleu clair décoré d'adorables petits nuages blancs. Après ces observations, la conversation tarit. Un silence oppressé s'installa, rompu seulement lorsqu'ils furent en vue de la propriété. Jenny exprima alors les pensées qui la tourmentaient :

— Qu'allons-nous dire à Connor et à Meggan ?

Elle semblait si inquiète qu'il tenta de la dérider en répondant d'un ton enjoué :

— Nous allons leur dire que nous sommes mariés et que, en bonne épouse, tu obéis à mes ordres, parce que je ne veux pas que tu vives dans les mines.

— Tu ne m'as pas donné le choix, répliqua-t-elle.

Il ressentit une bouffée de contrariété en constatant qu'elle n'avait pas compris qu'il plaisantait.

— Connor n'a jamais approuvé ton idée de vivre avec Selena et son père. Il sera content de te retrouver, argumenta-t-il.

— Je ne me sens pas du tout mariée, marmonna-t-elle.

Puis elle se tut et garda le regard fixé droit devant elle.

— Je vais passer deux jours à Langsdale, dit-il.

Ils savaient tous deux qu'il faisait allusion à la soirée. Aucun d'eux ne savait que l'autre se demandait comment affronter la nuit de noces.

Agnes était en train de couper un chou dans le potager lorsqu'elle vit la charrette apparaître au bout de la route. Sûr que ni M. Connor ni Mme Meggan n'attendaient Jenny ! Elle remonta ses jupes et se précipita vers la cuisine. Mme Clancy serait certainement dans tous ses états si elle n'avait pas le temps de préparer un bon repas !

Dans sa hâte, elle trébucha sur une pierre. Les deux mains prises, l'une par ses jupes et l'autre par son chou, elle tomba de tout son long, le chou sous le ventre, ce qui lui coupa la respiration.

Avec un gémissement, elle se roula sur le côté, loin du chou, et s'assit. Elle ne s'était pas fait mal, à part une écorchure à la main droite. Mais elle avait sali le devant de sa jupe. Dire qu'elle en avait mis une propre le matin même !

— Nom de Dieu ! jura-t-elle à voix haute, tout en se mettant à quatre pattes pour se relever plus facilement.

Elle se retrouva à la verticale plus vite que prévu, grâce à l'assistance d'une main puissante qui vint enserrer son bras.

— Vous devriez pas jurer comme ça, mam'zelle Agnes. Les dames ne jurent pas.

— Je suis pas une dame, je suis rien qu'une bonne, répliqua-t-elle.

Puis elle entreprit de brosser furieusement sa jupe pour cacher sa rougeur. Ce n'était pas parce qu'elle avait été surprise en train de jurer qu'elle était confuse, mais parce que Larry Benedict l'avait entendue utiliser son juron à lui.

— Vous pourriez plutôt demander si j'ai rien de cassé ! jeta-t-elle.

— Vous avez rien de cassé, mam'zelle Agnes ?

— Non, j'ai rien de cassé, et vous, vous revoilà en train de vous moquer de moi ! répondit-elle tout en se frottant la main d'un geste inconscient.

Le sourire en coin de Benedict se transforma en un rire.

— Et votre main ? Peut-être que si je l'embrassais, ça vous ferait du bien.

— Essayez toujours !

Mais sa protestation et le mouvement vif qu'elle eut pour cacher sa main derrière son dos ne servirent à rien. Larry attrapa sa main blessée et la souleva pour baiser son écorchure.

— Voilà pour la main, fit-il avant de se baisser pour ramasser le chou abandonné par terre : Et voilà votre chou. Et maintenant, mam'zelle Casse-cou, reprit-il, je vous conseille de ralentir le pas.

Il tourna les talons et poursuivit son chemin, toujours riant.

— Le malotru ! marmonna Agnes entre ses dents. Qu'est-ce qui lui prend de m'embrasser la main ! Me voilà toute chose ! Qu'il aille au diable, ce bougre d'impertinent ! Ah, quelle gourde je fais de rêver toutes les nuits d'un homme qui fait rien que se moquer de moi !

Bouillante de rage, elle entra en trombe dans la cuisine, où elle jeta le chou sur la table.

Mme Clancy haussa les sourcils.

— Qu'est-ce qui t'arrive ?

— C'est à cause de lui !

— Oh, tu veux dire Larry ? Il t'a encore taquinée ?

— Me taquiner ! Il fait jamais rien d'autre.

— C'est parce qu'il t'aime bien.

— Hum, grogna Agnes, peu convaincue.

Puis elle annonça la nouvelle :

— Vous saviez que Mlle Jenny venait en visite ?

— Non. Comment tu le sais ?

— J'étais dans le potager et j'ai vu la charrette. C'est Will qui amène Mlle Jenny. Ils vont être là d'une minute à l'autre.

— Dieu du ciel ! Cours prévenir la maîtresse, et reviens m'aider à préparer le repas.

Meggan, assise au soleil dans la véranda avec sa fille, aperçut la charrette quelques instants avant l'arrivée précipitée de sa bonne. Après avoir donné ses instructions à l'impétueuse Agnes, elle se leva pour accueillir les visiteurs. Will agita la main en voyant sa sœur le bébé dans les bras.

— Etty, dis bonjour à oncle Will !

— Descend', descend'!

Meggan s'exécuta et l'enfant, après avoir descendu les marches sur son arrière-train, trottina à la rencontre de son oncle, lequel sauta à bas de la charrette pour la prendre dans ses bras. Puis il la fit tournoyer en l'air pour sa plus grande joie. La petite plaça ensuite ses menottes grassouillettes sur sa nuque et l'embrassa sur la bouche.

— Ta fille est une coquine, Meg ! dit Will en riant.

— Je sais, répondit sa sœur. Bonjour, Jenny. En voilà une surprise ! Vous comptez rester un moment ?

Après avoir reposé sa nièce à terre, Will aida sa femme à descendre.

— Jenny va rester ici. Moi, je retourne à Ballarat après-demain.

— C'est merveilleux ! se réjouit Meggan.

Mais elle ne fut pas sans remarquer le regard qu'adressa Jenny à Will, ni le léger signe de tête négatif par lequel il répondit à quelque question informulée. Cela en disait plus long que des paroles.

— Entrez donc. J'ai déjà demandé à Agnes d'apporter des rafraîchissements. Je présume que vous avez faim et soif. Jenny, veux-tu faire un brin de toilette maintenant ? proposa Meggan.

— Oui, merci. Même si j'ai pris l'habitude de ne pas pouvoir me laver aussi fréquemment que j'aimerais le faire !

Meggan nota que, en dépit de la légèreté de ses paroles, les yeux de Jenny conservaient la tristesse qu'elle y avait immédiatement remarquée.

Dès qu'ils furent seuls, elle entreprit de questionner son frère :

— Qu'est-ce qui se passe ?

— Beaucoup de choses. Jenny et moi, nous nous sommes mariés ce matin.

— Mariés ? Oh ! Quelle surprise ! Pourquoi ne nous en avez-vous pas informés ? J'ai toujours pensé que vous vous marieriez à Langsdale. Et je croyais que vous aviez décidé d'attendre un peu ?

— Tu n'as pas l'air d'approuver.

— Si, bien sûr. Je suis simplement surprise par... par le côté inattendu de ce que tu m'annonces.

Meggan ouvrit la bouche pour poursuivre, puis la referma.

— Qu'est-ce que tu voulais dire d'autre ? l'encouragea Will.

— Rien. J'entends Jenny revenir. Comment vont mes autres frères ? Et Selena ?

— Tes frères vont bien et t'envoient leurs affectueuses pensées. Et Selena... Elle est égale à elle-même. Je crois qu'elle est connue comme le loup blanc sur les champs d'or. Je n'ai jamais vu de fille aussi dynamique.

— Vous parlez de Selena ? intervint Jenny. C'est une fille remarquable. Je n'aurais jamais pu tenir bon sans son aide.

— Tu nous as tous surpris, Jenny, et tu as eu ce que tu voulais, la félicita Meggan en se levant pour l'embrasser. Je suis tellement contente que mon entêté de frère t'ait enfin épousée ! Même s'il insiste pour que tu restes avec nous !

Avec un regard de défi à Will, elle ajouta :

— J'ai raison, non ? C'est toi qui as demandé à Jenny de venir ici.

— Oui, Meggan, c'est lui, confirma Jenny. Moi, j'estime que ma place est avec lui à Ballarat.

L'arrivée d'Agnes portant un plateau de rafraîchissements ne permit pas à Will de répondre à ses deux compagnes autrement que par un regard noir.

— Agnes, est-ce que Larry s'occupe de mon cheval ? demanda-t-il.

— Oui, monsieur Will. J'ai couru lui dire de le faire pendant que Mme Clancy préparait le plateau.

— Dis donc, tu n'as pas rougi, toi ? la taquina Will en souriant malicieusement.

— Will ! le réprimanda Meggan. Merci, Agnes. Dis à Mme Clancy que tout cela a l'air très bien.

— Oui, madame.

Agnes se hâta de sortir, consciente que le rose de ses joues avait viré au rouge. Toute bouleversée, et tout ça à cause de « lui », elle repensa à ce qui venait de lui arriver.

Elle avait couru à toutes jambes jusqu'à la cabane de tonte, parce que Mme Clancy lui avait dit de se dépêcher. C'était là-bas qu'il travaillait. Il l'avait regardée approcher, adossé à la porte, avec cet air amusé qu'elle détestait tant.

« Je vois que vous êtes encore en train de courir, mam'zelle Agnes, avait-il dit en guise de paroles de bienvenue. J'espère que c'est parce que vous êtes pressée de me voir et pas parce qu'il y a le feu à la maison.

— Non, je suis pas pressée de vous voir. C'est parce que M. Will et Mlle Jenny sont arrivés.

— Ah ouais, j'ai vu la charrette entrer dans la cour. Je me demandais bien qui ça pouvait être.

— Mme Trevannick veut que vous vous occupiez du cheval et de la charrette, et que vous apportiez les sacs.

— Bien. Et votre main ? »

Il lui avait pris la main d'un geste si vif qu'elle n'avait pas eu le temps de soupçonner son intention.

« Mmm. Toujours pas guérie. Peut-être un autre baiser… ?

— Essayez pas ! »

Elle avait eu beau chercher à se dégager, il s'était contenté de rire.

« Oh, mam'zelle Agnes, j'aime beaucoup vous mettre en colère contre moi. Mais… il y a pas que votre main qui a besoin d'un baiser. »

En un rien de temps, elle s'était retrouvée soulevée de terre et assise sur un ballot de laine, puis embrassée d'une manière qui n'avait rien de décent.

Dame ! Ce n'était pas décent, hein, ni convenable, quand la bouche d'un homme vous donnait l'impression qu'il avait envie de vous dévorer, et que vous, vous vous sentiez toute molle avec l'envie d'être dévorée ?

Le monde autour d'elle était devenu tout noir, avant d'exploser dans toutes les couleurs de l'arc-en-ciel, et elle avait cru qu'elle était plus sur terre, et après, il avait enlevé sa bouche.

« Oh, mam'zelle Agnes », avait-il dit.

Elle s'était laissée glisser à bas du ballot et avait couru encore plus vite que d'habitude à la cuisine. Mais ce qu'elle avait ressenti pendant ce baiser, c'était quelque chose qu'elle ne pouvait pas fuir.

Pendant le reste de la journée, elle ferait tout pour ne plus croiser son chemin.

Une fois Etty couchée pour sa sieste, et Jenny s'étant retirée pour faire de même, Meg entraîna Will dans un coin ensoleillé de la véranda.

— Maintenant, Will, tu vas me confier le secret que vous gardez. Vous n'avez l'air ni l'un ni l'autre enchantés de votre mariage.

— Ce n'est pas comme ça qu'on aurait voulu se marier.

— Jenny est enceinte ?

— Oui.

— Will Collins, je ne suis pas fière de toi. Tu aurais pu attendre que vous soyez mari et femme. Et je n'arrive pas non plus à croire cela de Jenny.

Puis une pensée la traversa :

— Est-ce que Jenny aurait voulu te forcer la main ?

Les coins de la bouche de Will s'affaissèrent.

— Non, Meggan, tu n'y es pas du tout. L'enfant n'est pas de moi. J'ai poussé Jenny à m'épouser pour lui donner la protection de mon nom.

— Will, que dis-tu là ? Jenny a été séduite par un autre ?

— Jenny a été violée ! répondit Will sans ménagement et d'un ton qui trahissait sa détermination à retrouver la brute responsable de la catastrophe.

Meggan se recula dans son fauteuil, l'estomac noué.

— Oh, mon Dieu, mon Dieu ! Quelle horreur ! Pauvre Jenny ! Quand est-ce que ça s'est passé ? Pourquoi ne nous l'avez-vous pas dit ?

— Jenny a été agressée quelques semaines après son arrivée à Ballarat. Vous ne l'avez pas su parce que personne ne le savait, sauf Mme Baxter et Selena. Mme Baxter a deviné la vérité, c'est elle qui a trouvé Jenny.

— Et Selena ?

— Mme Baxter l'avait appelée à l'aide.

— Et aucune des deux n'a pensé à te le dire ?

— Jenny leur avait fait promettre de garder le secret.

— Mais enfin ! Il a dû y avoir des signes montrant que Jenny n'allait pas bien ?

— Jenny m'a raconté qu'elle avait fait une mauvaise chute. Je ne savais rien jusqu'à hier, jusqu'à ce que Mme Baxter me dise dans quelle situation était Jenny. Oh Meg, fit-il en enfouissant sa tête dans ses mains, j'aurais dû comprendre qu'il y avait quelque chose... Je pensais que... Meggan, qu'est-ce que je dois faire ?

— Rester près d'elle. Elle va avoir besoin du soutien de tous ceux qui l'aiment.

— Si jamais je retrouve le responsable, je le tue, et que Dieu me vienne en aide !

Meggan ne réagit pas à ces paroles. Elle savait que son frère, quelle que fût sa colère, n'était pas un meurtrier.

— Vous connaissez l'identité de cet homme ? demanda-t-elle.

— Jenny prétend qu'elle ne l'avait jamais vu avant.

— Prétend ? Parce que tu ne la crois pas ?

— Non. Je suis certain qu'elle sait qui c'est.

— Pourquoi voudrait-elle dissimuler son identité ?

— C'est ce que j'aimerais découvrir. Il se peut qu'elle te le dise à toi, Meg.

— Je vais essayer de gagner sa confiance. Ce ne sera pas facile à amener dans la conversation.

— Et Connor ? Tu crois qu'il faut lui dire la vérité ?

— Je m'en charge. Il a le droit de savoir. Comme toi, il voudra que justice soit rendue si on arrive à identifier le criminel. Mais personne d'autre à Langsdale n'a à être au courant. Hal et Tommy le savent ?

— Je ne leur ai rien dit. Mais il y a autre chose qui m'inquiète. Jenny déteste déjà cet enfant. Elle a parlé de s'en débarrasser. Je me demande ce qu'elle s'est mis en tête.

Meggan se figea avant de demander :

— Tu penses à Caroline ?

— Non. Jenny ne mettra pas fin à ses jours. Elle est plus forte que Caro. Mais j'ai peur qu'elle se fasse du mal en essayant de se faire partir le bébé.

— Je vais la surveiller attentivement. Si elle est dans ces dispositions, je devrais peut-être mettre Mme Clancy dans la confidence.

— Fais ce qui te semble préférable, Meg. Promets-moi simplement de veiller à ce que Jenny reste en bonne santé.

— Je vais faire de mon mieux.

Le soir venu, Will laissa Jenny se retirer la première afin, dit-il, de lui donner un peu d'intimité pour se préparer.

Pendant ce temps, il passa un manteau et sortit par la porte de derrière en évitant la cuisine où les Clancy, Agnes et Larry Benedict prenaient leur dîner.

Une fois dehors, il marcha au hasard. Il avait besoin de solitude et de silence. Depuis que Mme Baxter lui avait révélé le calvaire de Jenny – à peine trente-six heures auparavant, était-ce possible ? – toutes ses pensées étaient consacrées à la femme qu'il aimait. Maintenant qu'il lui avait donné son nom, Jenny était son épouse. Désormais, elle n'était plus une Tremayne, elle était Jenny Collins, et il l'aimerait jusqu'à son dernier souffle. Mais serait-il capable de lui montrer son amour, de l'aimer comme un homme devait aimer sa femme ? La plus grande confusion régnait dans son esprit. Il s'apercevait que, malgré tout son amour, jamais il n'avait songé à Jenny en tant que femme. Le désir l'enflammait parfois, mais seulement quand ils étaient enlacés. Était-ce pour cela qu'il n'était pas pressé de consommer leur union ?

Était-ce parce qu'elle avait longtemps été un rêve inaccessible ?

386

Ou était-ce parce que sa pureté avait été souillée ? Parce qu'un être abject lui avait volé ce qui aurait dû être pris par lui, son mari, avec amour et tendresse ?

Quand, près d'une heure plus tard, Will rentra, il en était toujours au même point. Il aimait sa femme. Mais pourrait-il lui faire l'amour ?

Jenny n'était pas couchée comme il s'y attendait. Elle était assise au bord du lit, les mains jointes sur les genoux, la tête basse. Son attitude était celle d'une enfant attendant le châtiment. À son entrée, elle leva brièvement la tête, puis la baissa de nouveau en se mordant la lèvre inférieure.

— Jenny ? prononça-t-il gentiment.

Elle ne répondit pas, mais s'écarta lorsqu'il vint s'asseoir à côté d'elle.

Il se releva et demanda :

— Tu as peur ?

Il vit deux grosses larmes rouler sur ses joues.

— Je t'en prie, ne pleure pas, dit-il.

Les larmes de Jenny se mirent à couler de plus belle.

— Je ne peux pas, Will, excuse-moi, souffla-t-elle.

— Je ne vais pas te forcer.

— Je sais que tu vas essayer d'être doux. Mais... ce n'est pas...

Elle se leva brusquement et le regarda avec des yeux trahissant une telle angoisse qu'il l'attira entre ses bras. Mais elle l'éloigna doucement en posant les mains sur sa poitrine.

— Non, je t'en prie, murmura-t-elle. J'ai besoin de te le dire. Je ne peux pas supporter l'idée d'être de nouveau touchée par un homme. Je suis désolée, Will.

Même si elle laissa ses mains sur sa poitrine, elle ne le repoussa pas lorsqu'il la prit dans ses bras.

— Je comprends. Ne te tourmente pas, ma chérie. Peut-être qu'un jour, quand tout sera terminé, nous pourrons commencer à être vraiment mariés.

— Je ne garderai pas cet enfant. Sa simple vue me sera insupportable. Je le donnerai à l'adoption.

— Chut, ne pense pas à ça. On pourra en parler plus tard.

Il mit un doigt sur sa bouche pour l'empêcher de poursuivre. La voyant tourner la tête vers le lit, l'expression inquiète, il reprit rapidement :

— Ne t'inquiète pas, ma chérie. J'essaierai de ne pas te toucher, même en dormant.

— Cela ne me dérange pas si tu te contentes de me tenir dans tes bras. Je crois que j'ai besoin que tu me tiennes. Tu sais, il y a longtemps que personne ne m'a serrée dans ses bras pour me réconforter.

— Eh bien, on va se coucher et je vais te serrer contre moi pour te donner tout le réconfort dont tu as besoin.

— Je t'aime, Will.

— Oui, je sais. Moi aussi, je t'aime. Un jour, je te le promets, tout s'arrangera.

Le ciel gris qui plombait l'atmosphère, accompagné d'un vent froid et coupant, n'était pas fait pour améliorer l'humeur de Will durant le trajet du retour. Le temps s'accordait parfaitement à la tristesse qui régnait dans son cœur. Loin d'être transporté d'allégresse après avoir épousé la femme qu'il aimait plus que sa vie, il était tourmenté par une peine plus difficile à supporter que n'importe quelle douleur physique. Une peine à laquelle s'ajoutait une rage meurtrière.

Connor l'avait accablé d'exhortations furieuses à retrouver le responsable et à le traîner en justice. Il l'avait aussi accusé à demi-mot d'avoir commis la faute de n'avoir pas éloigné Jenny des champs aurifères en la raccompagnant personnellement à Langsdale dès son arrivée. Comme s'il ne se le reprochait pas suffisamment ! Combien de regrets, combien de « si seulement » pouvait-on accumuler dans une vie ?

Will avait été sur le point de se brouiller définitivement avec son beau-frère. Seule l'intervention de Meggan avait calmé leurs deux tempéraments bouillonnants. Mais devant la tension qui régnait, les mettant tous mal à l'aise, Will avait décidé de ne pas passer une nuit de plus sous le toit de Connor. Jenny l'avait supplié en pleurant de ne pas l'y laisser, et cela n'avait fait qu'exacerber sa colère et son chagrin.

Un jour, il connaîtrait l'identité du violeur. Ce jour-là signerait l'arrêt de mort de cet homme.

Quand les longues ombres autour de lui se fondirent en un gris uniforme qui s'étendit sur tout le pays, Will s'arrêta et se prépara à camper. Après avoir allumé sa lanterne et l'avoir accrochée à une branche basse, il détacha son cheval et le laissa brouter avant d'aller ramasser du bois pour allumer un feu. Il ferait griller des côtes de mouton, qu'il accompagnerait de pommes de terre à la cendre et de quatre grosses tranches du délicieux pain de Mme Clancy. Le pain de Selena elle-même ne pouvait rivaliser avec la légèreté des miches cuites par la gouvernante.

Penser à Selena le plongea dans une humeur encore plus massacrante. Elle serait malheureuse quand elle apprendrait qu'il avait épousé Jenny. Plus exactement, elle était sans doute déjà malheureuse, car Mme Baxter lui avait certainement parlé de la cérémonie précipitée qui avait eu lieu. Quel goujat il faisait ! Selena l'aimait, et lui-même était allé jusqu'à envisager son avenir avec elle. Mais il avait suffi que Jenny réapparaisse pour qu'il ignore superbement Selena, qu'il ne lui accorde plus un regard.

Sa vie était un vrai gâchis…

Il rajouta une petite branche dans le feu. Au même moment, une voix sèche troua le silence :

— Restez où vous êtes !

Cet ordre sorti de l'ombre le tira brutalement de ses pensées. Il tendit la main vers le fusil à terre mais, presque simultanément, une balle vint se ficher dans le sol, à côté de lui. Un cavalier se dirigea vers lui, le chapeau descendu très bas sur son front, un mouchoir rouge sur le visage.

Mais ce déguisement était inutile et la peur de Will s'évanouit.

— Salut, Joshua ! T'en es donc réduit à ça ? À faire le bandit de grand chemin ?

Visiblement, Joshua n'avait pas reconnu la victime qu'il s'était choisie. Will l'entendit émettre un son étouffé, puis le vit disparaître sans un mot.

Malgré tout, il ne ferma pas l'œil de la nuit. Il ne faisait pas confiance à Joshua.

Lorsqu'il arriva chez lui le lendemain matin, son humeur était des plus noires. Les nuages sombres, par comparaison, en étaient devenus plus clairs.

Il se dirigea droit sur sa cabane, prit soin de son cheval, puis gagna sa concession sur la veine Eureka. Ses frères, le capitaine et Selena étaient en train de travailler à la nouvelle cabane.

Alors qu'il croyait retrouver un certain calme après avoir échappé aux tensions de Langsdale, il en découvrit d'autres à Ballarat.

Le capitaine lui demanda d'un ton emprunté si tout allait bien, Selena lui adressa une ébauche de sourire triste, Hal lui lança un regard noir et Tommy semblait gêné. Will tenta de ne pas tenir compte de tout cela.

— Je vois que les travaux avancent, dit-il.

— Je vais pouvoir m'y installer dès demain avec Selena, confirma le capitaine.

— Bien. Plus tôt nous pourrons protéger notre concession, mieux ce sera.

Will se mit aussitôt à l'ouvrage et s'attaqua à monter une cheminée en bois et en argile. La cabane était relativement exiguë. Une simple toile de jute délimitait un coin d'intimité pour Selena. Malgré tout, elle serait beaucoup plus confortable que la tente pendant les mois d'hiver.

La pluie, en fin d'après-midi, les obligea à interrompre leur tâche et à fabriquer un toit pour protéger le puits. Il fallait éviter que les pluies d'hiver ne le transforment en trou boueux s'ils ne voulaient pas être forcés d'arrêter de prospecter pendant plusieurs semaines. Avec la terre détrempée, ils construisirent une digue. Ils creusèrent ensuite des rigoles qu'ils doublèrent de toile cirée, afin de recueillir cette précieuse eau.

Les averses durèrent une semaine entière, retardant le moment où la cabane fut habitable. Le jour venu, les hommes s'occupèrent du déménagement, tandis que Selena dirigeait les opérations.

À un moment, Will se retrouva seul avec elle. D'autres occasions où ils avaient été seuls lui revinrent en mémoire. Il pensa à la promenade qu'ils avaient faite pour son anniversaire, s'aperçut qu'il s'était déjà passé près d'un an depuis. Dans quinze jours, elle fêterait ses dix-huit ans. L'année précédente, il avait songé à lui demander de l'épouser quand elle aurait atteint cet âge.

Peut-être lui devait-il une explication...

— Selena...

— Oui ? répondit-elle sans s'interrompre dans son travail.

Mais en voyant son expression, elle posa son chiffon. Elle soutint son regard troublé sans émotion.

— Ne te crois pas obligé de t'expliquer, Will. Dès le moment où Jenny est arrivée, j'ai su que tu l'aimais.

Ce commentaire ne fit qu'accroître le sentiment de culpabilité de Will.

— Selena, pardonne-moi si je t'ai fait du mal en t'amenant à penser que je m'intéressais à toi, prononça-t-il avec difficulté. J'aime Jenny depuis longtemps. Je croyais vraiment ne plus jamais la revoir.

Mais Selena se contenta de demander avec reproche :

— Pourquoi as-tu obligé Jenny à aller vivre avec son frère et Meggan ? Elle devrait être auprès de toi.

— Je veux qu'elle soit en sécurité.

— Tu veux aussi qu'elle soit heureuse, non ? Parfois, Will, tu es vraiment stupide. Jenny a beaucoup souffert, et je m'en sens en partie responsable. Je l'ai encouragée dans sa détermination à te prouver qu'elle était capable de vivre ici.

— C'est vrai, tu aurais mieux fait de la décourager... Selena, est-ce que tu sais qui a fait ça ? Je crois que Jenny le connaît.

— Elle le connaît peut-être, mais si elle se tait, c'est qu'elle veut te protéger.

— Et moi, je la protège en lui demandant de rester à Langsdale.

Avec un regard de mépris, Selena répliqua :

— Il ne t'est jamais venu à l'idée que Jenny puisse penser que tu l'as tout simplement abandonnée ?

— Elle sait que je l'aime. Je l'ai prouvé en insistant pour qu'elle m'épouse.

— C'est ce que tu crois !

La jeune fille s'approcha de lui et le regarda bien en face, les mains sur les hanches.

— À ton avis, combien de temps faudra-t-il à Jenny pour commencer à douter de ton amour ? lui lança-t-elle. Qu'est-ce qu'elle peut bien ressentir, d'après toi, quand elle pense à votre mariage et à la façon dont vous vivez ? Tu crois que c'est facile, pour elle, d'accepter de porter un enfant non désiré ? Tu crois qu'elle est heureuse, coincée à Langsdale ? Ah, mais j'oubliais, tu lui as donné ton nom ! Tu es un imbécile, Will. Si tu ne traites pas Jenny comme une vraie épouse, tu vivras avec des regrets toute ta vie.

Will avait pâli. Il la dévisagea, puis demanda simplement :

— Tu as fini ?

— Oui. Ce que je viens de dire ne te plaît sans doute pas, mais je n'en retirerai pas un mot.

— Je n'ai plus rien à te dire moi non plus.

Sur ce, il sortit, humilié et furieux. Chacune de ces accusations ajoutait à sa souffrance de ne pas avoir pu consommer son mariage. Il pouvait toujours se raconter à l'envi qu'il s'en était abstenu par égard pour la sensibilité de Jenny, mais il savait qu'à la vérité il ne la désirait pas.

Jenny se sentait-elle vraiment abandonnée ?

Depuis qu'elle était devenue Mme William Collins, Jenny passait ses journées dans une sorte d'état second. Elle mangeait, elle parlait, elle jouait avec Etty, mais était incapable de se rappeler ce qu'elle avait fait la veille. Le corps qui accomplissait les gestes du quotidien semblait n'avoir aucun lien avec la partie d'elle-même qui avait souffert la douleur de la désillusion.

Son rêve avait été de vivre et de travailler aux côtés de Will, de porter ses enfants, de les élever, et de vieillir avec lui. Mais Will était rentré seul à Ballarat. L'enfant, dans son ventre, avait été engendré par Tom Roberts. Le rêve s'était écroulé.

Un grand changement s'était opéré en elle. Meggan disait d'elle autrefois qu'elle était douce et gentille. Tout cela appartenait au passé. Maintenant, Jenny connaissait la haine. Elle avait résolu de ne jamais dénoncer Tom Roberts à son mari, mais un jour, elle tuerait cet homme elle-même. Et pour cela, elle devait retourner à Ballarat.

Elle ignorait qu'une femme éprouvant une haine identique était sur le point d'entrer dans sa vie.

Meggan reçut une nouvelle lettre de Jane au début du mois de mai.

Chère Meggan,
Nous sommes mariés, Adam et moi, depuis quatre semaines. La cérémonie a été calme, avec seulement Anne et Ernest pour témoins. Ensuite, nous avons tous déjeuné à l'Hôtel International, puis Adam et moi avons pris la route de Riverview. Nous avons passé notre nuit de noces dans le petit village allemand de Klemzig et sommes arrivés à Riverview trois jours plus tard.

Adam a construit pour nous une maison en brique à environ cinq cents mètres de la maison principale. Elle est de plain-pied et il n'y a que trois pièces, un salon, une grande chambre et une chambre plus petite pour Darcy. La cuisine et la buanderie sont dans un bâtiment à l'arrière avec un passage couvert qui les relie à la maison. Je ne peux pas te dire à quel point je suis aux anges : j'ai mon propre chez-moi ! Adam prévoit de l'agrandir plus tard.

Il veut (je me sens rougir en écrivant cela), il veut une grande famille. Pourquoi rougir ? Parce que, Meggan, je suis amoureuse d'Adam ! La révélation m'est venue pendant ma nuit de noces, quand il m'a prouvé son amour. J'ai su que je partageais ses sentiments. Par conséquent, j'ai suivi ton conseil et j'ai chassé fermement Joshua de mon esprit, ce qui est assez facile car même nos parents ne prononcent pas son nom.

Je vais maintenant te donner les dernières nouvelles de Riverview...

La lettre se poursuivait sur deux pages. Meggan les parcourut, puis reprit sa lecture depuis le début, en formant des vœux pour que jamais Joshua ne réapparaisse dans la vie de Jane. Selon ce qu'elle savait de lui, cet homme avait toutes les chances de connaître une fin violente.

Meggan resta plongée dans ses pensées quelque temps. Jane et Jenny avait toutes deux connu l'horreur du viol. Jane avait parlé ouvertement de son supplice et avait exprimé à voix haute sa haine pour son frère adoptif. Jenny, pour sa part, s'était murée dans le silence. Peut-être était-il temps de l'encourager à parler.

Elle n'eut pas à attendre longtemps car Jenny entrait dans le salon.

— Tu ne te reposes pas, cet après-midi ? demanda Meggan.

— Non, je me sens très bien.

— Tu parais surprise !

— Surprise ? Meggan, je suis dégoûtée de me sentir si bien alors que j'ai cette... cette créature qui pousse à l'intérieur de moi.

— Jenny ! C'est un bébé ! Tu ne peux pas en parler comme d'un monstre !

— Je ne veux pas y penser comme à un être humain. Je ne veux pas l'avoir et je ne l'aimerai pas.

— C'est ce que tu penses aujourd'hui. Tu changeras d'avis dès que tu verras ce petit être innocent.

— Non ! Et s'il devenait aussi mauvais que son père ?

Meggan saisit aussitôt la balle au bond.

— Tu connais l'homme qui t'a agressée, affirma-t-elle.

— Non ! s'empressa de répondre Jenny. Ce que je veux dire, c'est que c'est un barbare.

Meggan renonça à poursuivre son avantage.

— Élève l'enfant avec amour, et tu n'auras pas à craindre de telles choses.

— Je n'ai pas l'intention de le garder. Je le haïrais trop d'être au monde.

— Jenny, cet enfant n'a rien demandé. Quelle que soit la façon dont il a été conçu, à sa naissance, ce ne sera qu'une petite créature sans défense.

— J'ai dit à Will que je ne voulais pas le garder.

— Qu'est-ce qu'il a répondu ?

Jenny ne répondit pas. Savait-elle ce que pensait vraiment Will ? Will ! Elle était incapable, même en esprit, de lui donner le nom de mari.

— Meggan, je veux retourner à Ballarat ! Je veux être avec Will.

— Il n'acceptera pas. Pas plus que Connor.

— Ce qu'en pense Connor n'est pas important. Comprends-moi. Je ne me sens pas mariée... Et je veux... Mon Dieu, Meggan que se passe-t-il ? Tu te sens bien ?

La grimace de douleur qui avait défiguré le visage de Meggan se transforma en un sourire rayonnant.

— Tout va bien. Viens t'asseoir à côté de moi. Pose ta main sur mon ventre. Là... tu sens ? Il bouge, mon bébé bouge.

— Il bouge, oui, répondit Jenny d'une voix atone.

— Quand ton bébé commencera à bouger, tu penseras différemment. Je vois bien que tu doutes et je ne chercherai pas à te convaincre, mais le temps prouvera que j'ai raison.

La chaleur, la poussière et les mouches en été, la boue, le froid et la pluie en hiver, le découragement fréquent après un labeur infructueux, tout cela était contrebalancé par la liberté de la vie dans les mines d'or. Là, on était son propre maître. On pouvait travailler aussi dur qu'on voulait, paresser quand on en avait envie. Dans l'ensemble, on travaillait avec acharnement du lundi au samedi. Le dimanche était un jour de repos non officiel. Les catholiques allaient entendre la messe dans le bâtiment de bois et de toile de l'église Saint-Alipius. Pour les résidents de confession protestante, le service se déroulait souvent à l'ombre d'un arbre.

Les dévotions faites, le reste de la journée était consacré aux corvées du ménage, de la lessive, et à des passe-temps tels que le cricket, la boxe, la pêche à l'étang de Yuille, ou la chasse au kangourou. Parfois, des courses de chevaux avaient également lieu.

En 1854, quand la commune émergea de sa chrysalide de toile pour se transformer en une véritable ville pourvue de rues bordées de solides bâtisses en bois, la variété des distractions devint abondante. De nombreux hôtels possédaient désormais des salles de concert. Les chanteurs, acteurs et musiciens venaient du monde entier donner des spectacles au Victoria Theatre. Certains hôtels étaient dotés d'une salle de bowling, et des bals avaient lieu dans la nouvelle salle des fêtes.

Pour les veuves et les enfants exclus des divertissements dispensés dans les hôtels et les salles de bowling, il y avait le Jones Circus. Au mois de février, les immenses tentes du cirque avaient poussé sur le terrain plat situé au pied du camp du gouvernement. Les visiteurs affluaient depuis les autres champs aurifères et les domaines pastoraux pour assister aux facéties des clowns et aux exploits des équilibristes, trapézistes et écuyers. Et même des singes savants.

Connor, qui en caressait l'idée depuis l'arrivée du cirque à Ballarat, décida d'emmener sa famille en ville. À présent que la tonte d'automne était passée, la station pouvait parfaitement se passer d'eux pendant quelques jours. L'horrible épidémie de gale étant maintenant éradiquée pour de bon, un nouveau cheptel ayant été constitué, l'avenir de Langsdale se présentait sous les meilleurs auspices.

— Ma petite sœur va avoir dix-huit ans la semaine prochaine, dit Connor à Meggan. Pendant ses dix-sept premières années, je ne connaissais même pas son existence. Je crois que nous devrions fêter dignement l'événement au *Bath Hotel*. Il paraît que c'est le meilleur hôtel de Ballarat.

Trois jours avant l'anniversaire, on se mit en route. Meggan, Jenny, Etty et Agnes étaient installées dans la voiture conduite par Larry, tandis que Connor chevauchait à côté. Ned et Mme Clancy restaient à la propriété. Ils prendraient quelques jours de congé à leur tour quand la famille reviendrait.

Alors qu'à Langsdale le ciel s'était dégagé, la pluie s'obstinait à tomber sur les mines.

Enfin, le jour où la famille de Connor prit la route de Ballarat, elle finit par s'arrêter à la mi-matinée.

Glissant et pataugeant dans la boue, les prospecteurs partirent inspecter leurs concessions.

Les Collins ne trouvèrent qu'une petite quantité d'eau au fond de leur puits de l'Eureka.

— On va attendre encore un jour ou deux que ça sèche avant de réattaquer, décréta Will.

— Qu'est-ce qu'on va faire pendant ce temps ? s'interrogea Hal à voix haute.

— Moi, ça m'est égal, dit Tommy, j'ai assez de selles à réparer pour m'occuper plusieurs jours d'affilée.

— Hal, tu vas m'accompagner, proposa Will. J'ai pensé aller voir jusqu'où il peut bien mener, ce filon Eureka. Peut-être qu'on pourrait prendre une autre concession pendant qu'il y a encore du terrain libre.

— Je sais pas, moi, rétorqua son frère. Je commence à en avoir un peu assez de creuser. Je me suis dit que quand on aurait épuisé ce puits, je pourrais accepter l'offre de Meggan. Elle propose de me prêter de l'argent pour que je puisse acheter mon bateau. Mais rassure-toi, de toute façon, je ne partirai pas avant qu'on en ait terminé avec ce puits.

Avec une bourrade à son frère, Hal ajouta :

— Peut-être que j'aurai pas à emprunter à notre riche sœur !

— C'est vrai qu'on s'en sort pas mal. Mais je voudrais quand même aller jeter un coup d'œil derrière les concessions existantes. Peut-être que j'irai aussi faire un tour chez les Baxter, voir s'ils ont réussi à terminer leur abri avant le début des pluies.

Les poteaux qui avaient été plantés dans le sol pour soutenir les boiseries du toit s'étaient écroulés et formaient un enchevêtrement de jeunes arbres et de toiles mouillées.

Du bord du trou, les Baxter scrutèrent le marécage qu'était devenu leur puits.

— À ton avis, Pa, dit Joey, on commence à déblayer, ou on attend jusqu'à ce qu'on soit sûrs qu'il pleuve plus ?

— Je suis pratiquement certain qu'on est tranquilles pour un moment. On ferait bien de s'y mettre tout de suite et d'enlever tout ce qu'on peut avant que l'argile se solidifie.

La boue liquide ne remplissait que les cinquante premiers centimètres. Elle fut rapidement écopée. Mais l'argile collante posait un plus gros problème. Le fond du puits se situait à trois mètres soixante.

Le père et ses fils se mirent à l'ouvrage. Ils descendirent par l'échelle, remplissant des seaux de boue et les remontant à la surface. Cinq heures plus tard, avec une courte pause pendant laquelle ils mangèrent le *damper* froid et le mouton que Mme Baxter leur avait apportés, ils avaient presque fini. Par bonheur, les étais n'avaient pas bougé.

Johnny, le plus jeune et le plus léger, travaillait au fond. Bientôt, ce serait terminé. La boue ne lui recouvrait plus que les chevilles. Plus qu'une dizaine de seaux et le puits serait à sec.

Le cri d'alarme de Joey, son aîné, lui parvint au moment où il était en train d'attacher le sixième seau à la corde.

— Attention ! Le mur est en train de s'effondrer !

Johnny réagit aussitôt et se retourna pour éviter la terre qui dégringolait tout autour de lui en s'abattant avec un bruit sec.

— Sors de là, Johnny ! cria Joey.

L'échelle était sur sa droite, il lui suffisait de tendre le bras pour l'attraper. Mais il devait d'abord dégager ses pieds de l'argile. Au bout de quelques longues secondes d'efforts, Johnny comprit ce qui lui arrivait.

— Je suis coincé ! Pa ! Joey ! Mes pieds sont coincés ! Venez m'aider ! hurla-t-il, pris de panique.

Il tenta de lever une jambe, en vain.

— Essaie d'enlever la boue qui est autour de tes jambes ! lui cria son père. Joey va descendre pour t'aider.

En quelques secondes, son frère fut à côté de lui, accroché à un barreau de l'échelle, se servant de sa main libre pour l'aider à débarrasser ses jambes de la boue. Mais c'était peine perdue. L'argile revenait aussitôt l'emprisonner.

— Pa ! Va chercher de l'aide ! Il faut sortir Johnny de là ! hurla Joey.

— Jimmy va y aller, mais toi, Joey, remonte pour m'aider à étayer ce mur !

À ces mots, Johnny, affolé, attrapa son grand frère par sa chemise et le supplia :

— Ne me laisse pas tout seul !

— T'inquiète pas, ça va aller. Continue à essayer de dégager tes jambes. On va étayer les côtés et te sortir de là en un rien de temps, le rassura Joey.

Johnny, du fond du puits où il était prisonnier, entendit faiblement le cri d'alerte de Jimmy :

— Y a un gars coincé au fond ! Y a un gars coincé au fond !

Son cri fut répercuté de bouche en bouche parmi les mineurs. En un clin d'œil, une activité fiévreuse se mit en place autour du puits. Des paroles de réconfort prononcées par une dizaine de voix vinrent soutenir Johnny :

— Courage, fiston !

— On va te sortir de là !

Le jeune garçon leva la tête et vit que son père et Joey étaient en train d'étayer les parties les plus fragiles avec des branches. On fit descendre des

403

pelles, des seaux, des récipients divers attachés à des cordes pour lui permettre d'écoper la boue.

Il remplissait à ras bord ceux sur lesquels il pouvait mettre la main. Les autres ne pouvaient emporter qu'une quantité négligeable.

Il entendit la voix de sa mère, suivie de celle de son père qui ordonnait à quelqu'un de s'éloigner. Il eut envie de l'appeler, de lui dire qu'il allait bien.

Une nouvelle voix lui parvint :

— On va te mettre un harnais, mon garçon, et on va te tirer de là.

— C'est vous, capitaine ?

— Ouais. Y a des marins ici. On va faire descendre des cordes et te faire un harnais.

Quatre hommes descendirent, reliés ensemble par des cordes à la jambe pour leur permettre de garder les mains libres. Ils lui passèrent une sangle de toile autour des fesses, ramenant les extrémités entre ses jambes pour les attacher à la partie qui lui ceignait la taille.

— Laisse-toi aller de tout ton poids, fiston, lui conseilla le capitaine.

Puis il commanda :

— Paré. Hissez haut !

— Tu vas être dehors en moins de deux ! affirma un marin. J'aurais jamais pensé que c'que j'ai appris en mer, ça pourrait me servir sur la terre ferme.

— Allez, hissez haut, les gars !

Johnny sentit les cordes se tendre. Le harnais de toile le souleva. Il lui sembla que ses jambes s'étiraient mais ce fut tout.

— Je bouge pas ! cria-t-il.

— Il nous faut plus de monde pour tirer. Courage, fiston, on va y aller de toutes nos forces.

— Capitaine… ! gémit-il.

La terreur le saisit. Étouffant ses sanglots, il tenta une nouvelle fois de remuer les pieds en espérant qu'ils se dégageraient miraculeusement. Il sentit sa vessie céder et l'urine chaude couler le long de ses jambes.

— Au secours ! Au secours ! Pa ! Pa ! Je veux pas mourir ! hurla-t-il, pleurant à présent sans retenue.

— Non, tu vas pas mourir, Johnny, répondit Joey, dont le visage apparut au bord du puits. Y en a d'autres qui viennent pour t'aider. Je vais te tenir.

Johnny vit avec horreur le corps de son frère glisser lentement à l'intérieur du puits, les bras étirés dans sa direction.

— Non, Joey ! Tu vas tomber !

— Mes pieds sont assurés, répondit Joey.

Ce dernier se retrouva bientôt suspendu au-dessus de son frère, le visage presque au niveau du sien.

— Johnny, passe tes bras autour de mon cou, dit-il. Je vais te prendre sous les aisselles. Ne parle pas. Garde tes forces.

Les deux frères, étroitement enlacés, écoutèrent en silence les voix qui leur parvenaient d'en haut. Quelqu'un proposa d'aller chercher son cheval et de l'attacher aux cordes. Un autre l'imita. Johnny planta ses yeux dans ceux de son frère, dont le visage était devenu tout rouge, congestionné par sa position tête en bas. Mais ses yeux lui insufflèrent du courage. Oui, les chevaux viendraient le délivrer.

405

Malgré sa peur panique, Johnny était réconforté par le contact de Joey. Il fallait y croire. Oui, il serait bientôt délivré. Il ne devait pas penser à autre chose. Depuis combien de temps Joey le maintenait-il ? Deux minutes ? Dix minutes ? Et s'ils ne se dépêchaient pas d'amener les chevaux ?...

Johnny entendit le bois craquer. La réparation de fortune cédait.

— Joey ! croassa-t-il.

Les deux frères tournèrent la tête pour suivre des yeux le parcours des morceaux de bois et des branches qui glissaient lentement vers le fond du trou. La terre glissa lentement, elle aussi, remplissant inexorablement le puits.

Maintenant, elle montait au-dessus de ses genoux. Les gars, dehors, faisaient ce qu'ils pouvaient pour la retenir, mais cela ne servait à rien.

Johnny, en proie à une terreur mortelle, pleurait et gémissait. Sa vessie céda à nouveau, imitée par ses intestins un peu plus tard. Pourvu que Joey ne le sente pas ! se dit-il. Il ne voulait pas que son frère le prenne pour un lâche.

Mais il était lâche. Il allait mourir d'une mort atroce, doucement avalé par l'argile humide qui montait graduellement tout autour de lui. Il se mit à sangloter de plus belle.

— Je veux pas mourir, Joey. Tiens-moi.

— Je te lâcherai pas.

L'argile avait atteint sa poitrine. Elle la comprimait, rendait sa respiration de plus en plus difficile. Johnny entendit la voix de son père :

— Lâche-le, Joey. Il faut sauver ta peau.

Johnny sentit le baiser que Joey lui déposait au sommet de la tête, puis l'horrible nudité causée par l'absence soudaine des bras réconfortants. Il garda ses propres bras autour du cou de Joey aussi longtemps qu'il le put. Puis il les laissa tomber. Il n'avait plus nulle part où les mettre. Ses épaules étaient maintenant prises au piège dans la boue. Il leva les yeux pour chercher les visages de Pa, Jimmy, Joey et Ma. Ce n'étaient que des ombres noires indistinctes. Il ferma les yeux. Il n'avait plus peur.

Le silence s'abattit sur ceux qui avaient vu Johnny mourir. Beaucoup, pétrifiés d'horreur, ne pouvaient quitter des yeux l'endroit où avait disparu le jeune garçon. Un cri de désespoir rompit le silence, si terrible qu'il résonna jusque dans la poitrine des hommes et des femmes présents. Joey Baxter, agenouillé au bord du puits, hurlait son refus d'accepter la mort de son petit frère. Mme Baxter se mit à sangloter dans les bras de son mari. Muet, les yeux secs, Jimmy restait simplement debout, les yeux rivés sur le tombeau de boue.

C'est au milieu de cette scène que Will et Hal firent leur apparition. Ils comprirent au premier coup d'œil qu'une tragédie était arrivée.

Ce fut le capitaine Trevannick qui leur apprit ce qui s'était passé.

Le premier choc passé, et après avoir exprimé leur peine aux parents du jeune garçon, ils promirent :

— On va le sortir de là, madame Baxter, pour qu'il puisse avoir un enterrement convenable.

Mme Baxter hocha la tête, le visage inondé de larmes. M. Baxter les remercia d'une voix rauque, mais les mit en garde :

— Ne vous mettez pas en danger vous-mêmes.

— Tout ira bien, monsieur Baxter. J'ai déjà fait ça à Burra, et même autrefois, à la mine de Pengelly.

Mais il ne s'agissait pas de quelqu'un de si proche...

Le lendemain matin, Will, Hal, le capitaine et les marins qui avaient apporté le harnais se mirent au travail. En premier apparurent les doigts de la jeune victime. Au fur et à mesure qu'ils dégageaient ses membres, leur émotion grandissait. Tous, ils craignaient le moment où ils verraient le visage de Johnny.

La terre ne libéra pas facilement sa proie. À chaque seau, l'argile glissait et bougeait comme de la gélatine. Ils ne purent soulever le corps avant d'avoir atteint les pieds du cadavre. Seules la prudence et l'agilité leur évitèrent de connaître le même sort que le jeune garçon.

Au bout de six longues et pénibles heures, ils parvinrent à remonter le corps de Johnny. Ils l'enveloppèrent dans une toile et le transportèrent dans la maison familiale.

Ignorants de la tragédie qui se déroulait aux Gravel Pits, les Trevannick et leur entourage prirent possession de leurs chambres au *Bath Hotel*. Agnes se dit que c'était le moment de faire l'effort de retrouver son frère aîné.

— Je pourrais aller au camp, madame Trevannick, et demander si Tom est là.

408

— Tu ne connais pas Ballarat, et tu n'as pas l'habitude de te retrouver au milieu de la foule. Si tu veux vraiment rencontrer ton frère, je vais prendre des dispositions pour que tu puisses le voir en toute sécurité.

— Très bien, madame, si vous trouvez que c'est mieux.

Elle tenta de ne pas paraître trop déconfite. Voir son frère n'avait été qu'une excuse pour sortir explorer la ville.

Larry se proposa aussitôt.

— M'est avis que c'est pas prudent pour vous de vous promener toute seule, mam'zelle Agnes. Si vous voulez bien, madame Trevannick, je m'en vais escorter mam'zelle Agnes.

Agnes se rappela les deux baisers que l'Américain lui avait volés. *Je me demande si c'est prudent pour une fille d'aller se promener avec vous*, lui dit-elle en pensée. Pourtant, oui, elle serait contente de l'avoir à côté d'elle. Elle se sentait moins en sécurité au milieu de la foule de Ballarat que lors de ses escapades au bord du ruisseau.

Le camp du gouvernement n'était guère éloigné de l'hôtel. On les informa que l'agent Roberts était en patrouille, et qu'il était possible de le rencontrer dans la Grand-Rue.

— On pourrait se promener dans la Grand-Rue, mam'zelle Agnes, suggéra Larry. Comme ça, vous pourrez regarder les boutiques, même si vous ne voyez pas votre frère.

Agnes était trop heureuse de la présence de son compagnon pour ne pas envoyer ses états d'âme au diable. Il lui parlait de choses et d'autres d'une manière très intéressante. Quand il prenait son coude pour lui faire contourner un obstacle, elle avait l'impression d'être une dame courtisée par un gentleman. C'était plutôt agréable comme sensation. « Mais il me plaît même pas », lui disait une petite voix dans sa tête. « Mais bien sûr que si, qu'il te plaît ! répondait une autre. Tu veux pas le reconnaître, c'est tout ! »

Ils arrivèrent devant une boutique qui exposait des bijoux en vitrine. Larry s'arrêta.

— Mam'zelle Agnes, j'aimerais vous faire un cadeau, dit-il.

— Oh, non ! Je peux pas accepter de cadeau de vot' part.

— Juste une babiole. Un souvenir de votre visite à Ballarat.

Il la prit par la main et l'attira dans la boutique. Le commerçant les accueillit avec un sourire rayonnant. Agnes se mordit les lèvres et baissa la tête, gênée. Elle n'avait pas envie que Larry Benedict lui fasse un présent, mais elle sentait bien que toute discussion l'amènerait à se sentir plus gênée encore.

Larry prit une broche de strass bleu en forme de demi-cercle.

— Ça, c'est joli, déclara-t-il.

— Où vous voulez que je porte une broche ? Mme Clancy, elle ferait une attaque, si je me mettais à porter des bijoux pendant mon service.

Cette réponse amena un large sourire sur les lèvres de Larry Benedict, comme s'il visualisait la scène.

— Très bien, pas de broche. Et ça ? proposa-t-il en prenant une chaîne en argent à laquelle était attachée une petite croix du même métal. Vous pourriez la porter tout le temps, et même si Mme Clancy la voyait, elle pourrait rien dire.

Agnes regarda le pendentif, consciente que son expression trahissait son ravissement. Une pierre rouge brillait au centre de la croix.

— Essayez-la, l'encouragea Larry.

Elle voulut prendre le bijou, mais son compagnon refusa d'un signe de tête et se plaça derrière elle pour lui passer la chaîne autour du cou.

— Baissez la tête pour que je puisse l'attacher, lui recommanda-t-il.

Agnès s'exécuta.

— Qu'est-ce que vous avez au bout de ce ruban ? demanda-t-il en soulevant ledit ruban.

— Rien de spécial.

— Montrez-moi.

Agnes sortit le médaillon en or de l'échancrure de son corsage. Le sourire s'effaça sur le visage de Larry. Il attrapa le médaillon et l'examina au creux de sa paume. Son expression était si sombre qu'Agnes prit peur. Elle s'enquit d'une petite voix :

— Qu'est-ce qu'y a ?

Larry gardait les yeux fixés sur le médaillon, l'air toujours aussi mauvais.

— Comment vous avez eu ça ?

Cette question posée d'un ton effrayant la fit bégayer :

— J-je l-l'ai trouvé.

— Où ça ?

Ces deux mots claquèrent comme des coups de feu. Agnes vacilla légèrement.

411

— D-dans le r-ruisseau. P-près de la p-propriété. Le j-jour où je me suis fait mal au pied.

Il la dévisagea en fronçant les sourcils.

— Vous m'avez pas parlé de ça ce jour-là, s'étonna-t-il en lâchant le ruban.

— J'ai jamais dit à personne que je l'avais trouvé.

À présent que Larry semblait plus calme, elle reprit un peu contenance.

— De toute façon c'est qu'un vieux machin, dit-elle. On arrive même plus à l'ouvrir.

Agnes s'aperçut alors que le commerçant ne perdait pas une miette de leur conversation et décréta :

— Je veux partir. Je la veux pas, cette croix.

Larry laissa la chaîne retomber sur son corsage.

— Et moi, je veux vous l'offrir, répliqua-t-il.

Il sortit l'argent de sa poche pour le tendre au boutiquier sans même compter les billets. Puis il prit la jeune femme par le coude.

— Allez, mam'zelle Agnes, faut qu'on parle.

Il ne la lâcha pas jusqu'au salon de thé situé de l'autre côté de la rue. Là, il la fit asseoir, prit la chaise en face d'elle, renvoya d'un geste la serveuse qui venait prendre la commande et se pencha vers la jeune bonne.

— Bien, mam'zelle Agnes, vous allez tout me raconter à propos de ce médaillon.

Remise de sa frayeur, Agnes répondit par une question :

— Et vous, pourquoi vous vous intéressez tellement à mon médaillon ?

— Parce que, mam'zelle Agnes, c'est pas le vôtre. Ce médaillon, il appartenait à ma mère. Il a été volé par l'homme qui a tué mon père.

412

— Oh ! lâcha-t-elle, surprise et pleine de remords. Alors faut que je vous le rende !

Agnes détacha le ruban et lui remit le médaillon.

Elle vit l'émotion remplir ses yeux lorsqu'il tint le bijou au creux de sa paume. Impulsivement, elle effleura sa main.

— Excusez-moi, murmura-t-elle. Je savais pas.

— Bien sûr. Vous pouviez pas savoir. C'est moi qui devrais m'excuser, vu comment je vous ai parlé. C'est que j'ai eu un sacré choc en voyant ce médaillon. Je l'ai reconnu tout de suite. Dites-moi comment vous l'avez trouvé.

— Dans le ruisseau. C'est comme ça que je me suis fait mal au pied.

Lorsqu'elle lui eut fait part de son aventure, Larry lui raconta son histoire et lui confia même qu'il espérait retrouver un jour celui qui avait causé la mort de son père.

— Je suis convaincu qu'il est toujours dans les parages. C'est une chose que je sens dans mes os. Un jour, je verrai les empreintes de ses pieds. Et alors, je ferai justice.

Agnes ne put que souffler : « Oh ! » d'une voix sans timbre.

Dans la cabane des Collins, les frères s'entretenaient avec le capitaine. Au désespoir de n'avoir pu changer le cours du destin, ils évoquaient tout ce qui aurait pu être fait pour sauver le pauvre garçon. Selena les écoutait avec gravité. La mort de Johnny Baxter l'attristait au plus profond d'elle-même. Ayant déjà vécu la soudaineté avec laquelle la mort

413

pouvait frapper, elle compatissait à la perte qu'avaient subie ses amis.

— À quoi sert de parler comme vous le faites ? intervint-elle. Vous ne pouvez plus inverser le cours des choses. Il n'y avait aucun moyen d'éviter ce drame.

— Tu parles de ce que tu ne sais pas, Selena ! répliqua sèchement Will. Si la consolidation avait été bien faite, les côtés n'auraient pas cédé.

Le capitaine regarda sa fille avec une question dans les yeux. Selena ne répondit pas. Dès le moment du réveil, ce matin-là, elle avait senti qu'il se passerait quelque chose. Mais rien de plus. Elle n'avait eu aucune vision, n'avait pas eu de prémonition.

Will poursuivit :

— Ça m'échappe qu'ils n'aient pas consolidé comme il faut. Les Baxter ont toujours été très prudents.

— Ce n'est pas une question à leur poser, remarqua le capitaine avant de pousser un grand soupir. Ah... le pauvre garçon. Quelle mort horrible... Je préfère encore me noyer. Au moins, la mer est pleine de vie.

— J'aimerais bien que vous arrêtiez de parler de la mort. Trouvez un sujet un peu plus réjouissant ! protesta Selena.

— Suffit peut-être de parler avec notre sœur, dit Tommy. Bonjour, Meggan !

En effet, celle-ci venait de faire son apparition.

Après les saluts et les embrassades, Meggan les informa que sa famille passait quelques jours à Ballarat.

— Mais dites-moi, pourquoi parlez-vous aussi gravement de la mort ? ajouta-t-elle.

Ce fut le capitaine qui lui apprit la terrible nouvelle.

— Oh, le pauvre enfant ! Et sa pauvre mère ! compatit Meggan. Et vous avez été très courageux de risquer votre propre vie pour dégager le corps... C'est une tâche éprouvante.

— C'est vrai, je vais mettre du temps à l'oublier, confirma Will. L'enterrement a lieu demain. Tu viendras, Meg ?

— Nous viendrons tous. Jenny tiendra à être là. Elle aura beaucoup de peine en apprenant la nouvelle.

— Jenny...

Will prononça ce nom comme s'il avait presque oublié qu'il avait une épouse.

— Est-ce qu'elle est venue avec vous ?

— Bien sûr. Agnes et Larry Benedict aussi.

Le visage de Selena s'éclaira.

— Où est Jenny en ce moment ? J'ai envie de la voir.

— Elle est restée au *Bath Hotel*, où nous sommes descendus, pour garder Etty. Si je suis venue, c'est pour vous inviter à venir dîner à l'hôtel ce soir.

Sa proposition était la bienvenue. Une réunion de famille les aiderait à distraire leurs pensées de la tragédie.

— Raccompagne-moi, Will, dit ensuite Meggan. Il commence à faire sombre dehors.

Dès qu'ils furent hors de portée de voix, Meggan entreprit son frère :

— Pourquoi négliges-tu ta femme ?

— Sais pas de quoi tu parles, grogna-t-il.

— Oh, si, tu le sais parfaitement ! Tu as amené Jenny à Langsdale, tu es reparti le lendemain après avoir dit que tu resterais au moins deux jours, et en trois semaines, tu n'es pas venu la voir une seule fois.

— Les journées sont longues. Ce serait pas juste pour les autres si je prenais des congés en leur laissant toute la besogne.

— Dans ce cas, si tu ne peux pas lui rendre visite, il faut la prendre avec toi à Ballarat.

D'un ton contrarié, il riposta :

— C'est Jenny qui t'a envoyée me dire ça ?

— Non, c'est ce que je pense. Je n'ai pas discuté du sujet avec Jenny.

— Tu oublies une chose, Meggan : il n'y a pas d'intimité dans notre cabane.

— Ce n'est pas une excuse. Je connais suffisamment mon frère pour savoir qu'il aurait trouvé une solution s'il l'avait vraiment voulu.

— Dis donc, c'est avant qu'il aurait fallu trouver la solution ! Mais rien à faire ! Je voulais que Jenny arrête d'essayer de prouver qu'elle était aussi capable que Selena ! J'ai toujours voulu qu'elle retourne à Langsdale. Si elle m'avait écouté, on n'en serait pas là !

Meggan s'arrêta et le prit rudement par le bras pour le forcer à lui faire face.

— Will ! Ne t'avise pas de dire une chose pareille à Jenny ! Elle souffre plus que tu ne peux l'imaginer. Est-ce que tu l'aimes toujours ?

— Évidemment ! Et moi aussi je souffre !

416

— Alors, traite-la comme une vraie épouse. Ce qui s'est passé est terrible, et je comprends ce que tu dois ressentir, mais vous avez besoin l'un de l'autre si vous voulez surmonter cette épreuve. Will, s'il te plaît, demande à Jenny de ne pas repartir. Vous devez rester ensemble, côte à côte.

Au moment où Will vit Jenny, il sut que Meggan avait raison. Dans les yeux de sa femme, il lut sa propre peine et son propre besoin. Ils s'embrassèrent en se serrant désespérément l'un contre l'autre.

Le dîner fut animé. Quand le brouhaha des discussions mourut, le capitaine surprit tout le monde en annonçant :

— J'ai décidé qu'il était temps que je reprenne la mer.

TROISIÈME PARTIE

1

Par une fin d'après-midi de la deuxième semaine de juillet, un petit chariot s'approcha de la propriété de Langsdale. Les passagers, un homme et une femme, ouvrirent grands les yeux sur le paysage qui les entourait. Ils virent une propriété prospère, avec des pâtures luxuriantes et des moutons bien gras.

Adam Winton sourit à sa femme.

— Jane, c'est une bonne terre, dit-il.

— Aussi bonne que Riverview ?

— Peut-être même meilleure. Je pense que nous devrions rester quelque temps ici. J'aimerais me familiariser avec cette région.

— Pourtant, certains endroits, le long du Murray, ont semblé te plaire.

— C'est vrai. C'est une grande région pastorale... Jane, nous voici arrivés au domaine de Langsdale.

La jeune femme se réjouit :

— J'ai hâte de voir la réaction de Meggan. Elle va être surprise !

Et ce fut le cas : Meggan en perdit l'usage de ses jambes et de la parole pendant près d'une minute. Puis, avec un cri de joie tout à fait indigne d'une dame, elle se précipita sur son amie pour la serrer dans ses bras, avant de poser un rapide baiser sur la joue d'Adam et de caresser les boucles noires de Darcy.

Le petit garçon fut accueilli avec curiosité par Etty qui jouait, assise par terre. Sans hésiter, il alla la rejoindre en courant de toute la vitesse de ses petites jambes. Pendant quelques instants, les deux bambins se mesurèrent du regard. Puis ils sourirent, se penchèrent et s'embrassèrent chastement sur les lèvres, sous l'œil émerveillé des deux mamans.

— Ils ont l'air de se plaire ! fit remarquer Adam avec un sourire.

— Etty sera ravie d'avoir un compagnon de jeux. Mais je suis sûre qu'un thé vous ferait plaisir. Mettez-vous à l'aise pendant que je vais à la cuisine. Et puis j'appellerai Connor. Il va vouloir tout savoir de votre voyage.

Au moment du dîner, trois heures plus tard, les deux couples avaient échangé les dernières nouvelles. Adam avait relaté leur voyage le long du Murray sur l'un des vapeurs à aubes qui desservaient désormais les propriétés bordant le fleuve.

— Ces bateaux ont grandement amélioré la vie des éleveurs. Le transport des fournitures et de la laine est beaucoup plus rapide par le fleuve. Cela évite les longues distances par voie de terre. Mais le transport fluvial en est encore à ses débuts. Les premiers vapeurs à aubes ont été mis en service il y a un an à peine. Je crois qu'un bateau de cette sorte est un bon investissement.

— Il faut en parler à Hal, suggéra Meggan. Cela pourrait l'intéresser.

422

— Hal songe toujours à acheter un bateau de pêche ?

— Oui, mais il ne parle plus de l'Australie méridionale.

Elle s'interrompit, un sourire pensif aux lèvres.

— Je ne sais pas pourquoi, reprit-elle, mais je vois très bien Hal sur un bateau à aubes.

Jane s'enquit alors du reste de la famille. Meggan leur donna des nouvelles de ses frères. Puis elle raconta la mort tragique de Johnny Baxter et le départ du capitaine Trevannick qui avait résolu de reprendre sa vie de marin.

— Will et sa femme... commença-t-elle avant d'être interrompue par une exclamation d'Adam :

— Will est marié ?

— Oui, avec Jenny Tremayne, la sœur adoptive de Connor.

Adam secoua la tête comme pour tenter de s'éclaircir les idées.

— Je n'ai jamais pensé que Will était du genre à se marier, dit-il. Tremayne... Est-ce une parente de l'employé qui a travaillé pour mon père ? Celui qui se faisait appeler James Pengelly, mais dont le vrai nom était Rodney Tremayne ?

— Oui. Jenny est la jeune sœur de Rodney.

À nouveau, Adam secoua la tête et regarda Connor.

— Vous avez des liens compliqués dans votre famille, avec des demi-sœurs et des sœurs adoptives !

Connor éclata de rire :

— Seulement une de chaque, et en ce qui concerne Selena, une seule suffit !

423

— J'ai hâte de faire sa connaissance. Elle me fait l'effet d'une fille bien intrépide !

Connor confirma avec une grimace qui avait tout du sourire.

Adam s'excusa alors auprès de Meggan de l'avoir interrompue et l'invita à reprendre.

— Will et Jenny vivent dans une petite cabane près de leur concession de l'Eureka, dit-elle. Ils avaient à l'origine construit la cabane pour Selena et le capitaine. Après le départ du capitaine, Selena a refusé de revenir à Langsdale. Elle habite maintenant avec les Baxter. Quant à Hal et Tommy, ils demeurent toujours dans la cabane qu'ils partageaient avec Will.

Quelque temps plus tard, le nom de Joshua fut évoqué.

— Nous avons entendu une rumeur, dit Adam, selon laquelle Joshua serait sur les champs aurifères.

— Will et Hal l'ont vu un jour à Ballarat, répondit Meggan. Pour ma part, je l'ai aperçu à Creswick.

Connor prit alors la parole :

— Votre frère m'a apporté une aide précieuse pendant l'épidémie de gale, l'année dernière. J'avais même envisagé de le garder. Il a une bonne expérience de l'élevage de moutons.

— Pourquoi la chose ne s'est-elle pas faite ? s'étonna Adam.

— Les conditions avaient changé.

C'était là toute l'explication que Connor pouvait donner en présence de Jane. Meggan lui avait raconté son histoire. Il était inutile de rappeler la brutalité de Joshua à la charmante femme d'Adam.

424

— Je me demande où il se trouve en ce moment, réfléchit Adam à voix haute.

À quelque soixante-dix kilomètres au nord-est de Langsdale, là où la route de Melbourne traversait des collines très boisées, un groupe de cavaliers se tenait en embuscade, dissimulé à la vue des rares voitures et cavaliers qui passaient.

Les bandits étaient arrivés de bonne heure le matin, seuls ou par deux, pour prendre leur poste. Depuis une hauteur perchée sur le flanc de la colline, Daniel Murphy surveillait la route. À midi et six minutes, il donna le signal. Le convoi d'or approchait.

Il transportait les pépites, les pièces d'or, les billets de banque et les traites bancaires recueillis dans les mines de la région de Bendigo et destinés à être déposés dans les banques de Melbourne. Un policier armé était assis à côté du conducteur. Une escorte lourdement armée de huit autres agents accompagnait le convoi.

Le piège était tendu par six hommes qui, bien qu'en nombre inférieur, bénéficièrent de l'effet de surprise.

L'escorte fut cernée si rapidement qu'aucun des gardes n'eut le temps de sortir son arme. Deux d'entre eux tendirent la main vers leur fusil. Ils reçurent l'ordre de descendre de leur monture, ordre souligné d'un coup de feu. Pendant que ses compagnons tenaient les policiers en respect, Joshua, obéissant au plan, soulagea ceux à terre de leurs armes. Un membre de la bande, qu'ils ne connaissaient que sous le nom de Brady, ramassa les fusils restés dans les étuis de selle. Le policier qui, avant,

425

était assis à côté du conducteur, était maintenant debout près du chariot, l'air sombre.

Tout se déroula parfaitement jusqu'à ce que le conducteur sorte le fusil caché sous son siège. Il n'eut pas le temps de le soulever bien haut. La balle tirée par Daniel Murphy lui troua le cœur. Le policier, à côté du chariot, ramassa le fusil à terre. Il n'eut pas plus de chance que le conducteur. Les gardes encore armés ouvrirent le feu. Les bandits ripostèrent. Il y eut un bref échange de coups de feu. Trois policiers supplémentaires furent blessés. Brady tomba mort de son cheval.

Ils avaient définitivement le dessus. Le dernier policier encore armé lâcha son fusil. Ellis et Johns attachèrent les cinq policiers indemnes à des arbres.

Les malfaiteurs laissèrent les morts et les blessés là où ils étaient, après s'être assurés qu'aucune arme ne se trouvait à portée de ces derniers.

— Va chercher les sacs ! aboya Daniel Murphy à l'adresse de Joshua.

À l'abri des buissons, trois chevaux de bât portaient des sacs vides. Joshua alla les chercher.

Pendant que le butin était dûment transvasé, Joshua évita de regarder les morts et les blessés. Toute cette aventure le mettait mal à l'aise. Ce carnage ne faisait pas partie de leur plan. Ils s'étaient mis d'accord pour éviter les coups de feu, sauf en cas de légitime défense. Or, il avait vu l'expression de Daniel Murphy quand il avait descendu le conducteur : il avait pris plaisir à le tuer.

Mais maintenant que c'était fait, il n'allait pas renoncer à sa part, même s'il sentait se lever en lui une certaine méfiance vis-à-vis de ses compagnons.

Joshua resta donc sur place, alors que sa tête lui dictait de fuir le plus loin possible s'il ne voulait pas terminer ses jours au bout d'une corde, même si lui-même n'avait fait que tirer en l'air.

Le plan prévoyait six hommes à cheval tirant six chevaux de bât. Avec la mort de Brady, l'or fut réparti sur cinq chevaux de bât, un pour chaque homme. Les chevaux des policiers restants, ainsi que les quatre qui tiraient le chariot, avaient été envoyés au galop sur la route.

— Et Brady ? demanda Joshua à Daniel Murphy. Vous allez le laisser là ?

L'Irlandais jeta un regard indifférent au cadavre de leur compagnon.

— Il est mort. On le laisse là.

La bande s'éloigna vers le sud-est. Lorsqu'ils s'arrêtèrent pour camper, Daniel Murphy répartit le butin.

— Mick et moi, on prend la part de Brady, annonça-t-il.

— Qu'est-ce que tu nous chantes ? protesta Ellis. Des parts égales, qu'on avait dit.

L'autre le considéra d'un œil qui défiait quiconque de commettre la bêtise de discuter.

— Pour sûr que vous autres, vous aurez la part qu'on a dit. Un sixième de ce qu'on a pris.

Ellis était le seul à avoir protesté. Johns et Joshua soupçonnaient que Daniel Murphy n'hésiterait pas à tuer encore.

Joshua se contenterait de sa part : plus de cinq cents onces d'or, plus six cent vingt livres en liquide. Avec cet argent, il pourrait commencer à chercher

427

une terre. En effet, il rêvait toujours d'un élevage de moutons prospère.

Au lever du jour, Joshua se sépara de ses compagnons. Maintenant qu'il avait un joli petit pécule en or et en liquide, il n'avait plus qu'une hâte, mettre la plus grande distance possible entre lui et ses associés. Le vol était en soi un motif suffisant pour lancer la police à leurs trousses. La mort d'un policier et celle du conducteur, les blessures des trois autres transformeraient les recherches en chasse à l'homme.

Joshua, que le froid avait empêché de dormir la nuit, avait profité de son insomnie pour forger un plan. Les Murphy avaient parlé de se rendre à Geelong, tandis qu'Ellis et Johns avaient fait allusion à Melbourne. Il irait donc à Ballarat. Il échangerait ses chevaux contre d'autres bêtes, se raserait la barbe qu'il avait laissée pousser, et se fondrait pour un temps dans la foule des mineurs de Ballarat. Une fois la tourmente passée, il prendrait la route du Nord. Il avait entendu dire qu'il y avait encore de bonnes terres grasses au bord du Murray.

Quand les ombres de la forêt devinrent longues et sombres, Joshua monta son campement en espérant que ce serait la dernière nuit qu'il passerait à claquer des dents en plein air. Depuis qu'il s'était séparé de ses compagnons, il avait chevauché en scrutant le paysage aride autour de lui, dans l'espoir d'y trouver une grotte ou un promontoire rocheux où s'abriter pour la nuit. Il n'avait pas trouvé ce qu'il cherchait, aussi choisit-il de camper dans un endroit où de grosses pierres contribuaient à atténuer la force du vent glacial.

Il trouva assez de bois sec alentour pour allumer un bon feu. Il n'avait pas mangé depuis la veille au soir, n'avait rien à se mettre sous la dent, et son estomac protestait en grondant. Mais, au moins, il aurait plus chaud et loin de tout comme il l'était, il n'avait pas matière à s'inquiéter : personne ne verrait la lueur de son feu.

Appuyé contre sa selle, le sac d'or placé dessous, Joshua s'enveloppa dans son lourd manteau et sa couverture et s'installa pour dormir.

Il se réveilla au bout de ce qui lui sembla à peine quelques minutes en entendant l'un des chevaux hennir. Mais le feu était éteint ; il avait donc dormi pendant quelques heures. Ses oreilles perçurent un mouvement furtif dans les arbres. Ses cheveux se dressèrent sur sa nuque. Il n'était plus seul.

Lentement, prudemment, il attrapa son revolver. Avec les mêmes précautions, il s'assit, tous les sens en alerte. Un frôlement plus distinct, quelque part sur sa gauche, lui fit tourner brutalement la tête. Il sentit alors le museau froid d'un revolver s'appuyer contre sa tempe.

— Bouge pas, Winton !

La voix d'Ellis. C'était la main d'Ellis qui tenait le revolver contre sa tête. L'autre main le délesta de son arme.

Joshua ne bougea pas d'un cil. Il se contenta de demander :

— Qu'est-ce que tu veux, Ellis ?

— Sois pas idiot. Johns et moi, on trouve qu'on a pas assez d'or. Alors on t'prend ta part en plus.

Johns émergea des arbres et vint se planter devant Joshua avec un mauvais sourire.

— Sauf si t'as quèqu'chose contre, ricana-t-il.

Bien sûr qu'il était contre, mais il n'était pas en position de protester. L'arme resta contre sa tempe pendant tout le temps que mit Johns à transférer l'or sur le cheval de bât de Joshua. Cela fait, Johns disparut quelques minutes et réapparut sur son cheval, en en tenant un autre par les rênes. Il prit la longe du cheval de bât.

Ellis, l'arme toujours pointée sur Joshua, se dirigea vers son cheval et sauta en selle.

— On t'laisse l'autre cheval, persifla-t-il. On veut pas qu'tu crèves tout seul ici.

— Salopards ! Voleurs ! brailla Joshua.

— Et tu sais d'quoi tu parles ! rigola Johns. Merci d'ton aide !

Les deux bandits se perdirent bientôt dans les profondeurs du bush. Fou de rage, Joshua ramassa un caillou et le lança dans leur direction. Son accès de fureur dura longtemps. Puis il finit par s'asseoir et, emmitouflé dans son manteau et sa couverture, s'employa à rallumer son feu. Mais il n'était plus question pour lui de dormir.

Certes, il détestait tuer. Mais avec ce qu'ils venaient de lui faire, il se sentait parfaitement capable d'éliminer ces deux salopards de la surface de la terre.

Joshua atteignit les faubourgs de Ballarat le lendemain, affamé, sans armes, réchauffé uniquement par sa rage impuissante. Par bonheur, il avait mis cent livres dans la poche de son manteau, ce qui lui servirait à prendre une chambre à l'hôtel *Bentley*. L'établissement se trouvait sur la veine Eureka, et donc assez loin de la Grand-Rue. Cela lui permettait de ne pas se faire remarquer. La majorité des clients de l'hôtel était constituée des éléments les plus rustres des champs aurifères. Avec de tels compagnons, il ne risquait pas grand-chose. Les seuls policiers qu'il vit ne se différenciaient des clients que par leur uniforme. C'étaient les membres de la police les plus corrompus.

Deux jours plus tard, il lia conversation avec des hommes au bar. L'un d'eux, d'un ton anodin, annonça une nouvelle qui manqua lui faire avaler sa bière de travers.

— Y paraît qu'ils ont arrêté deux des types du fameux vol du convoi d'or.

— C'est des gars qu'on connaît ? questionna l'un des buveurs en plaisantant à moitié.

— P't-êt' bien, fit le premier en haussant les épaules. Johns et Ellis. Faut dire qu'leurs noms, ils sont assez communs.

— Y en a eu d'autres d'arrêtés ? demanda Joshua d'un ton raisonnablement intéressé malgré la peur qui lui tordait le ventre.

— J'en sais rien. Mais j'ai entendu dire qu'Ellis, il allait donner ses potes pour essayer de sauver sa peau.

La sueur perla au front de Joshua. Il l'essuya d'un revers de main.

Son voisin le dévisagea.

— Ça va, mon gars ? T'as l'air d'avoir un peu chaud. Pourtant, y fait un froid d'canard, ce soir.

— Y s'pourrait bien que j'aie attrapé la fièvre.

Joshua vida son reste de bière d'un trait et se leva.

— Bon, j'monte me coucher.

À l'abri dans sa chambre, porte verrouillée, Joshua se laissa tomber sur son lit. Ellis et Johns sous les verrous... Ellis prêt à cracher le morceau... Son impulsion première était de déguerpir au plus vite. Mais pour aller où ? Son argent ne durerait pas très longtemps. Au moins, les deux salopards ne profiteraient jamais de celui qu'ils lui avaient volé. Bien fait pour eux. S'il n'avait pas couru le risque qu'Ellis le dénonce il se serait réjoui. Tête basse, il ruminait. Décidément, la chance n'était pas avec lui.

Quelques minutes plus tard, il releva la tête, un sourire de triomphe aux lèvres. La police pourrait bien chercher tant qu'elle voulait, elle ne trouverait ni or ni argent sur lui. S'il réussissait à dénicher quelqu'un qui accepterait de lui fournir un alibi, à jurer que lui, Joshua Winton, était à Ballarat au moment du vol, il n'avait pas à s'inquiéter.

Restait à trouver le moyen de remplacer son magot envolé.

Jenny était en train de découper de la viande pour préparer un rôti.

Tout compte fait, elle était heureuse de sa vie dans cette petite cabane. Will, après quelques jours pendant lesquels il avait persisté à répéter qu'elle serait mieux à Langsdale, reconnaissait que leur mariage semblait à présent réel. Il avait avoué qu'il était étonné de l'efficacité avec laquelle sa femme se sortait des tâches ménagères. Cet aveu, même s'il l'ignorait, était beaucoup plus important pour elle que n'importe quelle déclaration d'amour.

Ils ne prononçaient que rarement les mots « je t'aime ». Chacun connaissait le cœur de l'autre. Il n'y avait pas d'intimité physique entre eux. Ils étaient tombés d'accord pour attendre jusqu'à la naissance de l'enfant. Cette abstinence était facile pour Jenny, et elle imaginait que Will s'en satisfaisait pareillement.

Le cri d'alerte « Joe ! Joe ! » retentit près des Gravel Pits. Le cœur de Jenny battit plus vite. Peut-être était-ce le jour où elle « le » reverrait. Quand elle pensait au monstre, elle ne lui donnait pas de nom, de peur de le prononcer un jour devant Will sans y prendre garde. Mais à chaque chasse à la licence, elle craignait de voir son visage parmi les policiers qui harcelaient les mineurs.

Will cria :

— Jenny ! Ma licence est dans la cabane !

Un rapide tour d'horizon. Le papier était sur le lit de Will.

Elle s'en saisit et courut au puits, où elle fut accueillie par Will qui se hissait à la surface.

— Tu es un amour, la remercia-t-il. C'est la première fois que je l'ai pas sur moi, et voilà justement Tom Roberts qui arrive !

Non ! hurla-t-elle intérieurement. Cela se vit-il sur son visage ? Will lui décocha un regard intrigué.

Les policiers n'étaient qu'à quatre concessions de là. Elle « le » reconnut immédiatement.

— Tu te sens bien ? s'enquit Will. Tu es devenue toute pâle.

Elle porta impulsivement les mains à ses joues, un geste réflexe stupide qui rendit Will vraiment inquiet.

— Je vais très bien, Will. Sois prudent avec les policiers.

Dans la cabane, elle serait hors de vue. Elle y resterait jusqu'au départ des policiers. En entendant les voix se rapprocher, elle se mit à trembler. Peut-être son malaise se communiqua-t-il à l'enfant qu'elle portait, car il se mit à bouger, donnant autant de coups que s'il avait quatre pieds. Elle s'assit sur le lit de Will, les mains sur son ventre gonflé, l'oreille tendue. La voix de Tom Roberts lui parvint avec netteté.

— Alors, Will, paraît que t'es marié ? Comment elle va, ta femme ? Je l'ai vue rentrer dans ta cabane. Elle attend déjà une famille, hein !

Jenny entendait la moquerie contenue dans sa voix, tout comme la colère qui perçait dans celle de son mari quand il répliqua :

— C'est pas tes oignons. T'as vu ma licence ? Alors t'as plus de raison de rester par là.

— J'veux présenter mes hommages à ta dame. Moi et elle, on a été comme qui dirait amis. Elle te l'a pas dit ?

Jenny en eut le souffle coupé. Puis la colère la propulsa jusqu'à la porte. L'expression qu'elle lut sur le visage de Will éveilla une crainte supplémentaire. Ses poings serrés révélaient combien il se contenait.

— Ma femme aurait jamais pu être amie avec toi, gronda-t-il. Elle sait le genre de type que t'es, un criminel qui a laissé noyer sa femme.

Jenny retint sa respiration. Will en avait trop dit. Mais Tom Roberts se contenta d'un rire méprisant :

— Tu peux te la garder, ta femme, elle m'intéresse plus. À ton avis, qui c'est qui lui a mis ce bébé dans le ventre ?

Le poing de Will le frappa à la vitesse de l'éclair. Tom Roberts recula en titubant, déstabilisé par le choc. Avant d'avoir le temps de reprendre ses esprits, il se retrouva plié en deux par un nouveau coup de poing reçu dans le ventre, suivi d'un uppercut à la mâchoire.

Jenny hurla. C'était comme si l'enfer se déchaînait. Des gens se mirent à crier. Bientôt, on accourut de tous côtés. Les spectateurs applaudissaient le mineur et huaient le policier. Les efforts combinés de Hal, Tommy et Adam qui s'étaient précipités pour retenir Will restèrent vains. Lorsque Roberts s'écroula, Will, fou de rage, lui enfonça sa botte dans les côtes, une fois, deux fois, prêt à donner un troisième coup de pied.

Un coup de feu tiré en l'air retentit.

De nouveaux cris.

Will se retrouva face contre terre, maintenu par cinq policiers.

Les mineurs hurlèrent des insultes : « Pourris ! » « Lâches ! », et ne reculèrent que devant la menace des balles.

Hal et Adam retinrent Jenny par le bras quand elle voulut courir vers Will.

Will fut remis debout.

On lui passa les menottes.

Il fut emmené à la pointe des baïonnettes.

Jenny hurla, protesta. Aurait couru vers Will si des mains ne l'avaient retenue.

Elle se dégagea d'un geste furieux et se laissa tomber sur les genoux en sanglotant, les bras passés autour du ventre. Des mains la relevèrent.

— Il faut te calmer, Jenny, dit Adam. Viens t'étendre. Nous monterons au camp du gouvernement pour voir quelles charges pourraient être retenues contre Will. Il faut te reposer.

Hal annonça :

— Je vais chercher Selena.

Ils aidèrent Jenny à s'étendre. Adam la recouvrit de couvertures en expliquant :

— Il faut éviter le choc.

Elle était déjà sous le choc. Ce qui s'était passé était pire encore que toutes ses craintes combinées.

Adam resta assis sur un tabouret à côté de son lit. Il passa un bras autour de ses épaules pour la soutenir pendant qu'elle buvait le thé chaud et sucré préparé par Tommy. Ensuite, elle se laissa retomber en arrière, tremblante. Ils bordèrent plus étroitement les couvertures autour d'elle. Elle tourna son visage contre le mur.

La honte se mélangeait à la peur du châtiment que Will pourrait recevoir. Est-ce que Hal, Tommy ou Adam avaient compris l'insulte qui avait fait céder le fil retenant la colère de Will ? Son mari avait donné le change en laissant penser aux gens qu'ils n'avaient pas attendu le mariage pour devenir intimes. Il estimait que c'était mieux ainsi.

Déjà, Selena était là et lui effleurait l'épaule.

— Jenny ? Comment tu te sens ?

Comment elle se sentait ? Ses tremblements avaient cessé. Dans ce cas, que faisait-elle donc, couchée dans ce lit, pendant que Will avait des problèmes ?

Elle repoussa les couvertures et se leva en déclarant :

436

— Je vais très bien maintenant. C'était simplement le choc. Je vais monter au camp pour voir ce qui est arrivé à Will.

— Les garçons y sont déjà. Adam est parti les rejoindre quand je suis arrivée. Il vaut mieux attendre leur retour.

— Je ne peux pas rester assise à ne rien faire ! protesta Jenny en attrapant son châle. Si tu ne veux pas venir avec moi, j'irai seule. C'est bien ce que tu ferais, non ?

Selena ne pouvait le nier, aussi décida-t-elle :

— Nous y allons ensemble.

Adam était extrêmement inquiet pour le sort de Will. Frapper un policier était un délit très grave. Il ignorait la raison de la colère de son ami, mais sentait qu'elle avait été dirigée contre ce policier en particulier et que Jenny avait quelque chose à y voir. Il ne s'était certes pas attendu à pareil incident lorsqu'il était venu rendre visite aux frères Collins à Ballarat.

Il revit en pensée la scène déplaisante. Quelle violence !

Il sursauta en entendant prononcer son nom. Il connaissait cette voix. Joshua !

Son frère avait bien changé en deux ans et demi. Il paraissait vieilli, son visage était plus mince et son regard plus tout à fait le même.

Adam attendit qu'il fût près de lui.

— Bonjour, Joshua.

— Bonjour, Adam. Si je m'attendais ! Je n'en croyais pas mes yeux ! Qu'est-ce que tu fais à Ballarat ?

— En visite.

— Quelle coïncidence ! Je suis content de te voir. Écoute, on pourrait aller prendre un verre quelque part, se raconter ce qu'on devient…

— Ce que tu deviens ne m'intéresse pas. Tu n'es plus mon frère, je t'ai renié en même temps que l'ont fait nos parents.

L'amertume tordit les traits de Joshua.

— Je ne leur pardonnerai jamais de m'avoir fait ça, cracha-t-il. Jane n'était pas une vierge innocente. Je parie qu'il y en a eu plein d'autres depuis.

Adam serra les poings.

— Ferme ta sale gueule, gronda-t-il. Jane est une femme bien.

— Comment tu le sais ?

— Parce que Jane est ma femme.

— Ta quoi ? Tu as épousé une Noire ? fit Joshua avec un petit rire méprisant. Eh bien… Qui aurait pensé ça de toi, hein ?

Adam se dit que si son frère ajoutait un mot de plus, il prendrait son poing dans la figure. D'un ton sec, il jeta :

— Tu as fini ? Je suis pressé.

— Donne-moi quelques minutes, Adam, s'il te plaît… Je m'excuse de ce que j'ai dit. Pour te dire la vérité, j'ai jamais réussi à me remettre d'avoir été chassé comme ça. Vous me manquez tous.

— À nous, tu ne nous manques pas.

À nouveau, la bouche de Joshua prit un pli amer.

— Alors c'est pas la peine que je te demande de m'aider, dit-il.

— Non.

— Tu sais même pas ce que je veux te demander.

438

— De l'argent ? Tu as l'air d'en avoir besoin.

— Non, j'en ai assez. Je voudrais juste que tu dises à tout le monde que j'étais avec toi la semaine passée.

Adam émit un grognement de dérision :

— Alors c'est ça… Tu t'es mis dans le pétrin et tu veux un alibi.

— J'ai rien fait de mal. J'ai entendu dire par un type fiable qu'une de mes connaissances a dévalisé le convoi d'or. Il paraît qu'il a dit à la police que j'en étais.

— Et tu en étais ?

— Je ne suis pas un criminel. Je suis ici pour trouver de l'or. Un jour, je veux avoir ma propriété à moi.

— Alors bonne chance à toi, Joshua, mais, vraiment, ça m'est égal. Et tu peux bien te faire arrêter, que tu sois coupable ou pas, ça m'est tout aussi égal. Si on devait se revoir par hasard, pas la peine de m'adresser la parole.

C'était tout ce qu'Adam avait à dire.

Il s'éloigna sans un regard à son frère. Jamais il ne pourrait poser les yeux sur Joshua sans sentir monter la colère pour ce que ce salaud avait fait à Jane.

Le temps passé avec Joshua l'avait retardé, aussi arriva-t-il au camp du gouvernement au moment où Hal et Tommy en repartaient.

— Quelles nouvelles ? Vous avez vu Will ?

— Oui, répondit Hal. Il est toujours dans une sacrée rage.

— Ils l'ont enchaîné à un arbre, à l'écart des mineurs qui ont été arrêtés aujourd'hui. Il jure qu'il va tuer Tom.

— On a essayé de le calmer, mais il veut rien entendre.

— Je vais lui parler, dit Adam.

— C'est pas possible, déplora Tommy.

Hal précisa :

— Ils nous ont chassés et ils nous ont dit qu'on pouvait plus parler à Will. Ils vont l'emmener à Melbourne pour le faire comparaître devant le tribunal.

— Un procès à Melbourne, c'est la geôle assurée, répondit Adam.

Tommy prit un air lugubre. Hal fit la grimace. Adam soupira.

— Il y a sûrement quelque chose à faire.

— Faudrait qu'on avertisse Meggan, proposa Hal.

— Et Jenny ? ajouta Tommy. Tiens, là voilà qui arrive avec Selena.

Les deux femmes hâtèrent le pas. Jenny interrogea brièvement les visages du regard. Puis :

— Les nouvelles sont mauvaises, n'est-ce pas ?

— Will va être présenté au juge à Melbourne, répondit Hal.

— Non ! Nous devons à tout prix faire quelque chose ! se récria Jenny.

— Oui, ça ne nous avancera pas de rester ici. Viens chez nous, c'est plus près que chez vous. On parlera.

— Je veux voir mon mari d'abord.

— Les gardes ne le permettront pas.

Hal s'abstint de préciser que les gardes de Will étaient tous amis de Tom Roberts. Il était certain qu'ils allaient infliger un traitement tout particulier à leur prisonnier enchaîné.

Ils ne discutèrent pas longtemps avant de se mettre d'accord sur le fait que le seul moyen d'aider Will était d'acheter sa liberté.

Ce fut Hal qui émit les plus grandes réserves.

— Si ça sent mauvais comme ça entre Will et Tom Roberts, c'est qu'il s'est passé une chose qui remonte à Burra.

— Exact, renchérit Tommy. Tom a cherché une excuse pour arrêter Will.

— Vous ne savez pas ce qu'il y a derrière tout ça ? demanda Adam.

— Will a refusé de nous dire.

— Moi, je sais, dit Jenny d'une voix calme.

Trois paires d'yeux surpris la dévisagèrent.

— C'est Will qui te l'a dit ? s'enquit Hal.

— Non. C'est Meggan, avant notre retour en Australie. Cet homme, Tom Roberts, a tué sa femme.

— Qu'est-ce que tu racontes ? s'écria Hal, surpris.

Tommy n'était pas moins troublé :

— Milly Roberts… Mais elle s'est noyée pendant la grande inondation !

— Non, elle est morte parce que ce criminel l'a laissée se noyer alors qu'il aurait pu la sauver. Will a tout vu.

— Je me demande pourquoi Will nous a caché cette histoire, à Tommy et à moi. Surtout s'il l'a dit à Meggan.

Jenny ne put répondre à cette question.

— Il doit avoir ses raisons, répondit-elle. Je l'aime de tout mon cœur, mais votre frère n'est pas un homme facile.

441

Adam, qui avait écouté sans dire un mot, donna son opinion :

— Ça éclaire la situation de Will sous un jour différent. S'il y a des motifs personnels, on ne pourra sans doute rien faire pour l'aider.

— Tout a un prix, déclara Selena. Il suffit d'offrir assez d'argent.

— Combien c'est, « assez » ? objecta Hal. Tout notre or… ? Il faut avertir Meggan.

— J'y vais. Je pars demain au petit matin, déclara Adam.

Mais quand, à l'aube, il passa devant le camp du gouvernement, il vit qu'on emmenait Will, enchaîné, dans la charrette de la police qui se dirigeait vers la route de Melbourne.

— Six semaines de travaux forcés ! répéta Jenny avec un soupir.

— Je suis désolé, j'ai fait tout ce que j'ai pu.

— Je sais que tu as fait de ton mieux, Connor, et je te remercie. J'ai voulu croire jusqu'au bout que Will aurait une amende et qu'il serait libéré.

— C'était se bercer d'illusions. Quand Will a été emmené à Melbourne, nous savions à quoi nous attendre.

Jenny soupira de nouveau.

— Connor, qu'est-ce que je dois faire ?

— Reviens avec moi à Langsdale. Non, je sais que tu t'apprêtes à refuser, mais, cette fois, tu vas m'écouter et obéir.

— Nous nous sommes bien débrouillées toutes seules, depuis l'arrestation de Will.

— Que Selena t'accompagne à Langsdale. Et d'ailleurs, où est-elle, ma sœur ?

— En train de travailler au ruisseau. Elle aide avec le berceau pendant qu'Adam donne un coup de main au puits.

À cet instant, Selena fit son entrée, suivie successivement de Hal, Tommy et Adam, tous pressés de connaître les nouvelles que Connor rapportait de Melbourne. Ils se montrèrent déçus, mais guère surpris de la sentence.

Mise en minorité par les arguments des hommes, Jenny accéda à la demande de son frère adoptif. Elle retournerait à Langsdale. Selena, en revanche, fut intraitable.

— Mme Baxter aime m'avoir avec elle. Je crois qu'en restant auprès d'elle, je l'aide à surmonter son chagrin et moi, je suis en sécurité dans la famille Baxter. Je peux aussi aider à laver la terre, comme je le fais depuis deux jours.

Adam proposa :

— Jenny, je vais m'installer dans votre cabane, et je la surveillerai jusqu'à votre retour.

Ainsi Jenny passa-t-elle la dernière nuit du mois de juillet dans son lit, à Langsdale.

2

Une fois de plus, Langsdale était devenue une maisonnée de femmes. Tandis qu'Adam travaillait sur le filon Eureka en compagnie de Hal et Tommy, Jane continuait à vivre à la propriété, dans une petite maison construite par Connor dans l'espoir d'employer un jour un intendant. Tous les dimanches, Adam accomplissait le long trajet entre Ballarat et Langsdale, avant de repartir pour la mine le lundi de bon matin. Les enfants, Etty et Darcy, étaient devenus inséparables. Les deux mamans en étaient venues à s'inquiéter du moment où, inévitablement, leur duo serait séparé. Mais Adam leur affirma qu'il ne songeait pas encore à quitter les champs aurifères.

— Je crois que je vais y rester un moment, dit-il. J'aime cette vie. Pendant huit ans, j'ai passé mon temps à garder des moutons, baigner des moutons, tailler les onglons des moutons, tondre des moutons… La mine me change agréablement de tout cela.

Connor éclata de rire.

— C'est à croire que tu n'aimes pas beaucoup les moutons ! observa-t-il.

— Je dois avouer que j'ignore si je les aime ou non. Tout ce que je peux dire, c'est qu'ils sont d'une stupidité congénitale. Si les choses avaient tourné autrement chez nous, j'aurais quitté la maison bien plus tôt.

— Tu fais allusion au départ de ton frère, en déduisit Connor. Il aime la vie d'éleveur de moutons, lui.

— C'est vrai. Il a toujours pris plus de plaisir à ce métier que moi.

Adam se tut un instant avant de reprendre :

— J'ai vu Joshua le jour où Will a été arrêté.

— Pourquoi ne m'en as-tu rien dit ? s'offusqua Jane.

— Je n'en voyais pas la nécessité. Mais je vous en parle maintenant parce qu'il paraît que la police le recherche.

Connor lui jeta un regard interrogateur.

— Qu'a-t-il commis comme crime ?

— À l'en croire, aucun. L'un des types impliqués dans l'attaque du convoi a donné son nom. Joshua prétend qu'il ne se trouvait pas dans le coin où a été perpétré le hold-up.

— Tu lui as reparlé depuis ? demanda Jane en fronçant les sourcils.

— Non. Quand je l'ai vu, il m'a dit que c'était un coup monté, et il se cherchait un alibi. Il m'a demandé de raconter que j'étais avec lui quand l'attaque a eu lieu. Ne t'inquiète pas, Jane, je n'ai pas l'intention de mentir pour Joshua.

— Tu penses qu'il a pris part au vol ? intervint Connor.

Visiblement troublé, Adam répondit :

— Je l'imagine parfaitement en train de dévaliser un convoi, mais pas en meurtrier. Il y a quand

445

même eu trois morts ! Mais malgré tous ses bas instincts, mon frère n'est pas un assassin.

Connor songea à la jeune Aborigène que Joshua avait brutalisée. Même s'il n'avait pas tué la femme de Wallaby de ses propres mains, il était certainement responsable de sa mort. Cependant, ayant côtoyé Joshua, il inclinait à partager l'opinion d'Adam. Joshua n'était pas homme à tuer de sang-froid.

— Penses-tu qu'il soit toujours à Ballarat ?

— Possible. On se perd facilement au milieu de dix mille personnes. Je dois reconnaître que j'ai souvent pensé à lui depuis que je l'ai rencontré. Si je devais le revoir, je lui fournirais toute l'aide nécessaire pour qu'il puisse partir loin d'ici. Je ne veux pas que mes parents subissent la honte de voir leur plus jeune fils pendu pour meurtre.

Jenny comptait les jours, en s'efforçant de puiser du réconfort dans les paroles de Meggan. Cette dernière affirmait que les « travaux forcés », s'il s'agissait de casser des cailloux dans une carrière, ne seraient pas une besogne trop dure pour un mineur tel que Will.

Quand elle ne s'inquiétait pas pour son mari, elle pensait à l'enfant à naître qui faisait régulièrement sentir sa présence.

Un matin, alors qu'elle était assise tranquillement en compagnie de Meggan, qui, proche de son terme, se reposait pendant la majeure partie de la journée, le bébé qu'elle portait lui donna un coup de pied particulièrement fort. Avec une grimace, elle posa la main sur son ventre.

— Ton bébé bouge ? s'enquit Meggan.

— Oui, sans arrêt. Et le tien ?

— Etty était très active, mais je crois que celui-ci est un peu paresseux. J'espère qu'il le sera moins pour arriver. Mais je suis certaine que ce sera un garçon. Et toi, Jenny ? Que ressens-tu pour ton bébé, maintenant ?

— Tu avais raison, Meggan, quand tu m'as dit que mes sentiments changeraient. Je ne le déteste plus. J'essaie d'imaginer que c'est l'enfant de Will. Je crois que je pourrai même réussir à l'aimer. Simplement, je prie pour que, garçon ou fille, il ne ressemble en rien à l'être responsable de son existence.

C'était l'occasion que Meggan attendait.

— Qui est-ce, Jenny ? demanda-t-elle. Tu le connais, n'est-ce pas ?

Jenny se mordit les lèvres et baissa les yeux.

— Oui, avoua-t-elle.

— Pourquoi as-tu gardé son identité secrète ?

Jenny releva les yeux.

— Parce que, si Will l'avait su, il aurait été mis en prison pour un crime pire que celui de frapper un policier.

— Tom Roberts. C'était Tom Roberts, Jenny ?

La jeune femme confirma d'un signe de tête.

— Tout est de ma faute. Je savais qu'on ne pouvait pas faire confiance à ce criminel.

— Tu veux bien me dire comment ça s'est passé exactement ? Ça ne franchira pas les limites de cette pièce, sauf si tu le souhaites.

Jenny eut un sourire triste.

447

— Merci, Meggan... Il m'a abordée dans la Grand-Rue, en me disant que je devais être mise au courant de certaines choses si j'épousais Will.

À cet instant, Meggan ressentit une puissante contraction qui la fit grimacer de douleur.

— Mon fils n'a pas dû apprécier que je le traite de paresseux, souffla-t-elle... Alors, que t'a dit exactement Tom Roberts ?

— Meggan, est-ce vrai que le père de ta sœur Caroline était mon propre père ? C'est ce qu'il m'a dit.

— Oui, c'est vrai.

— Et que Caroline attendait un enfant de Rodney, et que c'est la raison pour laquelle elle s'est tuée. Est-ce vrai ?

— Oui. Donc, Tom Roberts t'a raconté tout cela et ensuite il t'a violée.

Meggan poussa un soupir, suivi d'une nouvelle grimace, car une seconde contraction venait de s'ajouter à la première, plus forte encore.

— Il y a d'autres choses que tu dois savoir à propos de cette histoire, ajouta-t-elle. Peut-être n'aurait-il pas fallu te maintenir dans l'ignorance pendant tout ce temps. Oh !

Elle retint sa respiration et annonça :

— Je crois que mon paresseux de fils a décidé qu'il était temps de venir au monde. Aide-moi à m'allonger, s'il te plaît, et envoie Agnes chercher Jane.

Quand cette dernière entra dans la chambre, Meggan se réjouit :

— Que je suis heureuse que tu sois ici, Jane ! Tu m'as aidée pour la naissance d'Etty, et voilà que tu vas faire pareil pour celle de mon fils.

— Espérons que tout se passera aussi bien.

Sur ce, Meggan encouragea Jenny à aller s'occuper des deux petits diables, en précisant qu'il valait mieux pour elle, à deux mois de son propre accouchement, de ne pas rester dans la chambre.

Jenny s'occupant des enfants, Mme Clancy se hâta de venir proposer son aide. Elle trouva Meggan au lit, soutenue par des oreillers.

— Je vais bien, madame Clancy. Je crois que ce sera comme pour Etty. Je vais attendre tranquillement entre les contractions, je souffrirai un peu, et il viendra très vite.

— Ah bon ! Eh bien, tant mieux, si c'est comme ça, parce que j'ai vu des femmes qui ont fichtrement souffert pour mettre leurs enfants au monde !

Jane l'admonesta gentiment :

— Mme Trevannick n'a pas besoin d'entendre ce genre d'histoires, madame Clancy.

Cette dernière rougit. Même si les mots avaient été prononcés gentiment, elle n'appréciait pas d'être remise à sa place par une femme qui, en dépit de ses belles manières et ses beaux habits, n'en était pas moins une Aborigène.

— Je vous demande pardon, madame. Je serai à la cuisine si vous avez besoin de moi. Vous voulez que j'envoie quelqu'un chercher M. Trevannick ?

— Il est sorti dans les pâtures. Il ne pensait pas rentrer très tôt.

— Très bien, madame.

Jane secoua légèrement la tête quand la gouvernante fut sortie.

— Pauvre Mme Clancy ! dit-elle.

— Pourquoi ?

— Cette brave femme ne sait comment me traiter ! Elle se dit qu'elle doit se comporter comme une domestique respectueuse, et en même temps, elle est incapable d'oublier que je suis une Aborigène.

— Les gens qui prennent le temps de te connaître ne s'occupent pas de savoir si tu es une Aborigène.

— Mais moi, si ! s'écria Jane. Quand on voit ce qui est arrivé aux tribus qui vivent près des Blancs dans les villes ! Des gens qui étaient autrefois de fiers guerriers !... Rendus idiots par l'alcool des Blancs, mourant des maladies des Blancs... Et les femmes qui se prostituent pour l'alcool...

— Grand Dieu, Jane, je ne savais pas que tu avais à ce point conscience de ta race !

Jane abandonna son ton passionné et sourit faiblement.

— C'est assez nouveau. J'ai été particulièrement attristée par ce que nous avons vu au cours de notre voyage à travers les villes aurifères. Je veux que Darcy grandisse en étant fier de son sang noir.

— Avec une mère comme toi, comment pourrait-il en être autrement ? Oh ! Oh, Jane ! Ça y est ! Le bébé arrive pour de bon.

Trois heures plus tard, le front et les cheveux humides de sueur, mais très heureuse, Meggan tenait son fils dans ses bras.

— Merci, Jane. C'est toi qui as mis mes deux enfants au monde. Tu es une sage-femme-née.

Jane se contenta de sourire et caressa doucement les cheveux noirs de l'enfant.

— Comment vas-tu l'appeler ?

— Etty s'appelle Henrietta en l'honneur de mon père. Celui-ci s'appellera donc Ruan en l'honneur du père de Connor. Son deuxième prénom sera Petroc, le patron des mineurs, en hommage à ma famille.

— Ruan Petroc Trevannick, énonça Jane. Ça me plaît bien.

Jenny passa alors la tête par l'entrebâillement de la porte.

— Je peux entrer ?

À la vue du bébé, elle s'étonna :

— Qu'il est petit ! Je n'aurais jamais pensé que les bébés étaient si petits.

— Il grandira bien assez vite ! Où est ma fille ? Je suis impatiente de lui montrer son frère. Connor ne rentrera pas avant au moins deux heures. Ma seule déception, c'est qu'il ne soit pas là pour dire bonjour à son fils.

— Il est là !

Connor entra dans la pièce, portant Etty. Il la posa par terre avant de se pencher pour embrasser sa femme. Le visage barré d'un large sourire heureux, il prit son fils dans ses bras.

Jane et Jenny échangèrent un regard et sortirent de la chambre sans mot dire.

Agnes tomba aussitôt amoureuse du bébé. Au moindre cri, elle se précipitait pour le prendre dans ses bras, le changeait en chantonnant et n'eût été que trop heureuse d'en avoir entièrement la charge. Mais Meggan considérait qu'une mère devait prendre soin personnellement de son enfant. Cela n'empêchait pas Agnes de saisir la moindre occasion

451

pour s'occuper de lui, ni d'en faire quasiment son unique sujet de conversation à la cuisine, inconsciente du regard attendri que Larry posait sur elle.

Leurs mères respectives étant trop prises par Ruan pour les surveiller, Darcy et Etty purent s'abandonner sans restriction à leur esprit d'aventure.

Derrière la cour de la propriété s'ouvrait un vaste monde qu'ils avaient bien envie d'explorer. Pour mettre leur projet à exécution, ils commencèrent par se cacher à l'arrière de la cabane de tonte. Agnes, qui s'était mise à leur recherche, ne les trouva pas. Ils la virent repartir. En riant du bon tour qu'ils lui avaient joué, ils sortirent de la propriété en courant de toute la vitesse de leurs petites jambes et prirent la direction du bush.

Ils se promenèrent au hasard, enchantés par toutes les choses intéressantes qui les entouraient. Le soleil jetait des ombres tachetées à travers des arbres à fleurs jaunes parfumées. Ces fleurs jaunes étaient très jolies, aussi jolies que les petites fleurs bleues qui poussaient par terre. Etty en cueillit quelques-unes pour les rapporter à sa maman.

Ils vagabondèrent longtemps, jusqu'au moment où ils s'aperçurent qu'ils avaient faim. Ils décidèrent de rentrer. Mais comment retrouver le chemin de la maison ?

La maison, la cour et le terrain furent explorés de fond en comble. Meggan était affolée, Jane, plus stoïque. Elle était la seule à savoir monter à cheval, aussi partit-elle au galop pour aller quérir les hommes à la pâture de l'Est.

Larry se montra rassurant :

— Je vais retrouver leurs traces. Je vous le promets, ils seront rentrés avant la nuit.

Les traces menant au bush ne furent pas difficiles à suivre. Les enfants avaient pris la direction opposée à celle du ruisseau, aussi l'anxiété de tous se dissipa-t-elle un peu. Mais il subsistait encore bien d'autres dangers pour deux enfants livrés à eux-mêmes dans le bush, où les traces furent moins faciles à suivre. Parfois, Larry les perdait complètement. Alors, il interrompait sa poursuite, le temps de scruter attentivement le sol alentour.

Connor essayait de tempérer son angoisse et se répétait qu'il était primordial d'agir sans précipitation. Dans le cas contraire, ils couraient le risque de passer à côté des signes laissés par les enfants. Mais quand les ombres se firent plus sombres sous les arbres, la panique prit le dessus. Jusqu'où les deux enfants pouvaient-ils bien être allés ?

— J'ai retrouvé leurs traces ! signala Larry. Ils ont pris par là !

— Ça mène au ruisseau. Oh mon Dieu !

Larry attrapa Connor par l'épaule en affirmant :

— On va les retrouver !

Les traces sinueuses les menèrent au bord du ruisseau. On voyait l'endroit où les enfants avaient joué avant de remonter le cours d'eau. Larry suivit facilement leur parcours avant de s'arrêter net.

— Qu'est-ce qu'il y a ? s'inquiéta Connor.

— Les empreintes d'un homme, répondit Larry d'une voix blanche. Celles de l'homme que je recherche depuis longtemps. L'homme qui a tué mon père est dans les parages.

Un assassin ! Connor pâlit.

— S'il a vu les enfants…

Mais il ne put finir sa phrase.

Larry examina les ombres et le ciel.

— Bientôt, on n'y verra plus assez clair. Il faudrait retourner à la propriété, prendre des torches.

— Non, il faut continuer à chercher. Ils sont sûrement par ici. Etty ! Darcy !

— Connor, il nous faut des torches. Maintenant qu'on sait à partir d'où il faut continuer, on peut être de retour très vite. On n'est pas loin de la propriété. Les enfants ont pas mal tourné en rond.

Joshua écarquilla les yeux, les frotta. Il avait sûrement des hallucinations. Voilà qu'il croyait voir des enfants en plein bush !

Et pourtant, non, il ne rêvait pas ! Une petite fille blanche et un petit garçon à la peau foncée, assis par terre. La petite fille pleurait. Le petit garçon lui avait passé un bras autour des épaules pour la consoler.

Joshua descendit de cheval et alla s'accroupir devant eux.

— Des bébés au milieu des bois… Qu'est-ce que vous faites ici, les petits, tout seuls dans le bush ?

— Veux rentrer, dit le petit garçon en le regardant d'un air grave.

La petite fille se serra contre lui et regarda l'inconnu avec appréhension.

— Vous êtes perdus ? demanda-t-il.

Mais c'était une question inutile.

Le petit garçon acquiesça d'un signe de tête. Joshua réfléchit. Ces gosses devaient venir de la propriété. Il était à Langsdale. Donc, le gamin devait être celui de Jane. Quant à la gamine, il n'en savait rien. Tout ce qu'il savait, c'était qu'il ne pouvait pas les laisser là.

— Je vais vous ramener chez vous. Vous voulez monter sur mon cheval ?

Le petit garçon fit oui de la tête, la petite fille resta blottie contre son compagnon.

— Bon, très bien. Allez hop, en selle.

Joshua mit les enfants en selle l'un après l'autre, monta derrière eux et les maintint solidement. Il eut un frisson en pensant à ce qui aurait pu leur arriver s'il n'était pas tombé dessus. Il avait entendu parler d'enfants qui s'étaient échappés de la propriété familiale et n'avaient jamais été retrouvés.

Jane, toujours en train d'explorer le moindre recoin autour des bâtiments, vit arriver le cavalier qui chevauchait avec les petits assis devant lui.

Remontant ses jupes, elle se précipita à leur rencontre en criant :

— Meggan, Meggan, on les a retrouvés !

Le cavalier brida son cheval en la voyant. Elle entendit son fils crier : « Maman ! Maman ! »

Le cavalier le fit descendre à terre.

En larmes, Jane tomba à genoux pour embrasser son enfant, trop submergée de joie pour le gronder. Puis elle se releva, son fils dans les bras, pour remercier son sauveur. Pour la première fois, elle regarda le visage sous le chapeau en feuilles de palmiste.

La haine prit alors le relais de la reconnaissance.

— Salut, Jane, dit le cavalier. Tu ferais bien de surveiller un peu mieux ton fils et sa camarade.

Il déposa Etty sur le sol et poursuivit :

— Je présume qu'elle est d'ici.

455

Jane resta muette, incapable de remercier celui qu'elle avait fait le serment de tuer. Peut-être Joshua se souvenait-il également de ce serment qu'elle avait prononcé après l'avoir violée. Sa bouche se déforma dans un simulacre de sourire cynique, puis, sans un mot, il fit faire demi-tour à sa monture.

Meggan accourut, talonnée par Agnes. Après avoir serré contre elle sa fille en larmes et repentante, elle s'étonna :

— Pourquoi n'est-il pas resté ? Il méritait d'être remercié en bonne et due forme pour avoir ramené les enfants.

— Il a bien fait de partir. Même s'il m'a rendu mon fils, jamais je ne pourrai prononcer un seul mot de remerciement à l'adresse de Joshua Winton.

— Joshua ! Oh, Jane !...

Connor rentra au moment où Meggan bordait Etty dans son lit. Quand leur fille fut endormie, les deux parents sortirent de la chambre sur la pointe des pieds et Meggan apprit à son époux l'identité de celui qui avait retrouvé les enfants.

— Joshua ! s'exclama Connor, surpris. Quel garçon étrange ! Si seulement il pouvait se débarrasser de ses mauvais penchants, ce serait un type bien.

— Les léopards ne peuvent pas changer leurs taches.

— Tout de même... J'aurais bien voulu le remercier comme il le mérite.

Plus tard dans la soirée, Larry annonça à Connor :

— J'aimerais prendre quelques jours de congé. Je vais partir à la recherche de ce type.

— Quel type ?

Le seul homme que Connor avait en tête à cet instant était Joshua Winton.

— Celui qui a tué mon père. Ses traces étaient fraîches. Cette fois, je veux l'attraper.

— Et après, Larry ? Vous avez vraiment l'intention de le tuer ?

— Oui.

— Réfléchissez, Larry ! Vous ne pouvez pas faire la loi vous-même.

— J'ai promis à l'esprit de mon père que je vengerais sa mort. Je n'ai pas d'engagement avec vous, Connor. Je suis libre d'aller et venir comme je veux.

— Si vous partez, Larry, ne remettez plus les pieds ici.

Larry tourna les talons et quitta la pièce. Il emporterait quelques provisions et partirait sans en parler à personne.

Bien plus tard, quand il fut certain que tout le monde dormait, il se rendit à la cuisine. Sa vue était suffisamment acérée pour lui permettre de voir dans l'obscurité. Il espérait que Mme Clancy ne serait pas trop fâchée en découvrant que quelques tranches du pain qu'elle venait de faire cuire avaient disparu. Il les enveloppa dans un linge avec un bon morceau de fromage et du bœuf salé froid.

Il s'apprêtait à franchir le seuil de la pièce lorsqu'il vit la lueur d'une bougie à la flamme protégée par une petite main apparaître à l'arrière de la maison. Que faisait Agnes dehors en pleine nuit ?

Il recula prestement. La porte s'ouvrit et Agnes entra. Elle posa le bougeoir sur la table. Larry s'avança dans le cercle de lumière. Par bonheur, son amoureuse n'était pas du genre à hurler. Elle étouffa un cri de frayeur en plaquant ses mains sur sa bouche, les yeux agrandis de surprise.

— Que… qu'est-ce que vous faites ici ? bafouilla-t-elle.

— Je pourrais vous demander la même chose, mam'zelle Agnes.

— J'avais faim.

— Vous auriez dû manger davantage ce soir. Vous avez seulement picoré.

— J'étais encore toute retournée à cause de ces pauvres petits. C'est de ma faute, c'est moi qui les ai pas vus quand ils se sont cachés.

À présent qu'elle avait avoué sa culpabilité, elle laissa échapper deux grosses larmes qui roulèrent le long de ses joues.

— Eh là, mam'zelle Agnes, moi, je crois pas que vous avez des reproches à vous faire.

Mais les larmes coulaient toujours.

— Allez, venez là, l'invita Larry.

Il s'assit sur le banc et prit Agnes sur ses genoux, sans intention délibérée de l'embrasser. Mais lorsqu'elle passa ses bras autour de son cou et posa sa bouche sur la sienne, Larry n'eut pas besoin d'autres encouragements.

Il l'embrassa comme il avait eu envie de l'embrasser dès le premier jour, le jour où il l'avait vue dans le ruisseau. D'une main, il la serra contre lui, et, de l'autre, se mit à caresser ses courbes. Elle frissonna et gémit. Il retrouva alors ses esprits et la repoussa le souffle court.

— Eh bien ! Pour sûr, vous savez embrasser, mam'zelle Agnes. Je crois que je vais devoir vous épouser.

Agnes émit un cri de ravissement :

— Oh oui, s'il vous plaît !

Elle voulut l'embrasser encore.

— Eh, faites pas ça, protesta-t-il. Sinon, je réponds de rien !

Agnes rougit. Larry la reposa au sol et se leva.

— Vous allez pas me voir pendant un moment, annonça-t-il. On reparlera de tout ça plus tard. Parce que je crois pas que je pourrai attendre trop longtemps, mam'zelle Agnes.

— Moi non plus.

— Bon, et maintenant, vous prenez à manger et vous retournez bien sagement dans votre chambre.

— Oh, j'ai plus faim.

— Alors, faut aller vous coucher.

Il la suivit des yeux pendant qu'elle sortait, puis prit ses provisions et retourna dans ses quartiers, un grand sourire aux lèvres.

Je veux bien être pendu ! Larry Benedict, tu t'es fait mettre le grappin dessus ! se dit-il.

Son sourire s'élargit encore.

À la mi-journée, Selena et Adam avaient déjà accompli une bonne partie du chemin qui les amenait de Ballarat. Pressée de faire la connaissance du petit Ruan, Selena accompagnait Adam pour sa visite hebdomadaire à Jane. Comme toujours, elle chevauchait comme un homme avec un pantalon sur lequel elle avait enfilé une jupe. Elle ne pouvait malheureusement pas se passer de cet

accessoire féminin, car Connor lui avait très clairement signifié qu'il désapprouvait ses tenues indignes
d'une dame. Elle ne connaissait pas encore suffisamment son frère pour prendre le risque de s'attirer
sa colère.

Une fois à Langsdale, autour d'un thé et de
gâteaux servis dans le salon, Adam et Selena furent
mis au courant du drame de la veille. Ce fut Meggan
qui leur raconta l'histoire.

— J'ai toujours pensé que le destin jouait un
grand rôle dans nos vies, conclut-elle. Quelles
chances y avait-il pour que Joshua se trouve dans cet
endroit particulier du bush à ce moment particulier ?

Avec un regard en coin à Jane, elle poursuivit :

— Peu importent les mauvaises actions de Joshua
dans le passé, je lui serai éternellement reconnaissante d'avoir ramené les enfants à la maison.

Adam regarda sa femme. Il lui demanderait en privé
ce qu'elle avait ressenti en se retrouvant face à Joshua
en pareilles circonstances. Son amour pour son fils
serait-il plus fort que sa haine envers le criminel ?

Plus tard, Meggan apporta le nouveau-né à
Selena, qui le prit dans ses bras avec précaution, si
inquiète que tous éclatèrent de rire.

— Il ne va pas se casser, la rassura Meggan.
Assieds-toi, je vais te le mettre sur les genoux.

Agnes entra alors avec les deux enfants. Etty
grimpa à côté de Selena pour embrasser le bébé.

Meggan remarqua que sa bonne regardait le
nouveau-né avec une expression rêveuse. Ses
pensées semblaient l'emmener très loin.

— Tout va bien, Agnes ?

— Oh, oui, madame, répondit Agnes sans pouvoir s'empêcher de rougir comme une pivoine.

Meggan l'examina attentivement.

— Tu n'es pas comme d'habitude, lui dit-elle. Il t'est arrivé quelque chose ?

La rougeur qui était en train de s'atténuer revint en force.

— Oui, madame, acquiesça-t-elle. M. Benedict, il m'a demandée en mariage.

— Agnes, c'est merveilleux ! Où est Larry ? Il faut porter un toast en cet honneur !

Ce fut Connor qui répondit :

— Larry est parti.

— Comment cela ? Pourquoi ?

— Il peut pas être parti pour de bon... murmura Agnes, troublée.

— Je regrette, Agnes, répondit Connor. Visiblement, Larry ne t'a pas dit ce qu'il prévoyait de faire. Mais s'il t'a demandé de l'épouser, il reviendra. Larry n'est pas le genre d'homme à faire sa demande et à abandonner ensuite sa promise.

Il ne révéla pas qu'il lui avait défendu de reparaître.

— S'il vous plaît, monsieur Trevannick, vous pouvez me dire où il est allé ?

— Il a seulement dit qu'il avait besoin de régler une affaire.

Agnes répondit, rayonnante :

— Merci, monsieur Trevannick. Je sais qu'il sera bientôt de retour.

Ce qui signifiait que Connor serait contraint de se rétracter. Peut-être les recherches de Larry resteraient-elles infructueuses. C'était ce qu'il espérait pour le bien d'Agnes.

461

Plus tard seulement, dans la chambre où elle couchait le bébé en présence de son mari et de Selena, Meggan reprocha à Connor :

— Tu ne m'as pas dit que Larry était parti. Tu me caches quelque chose.

— J'ai attendu de voir s'il le faisait réellement. Hier, pendant que nous étions à la recherche des enfants, il a vu les fameuses empreintes.

Meggan comprit aussitôt :

— Les empreintes qu'il recherchait. Celles de l'homme qui aurait tué son père.

Selena poussa un cri étouffé.

Connor, qui avait mal interprété la réaction de sa sœur, poursuivit :

— Selena, tu te souviens que Larry a parlé de se venger. Hier soir, il est venu me trouver pour m'annoncer qu'il comptait partir tôt ce matin. J'espérais qu'il changerait d'avis.

Selena quitta alors la pièce sous prétexte de les laisser seuls. Le cœur battant, elle retourna au salon, où Jenny était en train de lire une histoire aux enfants.

— Tu sais où est Adam ? s'enquit-elle.

— Adam et Jane sont retournés chez eux. Pourquoi ?

Selena ne prit pas le temps de répondre. Elle se rua dehors et courut jusqu'à la petite maison de l'intendant. Jane ouvrit en l'entendant cogner frénétiquement à la porte.

— Selena, que se passe-t-il ?

La jeune fille s'adressa directement à Adam d'un ton pressant :

— Il faut arrêter Larry ! Il est parti tuer Joshua.

Adam se leva d'un bond.

— Comment ça ?

— Crois-moi, Adam. Il n'y a pas de temps à perdre. Je te raconterai en chemin.

— Le chemin pour aller où ? demanda-t-il, sans bouger d'un pouce.

— Adam, vas-tu laisser Larry tuer ton frère ?

Enfin, il réagit :

— Non, pas si je peux l'éviter.

— Alors, fais vite ! Je crois savoir où ils sont.

Pendant leur chevauchée, elle lui parla de la scène dont elle avait été témoin à Ballarat, en omettant de dire que si elle avait vu le visage de son frère, ce n'était qu'en esprit.

— Je ne savais pas son nom avant que Meggan le reconnaisse à Creswick, précisa-t-elle.

— As-tu parlé de ça à quelqu'un ?

— Non. Quand Larry est arrivé à Langsdale, j'ai su que son père était celui que j'avais vu tuer. Mais je n'ai rien dit, parce que je ne voulais pas faire de mal à Joshua, même si c'est un homme mauvais.

Ils chevauchaient à bonne allure. Selena connaissait la route.

— Comment es-tu si certaine de ne pas te tromper de chemin ? s'étonna Adam.

— Je venais par ici presque tous les jours quand je vivais chez Connor. Il y a un endroit bien caché dans un creux qui fait un bon emplacement pour camper. J'ai le sentiment que c'est là que nous retrouverons ton frère.

— J'espère que tu as raison. Je prie simplement pour que nous arrivions avant Larry. Je crois que c'est un excellent pisteur.

463

Selena ne répondit pas, sachant qu'ils se trouvaient à quelques centaines de mètres de la combe. Elle brida son cheval et fit signe à Adam de garder le silence. Son sixième sens lui disait que Larry était déjà sur place.

— Laissons nos chevaux ici, proposa-t-elle dans un murmure.

Adam s'exécuta sans savoir exactement pourquoi il obéissait à cette drôle de fille. Ils attachèrent leurs chevaux à un arbre et Selena passa devant. Ils entendirent les voix des deux hommes avant même de les voir.

Joshua était étendu par terre à côté de son couchage. Larry pointait son Colt sur lui.

L'espace d'une seconde, ils évaluèrent la situation, puis Adam chuchota quelques mots à l'oreille de Selena, laquelle hocha la tête.

Joshua était en train de protester d'une voix pleine de terreur :

— Je ne voulais pas le tuer. C'était un accident.

Larry répondit avec dureté :

— Ah ouais ? Accident ou pas, t'es responsable de la mort de mon père. T'as pris une vie, tu vas payer de la tienne.

— Non ! Je vous en prie ! Ne me tuez pas ! Je vous donnerai tout ce que vous voulez ! supplia Joshua, au bord des larmes.

— Qu'est-ce que t'as à donner ? L'or que tu voles aux mineurs pendant la nuit ? Moi, les ordures comme toi, la seule chose que je leur prends, c'est la vie.

Adam intervint alors, le fusil prêt à faire feu :

— Non, Larry !

Il s'avança de quelques pas.

464

— Cet homme est mon frère, précisa-t-il.

— Adam ! s'écria Joshua en se levant d'un bond.

Le museau du Colt que Larry tenait légèrement baissé se redressa.

Derrière lui, Selena parla à son tour :

— Moi aussi j'ai une arme, Larry. Nous faisons ça pour votre bien.

Mais l'Américain ne fit pas mine de baisser son revolver.

Selena reprit :

— Si vous tuez Joshua, nous vous livrons à la police. Qu'est-ce qu'Agnes pensera de vous alors ?

Larry baissa lentement la main. Selena s'avança pour lui prendre son arme.

Joshua se mit à rire de soulagement. Une gifle puissante administrée par son frère l'envoya rouler à terre.

Joshua se frotta la mâchoire, les yeux écarquillés.

— Qu'est-ce qui te prend ?

— Ferme-la. Je m'occuperai de toi plus tard. Larry, vous devriez retourner à la propriété, avant qu'Agnes décide que vous ne valez pas le coup comme mari.

— Vous voulez que je laisse repartir cette ordure, cet assassin, parce que c'est votre frère ? s'insurgea Larry.

— Je vous ai dit que c'était un accident ! se défendit Joshua.

Selena confirma :

— C'est la vérité, Larry. J'ai tout vu.

— Ça, c'est vrai ! s'écria Joshua. Je savais que vous m'aviez vu. Vous avez quitté Ballarat le lendemain.

— Oui, parce que j'ai cru que j'étais en danger.

— Mais j'allais rien vous faire ! Je vous surveillais, c'est tout. Je me suis demandé pourquoi vous alliez pas à la police.

— Je n'avais pas envie d'être impliquée.

Larry répéta la question qu'Adam avait posée à Selena un peu plus tôt :

— Pourquoi avoir attendu jusqu'à maintenant pour me dire ça ?

— Parce que je n'étais pas tout à fait sûre de cette histoire. C'était comme les pièces d'un puzzle. Elles ne se sont assemblées que récemment.

— Il y a autre chose, dit Adam. Hier soir, c'est Joshua qui a trouvé les enfants et qui les a ramenés. Il y a de fortes chances pour qu'il leur ait sauvé la vie.

Larry rendit les armes en pestant intérieurement. Ces bonnes femmes, quelles empêcheuses de tourner en rond ! D'abord Mlle Agnes, dont il tombait amoureux et qui l'enflammait au point qu'il était obligé de l'épouser. Et ensuite Mlle Selena, qui arrivait avec son revolver pour enfant et qui l'empêchait de descendre ce salopard !

Il jeta un regard dur à Joshua.

— Débrouille-toi pour que je te revoie plus jamais, ordure !

Puis il reprit son arme des mains de Selena et disparut sous le couvert des arbres.

Adam émit un soupir de soulagement. Joshua, trop sonné pour bouger, resta couché où il était en examinant son frère d'un œil méfiant.

Ce dernier s'adressa à lui :

466

— Je te dis la même chose que Larry. Débrouille-toi pour que je ne te revoie plus jamais. Je ne veux pas savoir ce que tu as commis comme crimes ni ce qui peut bien t'arriver. Je ne t'ai sauvé la mise que parce qu'hier tu as bien agi. La prochaine fois que quelqu'un voudra te tuer, tu te débrouilleras seul. Maintenant, fiche le camp. Ne te montre plus jamais dans la région.

Quatre jours plus tard, Joshua avait déjà parcouru un long chemin. Il avait pris la route des Pyrenees, la région viticole du Victoria, évitant les colonies minières ainsi que les policiers qui pouvaient le rechercher. Il prévoyait de poursuivre jusqu'au nord, vers le Murray, loin des champs aurifères. Il passa cette quatrième nuit dans une grotte, à l'abri de la pluie. Au matin, la pluie tombait toujours aussi dru, aussi décida-t-il d'attendre sur place, près de son feu, que le ciel s'éclaircisse.

Le surlendemain, il repartit sous un soleil brillant et suivit le cours d'un ruisseau. Le débit des eaux gonflées de pluie était très rapide et, manifestement, le niveau avait beaucoup monté.

Brusquement, le cheval glissa sur une roche et plia un peu la jambe gauche. Joshua descendit pour vérifier que l'animal ne s'était pas blessé. À l'endroit où le fer du sabot avait heurté la roche, il aperçut un éclat jaune. Aussitôt, il tomba à genoux et balaya fébrilement la terre brune, mettant au jour une pépite d'or de la taille d'un melon.

Joshua se laissa tomber sur le dos et se mit à rire à gorge déployée. Il était riche au-delà de ses rêves les plus fous.

3

Par une journée de printemps si belle qu'elle mettait la joie dans tous les cœurs, Will descendit de la diligence dans la Grand-Rue. Il resta immobile quelques instants, s'imprégnant du spectacle et des bruits familiers.

De nouveaux magasins et des hôtels flambant neufs avaient poussé et de nombreuses boutiques de toile avaient été remplacées par des bâtiments en bois. Ballarat devenait une jolie ville. Il ne restait plus qu'à chasser la police corrompue, à donner aux chercheurs d'or le droit de vote et celui de posséder leur terre, et ce coin deviendrait l'endroit le plus agréable de tout le Victoria.

Maintenant que le gouverneur LaTrobe avait été remplacé par Charles Hotham, peut-être la revendication des mineurs – être reconnus comme des citoyens de Ballarat – serait-elle prise en considération. Un passager de la diligence lui avait raconté que les gens s'étaient massés le long des rues et avaient applaudi le nouveau gouverneur et son épouse lorsqu'ils étaient venus à Ballarat pour constater par eux-mêmes les conditions de vie sur les champs aurifères. Tous, avait dit le passager, étaient convaincus que M. Hotham prêterait une oreille attentive aux besoins des mineurs.

468

Will alla tout droit à sa cabane sur le filon Eureka. Il fut surpris d'y trouver Adam, et apprit avec soulagement, mais sans surprise, que Jenny était à Langsdale.

— Quelles sont les autres nouvelles ? s'enquit-il.

— Il s'est passé beaucoup de choses pendant que tu étais absent. Meggan a donné le jour à un fils.

Will sourit pour la première fois depuis longtemps.

— J'ai donc un neveu. C'est une bonne nouvelle. Et quoi d'autre ?

— Beaucoup de choses, la plupart concernant Joshua.

Adam, interrompu à l'occasion par une question de son interlocuteur, lui raconta tout ce qui s'était passé depuis la disparition des enfants. Il lui parla également de la possible implication de Joshua dans l'attaque du convoi d'or.

— Je crois qu'il y a une chance pour que mon frère n'ait pas fait partie de la bande, précisa-t-il. Sinon, il aurait eu assez d'argent pour ne pas être obligé de camper dans le bush. J'espère seulement que Larry lui a fait suffisamment peur pour qu'il envisage de vivre honnêtement.

— Va savoir si ça a suffi. Il n'en reste pas moins que c'est ton frère.

— Je n'ai pas envie de le revoir. Je n'ai jamais compris pourquoi il avait mal tourné. Il a peut-être hérité des vices d'un ancêtre dévoyé…

Will s'apprêtait à se rendre auprès de ses frères, mais Adam le retint :

— J'ai une autre nouvelle : Larry et Agnes se sont mariés la semaine dernière.

469

— Vraiment ? Je suis content pour eux. J'aime bien Larry, et Agnes est la meilleure de la famille Roberts. J'ai même oublié que c'était la sœur de Tom.

Adam réfléchit quelques secondes avant de se décider :

— Tu sais qu'il y a de grandes chances pour que tu le retrouves sur ton chemin. Que comptes-tu faire une fois en face de lui ?

C'était une question dont Adam avait souvent discuté avec Hal et Tommy. Ils connaissaient tous trois le caractère de Will qui était lent à s'enflammer, mais également lent à s'éteindre. Adam vit à l'expression dure de ses yeux que le feu couvait encore.

— Tu verras ça le jour où je le rencontrerai, répondit Will.

Hal et Tommy avaient, eux aussi, beaucoup de choses à raconter à leur frère. Mais ils voulurent d'abord savoir comment il avait vécu ses six semaines de travaux forcés. Will refusa de répondre. Ils constatèrent tous deux qu'un changement s'était opéré en leur frère aîné. Il semblait s'être enfermé dans une coquille.

— Parlez-moi plutôt de notre concession, leur dit-il. Vous avez trouvé du jaune ?

— Nous avons quelques morceaux de bonne taille. Ce puits va bien rapporter.

— Très bien. On devrait rester sur l'Eureka. Je pense que le filon va beaucoup plus loin encore.

Tommy s'agita sur son siège.

— Tu veux continuer à creuser pendant combien de temps, Will ?

Ce dernier le regarda avec surprise.

470

— Ça, je peux pas te répondre. Pourquoi ?

Hal expliqua alors :

— Ce qui se passe, Will, c'est que Tommy et moi, on veut arrêter dès qu'on aura fini ce puits.

Devant le mutisme de son frère, il poursuivit :

— Adam, lui, prévoit de rester à Ballarat pendant un bon bout de temps. Vous pourriez vous associer.

— Bien sûr... J'aurais dû m'y attendre. Il y a longtemps que tu veux acheter un bateau.

— Adam m'a parlé des vapeurs à aubes sur le Murray. Je vais aller voir comment ça se présente. Ça me plairait bien, un bateau à aubes. Je crois que j'ai de quoi m'en acheter un petit. Si j'ai pas assez, Meggan me prêtera de l'argent. Je t'ai déjà dit qu'elle me l'avait proposé.

— Tu partiras avec ma bénédiction, Hal. Je t'envie de savoir ce que tu veux.

— Ça, c'est une chose qu'on a jamais comprise, Tommy et moi. Toi, Will, tu as toujours été le chef, celui qui prenait les décisions, et pourtant, t'as jamais fait des projets d'avenir pour après l'or.

— J'ai encore beaucoup de temps devant moi. Je suis pas pressé.

Il ne leur dit pas qu'au fond de son cœur, il désespérait d'avoir un jour un projet d'avenir. Les moutons, une ferme, un bateau ou un magasin ne l'intéressaient pas. Il ne possédait pas de don manuel comme Tommy qui savait travailler le cuir. Et maintenant, il lui fallait tenir compte de Jenny.

— Tu partiras avec Hal ? demanda-t-il au benjamin.

À sa surprise, ce dernier rougit.

471

— Eh là ! Tu ne serais pas tombé amoureux, par hasard ?

Tommy eut un sourire timide.

— Elle s'appelle Mary-Anne Jones. Son père possède la sellerie de Pennyweight Flat.

— Et tu l'as rencontrée où, cette Mary-Anne Jones ?

— Elle est venue me trouver. Quelqu'un lui avait dit que j'étais un bon sellier. Tu sais que beaucoup de gens qui tiennent un commerce ont du mal à payer la nouvelle redevance de cinquante livres décidée par LaTrobe en décembre. M. Jones s'était blessé à la main et il pouvait pas travailler. Il risquait de devoir fermer boutique. Mary-Anne est venue me supplier de l'aider. Je l'ai fait.

— Et tu es tombé amoureux.

Une légère rougeur envahit de nouveau le visage de Tommy.

— Je l'ai aimée au premier regard. Elle m'a dit que c'était pareil pour elle.

— Donc, si je comprends bien, tu prévois d'épouser la fille et de travailler pour le père.

— Mieux que ça, Will. Je vais mettre de l'argent dans son affaire et je deviendrai son associé. On aura la meilleure sellerie de Ballarat.

— Tu as ma bénédiction toi aussi, Tommy.

— Nous avons reçu une lettre de Ma pendant que tu étais parti, reprit Hal. Meggan a bien fait en la ramenant en Cornouailles. Elle écrit qu'elle est heureuse et, tu vas pas le croire, M. Tremayne lui rend visite régulièrement. Ma dit qu'ils sont vraiment bons amis.

472

Amis dans leur vieillesse, après avoir été amants dans leur jeunesse, songea Will. Il se rendit compte qu'il n'avait informé ni M. Tremayne ni sa mère de son mariage avec Jenny. Peut-être Meggan le leur avait-elle écrit. Il se demanda ce que Jenny penserait de cette amitié, maintenant qu'elle était au courant de leur aventure passée.

— Ma n'a jamais été heureuse en Australie, dit-il. Demain, je pars pour Langsdale, voir Jenny. Et notre neveu qui porte un vrai nom de Cornouailles.

— Et Jenny, tu vas la ramener avec toi ?

Pour la deuxième fois ce jour-là, Will sourit.

— Je ne crois pas que je pourrai faire autrement.

Il ne se trompait pas. Jenny, éclatante de santé, déclara qu'il n'y avait absolument aucune raison pour qu'elle reste à Langsdale maintenant que son mari était de retour. Elle était pressée de reprendre la vie commune.

Pendant la journée et la nuit qu'il passa à Langsdale, Will repoussa toutes les tentatives de Meggan pour amener le nom de Tom Roberts dans la conversation.

— Je ne veux pas parler de ce qui s'est passé. Cette histoire n'est pas encore finie pour moi.

Puis il aborda le sujet des plans d'avenir respectifs de Hal et Tommy. Il demanda ensuite à Meggan si elle avait reçu une lettre de leur mère.

— Elle nous a écrit pendant que j'étais absent, précisa-t-il. Ma t'a dit que M. Tremayne venait la voir ?

— Oui. J'en suis heureuse pour elle. Je crois que Ma aimait sincèrement le père de Jenny et que lui aussi l'aimait. Mais il était le propriétaire de la mine,

473

il était marié, et elle n'était qu'une fille de mineur. Tu connais leur histoire. À sa manière, elle aimait Pa. C'était une bonne mère pour nous et une bonne épouse pour Pa. Ma n'a jamais fait, ou dit, la moindre chose blessante pour nous.

Meggan ne pouvait confier à son frère le choc qu'elle avait ressenti en lisant la confession de sa mère qui lui avouait n'avoir jamais cessé d'aimer Phillip Tremayne.

Je te raconte ça à toi, Meggan, parce que tu es une femme du monde maintenant. Il y a une chose qui me tracasse affreusement.

J'ai gardé le secret sur le vrai père de Caroline. Il y a aussi une autre chose qui est trop lourde pour moi à porter seule. Hal est lui aussi le fils de Phillip. Phillip l'a désigné dans son testament. Je te supplie de ne pas le dire à tes frères. Je ne veux pas faire du mal à Hal en lui disant que son père n'est pas son vrai père.

Je sais que tu es riche, Meggan. Je te demande de dire que l'argent que laisse Phillip à Hal, c'est un cadeau de ta part.

Meggan ne savait pas si sa mère croyait vraiment en la possibilité de réaliser ce subterfuge. Elle qui était, comme l'écrivait sa mère, une femme du monde, savait ce que signifiaient les testaments et les hommes de loi, et les homologations, et la légalité, dès lors qu'il s'agissait de la succession d'un homme fortuné. Mais elle garderait pour elle les confidences de sa mère jusqu'au jour où, une fois de plus, la vérité devrait être dite.

— Dans sa lettre, Ma n'a pas évoqué ton mariage avec Jenny. Tu ne l'as pas prévenue ? Et Jenny ? Elle n'a pas écrit à son père ?

— Tu sais bien qu'on s'est pas mariés d'une manière normale. On va attendre la naissance du bébé, et on dira aux parents qu'on s'est mariés à Noël dernier.

— Est-ce que vous en avez parlé entre vous, de cet enfant ? Je crois que maintenant Jenny n'a plus les mêmes sentiments envers lui. Elle ne parle plus de le donner à l'adoption. Je l'observe avec Ruan et je constate qu'elle pense au jour où elle tiendra son propre bébé dans ses bras. J'espère, pour le bien de Jenny, que vous pourrez apprendre à aimer ce petit innocent.

Will se contenta de répondre :

— Qui vivra verra.

Il n'accepta pas non plus de confier ses pensées ou ses sentiments à sa femme. Jenny fit une nouvelle tentative quand ils furent rentrés chez eux.

— Je t'en prie, Will, parle-moi. Je ne supporte pas ton silence.

— Il n'y a rien à dire.

En vérité, il était incapable d'évoquer ce que Tom Roberts avait lui-même admis.

— Je vais avoir un enfant ! protesta Jenny. Un enfant qui bouge à l'intérieur de moi, qui fait tellement partie de moi que je ne veux plus le donner.

Mais Will se détourna et se dirigea vers la porte en annonçant :

— Je vais voir les Baxter.

— Et Selena, aussi, non ?

Il prit le temps de poser la main sur le chambranle avant de répondre :

— Oui, Selena aussi, si elle y est.

Il franchit le seuil, abandonnant sa femme dans la cabane.

Jenny eut l'impression qu'on lui arrachait le cœur. Elle se reprocha amèrement d'avoir eu la stupidité de révéler sa jalousie. Elle aimait bien Selena, mieux encore, elle l'aimait profondément. Elle admirait sa nature intrépide et sa force de caractère. Sa jalousie venait de l'amitié qui liait Will et Selena et qui, parfois, semblait contenir plus d'affection qu'une amitié classique.

Le bébé lui donna un coup de pied. Jenny mit sa main sur son ventre et lui chuchota :

— Peut-être que quand tu seras né, mon bébé, et que les souvenirs de prison se seront estompés chez Will, nous pourrons être heureux.

Les mineurs découvrirent très vite combien ils s'étaient trompés en croyant en la sincérité du nouveau gouverneur. Forcé de remonter du puits pour la deuxième fois en une semaine, Will demanda pourquoi, alors qu'ils avaient montré leur licence aux mêmes policiers trois jours plus tôt, ils devaient recommencer.

— Nos licences sont en règle, protesta-t-il. Vous interrompez notre travail pour rien.

Le policier ne montra aucune compréhension :

— La nouvelle politique du gouverneur, c'est que tous les mineurs doivent montrer leur licence deux fois par semaine. Notre but, c'est d'attraper ceux qui travaillent illégalement.

476

La tâche fut moins facile que prévu. Alors qu'un certain nombre de mineurs sans licence optait pour la solution de payer la redevance requise, un nombre plus important s'obstina dans le refus. S'inspirant des énormes oiseaux blancs à crête jaune qui ont des vigies chargées d'avertir le groupe en cas de danger, les mineurs postèrent des « cacatoès » d'un bout à l'autre de l'exploitation de Ballarat.

Au moment où retentissait le signal, les contrevenants disparaissaient dans les trous des concessions non exploitées. Parfois, ils échappaient à la police en revêtant une robe de femme et en se penchant sur un baquet à lessive. Ceux qui détenaient des licences, tels les frères Collins et Adam, étaient harcelés plus fréquemment que ceux qui n'en possédaient pas.

Le ressentiment grandissait envers le gouvernement. Will se joignait souvent aux mineurs qui se réunissaient autour d'un feu de camp pour discuter de leurs doléances. Il trouvait un exutoire à sa colère dans les fortes paroles contre les policiers, le commissaire Rede, le gouverneur Hotham et les promesses de vengeance contre une politique injuste. Mais il gardait enfoui le cœur en fusion du volcan qui grondait en lui. Il savait que l'explosion se produirait dès que le hasard remettrait Tom Roberts sur sa route.

À la fin de la première semaine d'octobre, sur l'Eureka, un autre sujet occupa toutes les conversations et se répandit comme une traînée de poudre dans tous les champs aurifères. Le dimanche, les

Baxter demandèrent à Will s'il y avait du vrai dans la rumeur.

— Ta concession n'est pas loin de l'hôtel *Eureka*, dit M. Baxter. On a entendu dire que le patron a tué un mineur écossais sans raison.

Will confirma.

— Oui, c'est vrai. Hier matin à l'aube, un certain Scobie a été battu à mort. Tout le monde dit que le responsable, c'est le patron, Bentley.

— Tu sais pourquoi ce gars a été tué ?

— Il paraît que Scobie a passé la nuit de vendredi à boire avec un ami qu'il avait pas revu depuis longtemps. Au petit matin, ils ont voulu prendre un dernier verre à l'hôtel *Eureka*. Bentley a refusé de leur ouvrir, alors Scobie a donné des coups de pied dans la porte, si bien qu'il a cassé la vitre. Il y a eu une dispute, Scobie a fait des remarques insultantes sur Mme Bentley. Les deux gars ont fini par partir, mais ils avaient pas fait cinquante mètres que Bentley et ses amis leur tombaient dessus.

— L'hôtel *Eureka* a mauvaise réputation depuis toujours, acquiesça M. Baxter. Il est plein de voyous et d'anciens condamnés. Aucun homme décent n'y mettrait les pieds. Ce que tu nous dis là ne m'étonne donc pas.

— Je tiens l'histoire du voisin de concession de Scobie. Les hommes du champ aurifère de l'Eureka sont furieux des conclusions du légiste. Plusieurs d'entre nous ont rassemblé des preuves de ce qui s'est passé. On les a apportées au gouverneur aujourd'hui. On veut tous que Bentley soit arrêté et jugé pour meurtre.

Lorsque, le lendemain, la police arriva pour emmener Bentley, sa femme, et un délinquant notoire nommé Farrell, les mineurs s'arrêtèrent de travailler pour observer la scène, silencieux et satisfaits.

La satisfaction ne fut plus de mise lorsque, peu après, on les vit rentrer tous les trois à l'hôtel, libérés sous caution.

De nombreux mineurs quittèrent leur travail pour assister à l'audience préliminaire qui eut lieu le jeudi. La cour était présidée par un homme connu pour accepter les pots-de-vin et pour être un ami des Bentley. Le commissaire Rede et son assistant siégeaient également. Bentley fut relaxé.

La colère gronda au sein des mineurs.

— C'est pas la peine d'espérer la justice à Ballarat ! tempêta Will. La preuve, les policiers viennent d'arrêter le domestique du prêtre catholique, un infirme, sous prétexte qu'il n'a pas de licence, alors qu'il n'en a pas besoin ! Dimanche prochain, les catholiques tiennent une réunion après la messe. Et nous aussi, on en organise une pour les mineurs. On n'en peut plus de la brutalité et de la corruption.

— Moi, je veux pas m'en mêler, commenta Hal. Et toi, Will, tu ferais mieux de pas y aller. T'as déjà été en prison.

— C'est pour ça que j'ai encore plus de raisons qu'un autre de réclamer la justice.

Ni Hal ni Tommy ne purent le dissuader. Trois mille cinq cents mineurs, y compris Adam, assistèrent à cette réunion qui se tint à Bakery Hill. Ils écoutèrent plusieurs discours enflammés. Ils approuvèrent la mise sur pied d'un fonds destiné à attribuer une récompense pour toute information susceptible de conduire à la condamnation de Bentley pour meurtre. Unanimement, les mineurs acceptèrent la résolution dont on leur fit la lecture :

Les participants à la présente réunion, n'étant pas satisfaits de la manière dont ont été menées les procédures en relation avec le décès de James Scobie, tant par les magistrats que par le légiste, s'engagent à avoir recours à tous les moyens légaux pour porter l'affaire devant d'autres autorités plus compétentes.

Les participants à la présente réunion estiment nécessaire de collecter des fonds afin d'offrir une récompense en vue de la condamnation des assassins, et de payer toutes les autres dépenses en relation avec l'affaire.

Quand les cris d'approbation et les applaudissements eurent cessé, Adam se tourna vers Will et lui posa la question que de nombreux mineurs se posaient sans oser la formuler :

— Encore une pétition au gouverneur... Est-ce que ces gens pensent réellement qu'on va les écouter, alors que jusqu'à présent toutes leurs pétitions et leurs doléances ont été ignorées ?

Will fit la grimace.

— Hotham n'a aucune sympathie envers les mineurs, reconnut-il. Il paraît qu'il est encore plus pourri que LaTrobe. Comme, nous autres, les mineurs, on passe six mois à creuser au fond d'un trou, Hotham s'imagine qu'on est tous riches, puisqu'on se permet de vivre sans trouver d'or. Il fera rien pour nous aider.

La foule commença à se disperser. Mais Will, jugeant qu'il ne fallait pas en rester là, éleva la voix :

— Ici, c'est l'endroit même où Scobie a été tué ! Ses assassins devraient être en prison !

— Oui, oui ! approuva-t-on avec colère.

Quelqu'un chercha à tempérer :

— Ils finiront par être jugés !

— Y a pas de justice pour les mineurs ! Les policiers ont tous les droits. Qui c'est qui les a jamais vus tabasser un mineur ou démolir sa tente ? Combien de boutiques ont été pillées et brûlées parce que le propriétaire a vendu un peu d'alcool illégal ?

— Et tout l'alcool qui est saisi par les policiers ? renchérit un troisième. Ils le sifflent eux-mêmes et ils s'enrichissent sur notre dos, avec leurs amendes !

— Et quand ils démolissent les cabanes et qu'ils volent tout ce qu'y a dedans ?

Suivit un brouhaha de voix furieuses qui dénonçaient les agissements de la police et du camp du gouverneur.

— Regardez là-bas, l'hôtel ! s'écria Will. Les policiers sont venus le protéger ! Les gars, vous les avez vus passer au milieu de nous pendant la réunion pour courir à la rescousse d'un assassin !

— Nous, on est plus nombreux qu'eux ! cria une voix. Faut aller chercher Bentley nous-mêmes !

Une petite foule se rua vers l'hôtel *Eureka*. Soudain, quelqu'un signala :

— Y a Bentley qui s'enfuit vers le camp !

— Lâche !

— Salaud ! Assassin !

481

— Il sait qu'ils vont le protéger, au camp !

— Vous l'avez, votre preuve, les gars ! Bentley, D'Ewes et Rede, copains comme cochons. Tous des coquins ! On obtiendra jamais justice si on la fait pas nous-mêmes.

— Les policiers vont pas nous en empêcher ! Ils feront que tourner autour de l'hôtel assis sur leurs chevaux !

Une grosse pierre lancée par une main anonyme traversa les airs et manqua de peu la tête d'un policier avant de s'écraser contre une vitre de l'établissement. La foule se déchaîna. Une volée de pierres, de bâtons, de bouteilles et de projectiles en tout genre se mit à pleuvoir sur le bâtiment, jusqu'à ce qu'il ne reste plus une vitre intacte.

Les insurgés franchirent la porte d'entrée et se mirent aussitôt à lancer par les fenêtres tout ce qui leur tombait sous la main. Les policiers, dont les montures étaient effrayées par ce charivari, étaient trop occupés à se maintenir en selle pour endiguer l'émeute.

Adam attrapa Will par le bras pour l'éloigner de la foule déchaînée.

— Ils sont hors de contrôle. Il faut partir. Les tuniques rouges arrivent.

Stupéfié par la violence qu'il avait contribué à faire naître, Will suivit Adam en jetant régulièrement des regards en arrière. Il s'arrêta en entendant crier : « Au feu ! »

— Adam ! s'exclama-t-il. Ils font brûler l'hôtel !

— La police va l'éteindre.

— Ils pourront pas ! Quelqu'un a mis le feu à l'arrière du bâtiment aussi. Et voilà Rede avec les tuniques rouges.

Les soldats formèrent une ligne devant l'hôtel, sabre au clair. Rede tenta de faire entendre raison à la foule. Quelqu'un lança un œuf, manquant de peu la tête du commissaire. Le vent attisa les flammes. Le feu se propagea rapidement. En quelques minutes, la salle de bowling adjacente s'embrasa.

Les tuniques rouges se retirèrent, ainsi que la police et Rede. Un tonnerre d'acclamations salua leur départ. Sans se soucier des flammes, les hommes se mirent à arracher les briques du bâtiment. D'autres pénétrèrent à l'intérieur pour en sortir des bouteilles d'alcool. Des vagues humaines affluaient de l'Eureka et des Gravel Pits pour voir le spectacle.

À nouveau, Adam tira Will par la manche.

— Viens, Will. Il va y avoir du grabuge. Il faut partir d'ici.

Jenny l'attendait sur le seuil de la cabane. À la vue de son mari, elle fondit en larmes.

— Pourquoi tu pleures ? lui demanda-t-il.

— Je m'inquiétais pour toi. J'ai vu le feu et les soldats.

— Tu vois, je vais bien. Tu n'as aucune raison de pleurer.

— Ce sont des larmes de soulagement. J'avais peur que tu sois blessé ou arrêté.

Will prit son visage en coupe entre ses mains et essuya ses larmes du bout des pouces.

— Ne pleure pas, ma chérie. Je ne me ferai plus arrêter.

Aussitôt, les larmes de Jenny tarirent. Avec une nuance d'étonnement dans la voix, elle lui fit observer :

483

— Tu m'as appelée « chérie ». C'est la première parole tendre que tu me dis depuis ton retour. Tu m'aimes donc toujours ?

Il tourna la tête vers l'incendie qui continuait à faire rage au loin. La foule avait diminué de moitié. Beaucoup rejoignaient leurs habitations.

Will poussa doucement sa femme à l'intérieur et ferma la porte.

— Tu sais que je t'aime, dit-il. Tu n'as pas besoin de poser la question.

— Si, j'ai besoin de te la poser, parce que tu n'agis plus comme si tu m'aimais. La prison t'a transformé. Tu as construit un mur autour de toi et tu m'as laissée dehors.

— Tu vois, je te parle.

L'humeur de Jenny avait changé si rapidement, passant des larmes de soulagement aux reproches, qu'il mit ce revirement sur le compte de son état.

Mais il s'aperçut qu'elle était bel et bien en colère.

— Non, tu ne me parles pas ! Nous échangeons des mots sur des sujets ordinaires. Tu passes plus de temps loin de moi que tu n'en passes avec moi.

— Jenny...

— Non, écoute-moi ! Si tu ne veux pas parler de Tom Roberts, c'est moi qui vais le faire. Il m'a violée et c'est son enfant que je porte.

Pourquoi donc éprouvait-elle le besoin de mettre des mots sur ce qu'il refusait d'affronter ? Il sentit la colère bouillonner en lui mais ne dit rien. Devant son silence, elle se laissa tomber sur le lit. Il la regarda avec tristesse. Comment pourraient-ils être un jour véritablement heureux ? Il aurait pu accepter l'enfant d'un étranger mais jamais il ne pourrait accepter un enfant engendré par Tom Roberts. Il tourna les talons.

— Will ?

— Je rentrerai tard. Je vais voir Hal et Tommy.

Du dehors, il l'entendit sangloter. Il s'arrêta, serra les poings, luttant pour ne pas céder. Mais très vite, il ferma les oreilles à la détresse de sa femme et se dirigea vers les Gravel Pits.

Comme il s'y attendait, il y retrouva Hal, Tommy et Adam en train de commenter les événements. Il se joignit à leur discussion, avant d'aborder la raison principale de sa visite :

— Dans quelques jours, on aura récupéré tout l'or de notre puits, dit-il à ses frères. Est-ce que vous envisagez toujours de partir ?

— Oui, répondit Tommy. Le père de Mary-Anne aimerait la voir mariée avant la fin de l'année. Je vais construire une maison en bois pour nous. Comme nous prévoyons d'agrandir la sellerie, je reste à Ballarat. Mes enfants grandiront ici, dans cette ville.

Jamais Tommy n'avait prononcé de discours aussi long.

Hal prit la parole à son tour :

— Moi, je partirai pour Bendigo dès que j'aurai obtenu une place dans une diligence. De là, je monterai vers le nord, à Echuca.

— Et toi, Adam, qu'est-ce que tu veux faire ? s'enquit Will.

— Moi, je serai heureux de continuer encore quelque temps. Quand Hal et Tommy seront partis, je t'achèterai cette cabane et Jane et Darcy viendront habiter avec moi.

Ils parlèrent de leurs différents projets jusqu'à l'arrivée de la famille Baxter. La discussion se porta de nouveau sur l'incendie de l'hôtel *Eureka* et les doléances des mineurs.

Will ne retourna pas chez lui avant minuit passé, heure à laquelle Jenny dormait profondément. Il se coucha sur son lit en écoutant le doux bruit de sa respiration, et resta éveillé, les yeux grands ouverts sur les images qui hantaient son esprit.

Les premières images furent celles de sa rencontre avec Jenny Tremayne. Ce jour-là, il était allé rendre visite à sa sœur Meggan, chez les Heilbuth, dans leur propriété de Grasslands. Depuis, il n'avait jamais réussi à chasser Jenny de ses pensées. Très vite, elle s'était installée pour toujours dans son cœur.

Will se souvenait de chacune de leurs rencontres. Il passa en revue toutes leurs conversations. Il savait que son amour pour elle s'était encore accru quand elle avait entrepris de lui prouver qu'elle serait capable de vivre son genre de vie. Peut-être aurait-il dû lui dire à quel point il était fier d'elle et de ses efforts...

Maintenant qu'il était trop tard, il reconnaissait avoir mis sa Jenny bien-aimée sur un piédestal. S'il n'avait pas été aussi obsédé par l'idée de lui offrir une vie aisée et facile, il l'aurait immédiatement épousée. L'enfant qu'elle portait aurait été le sien. Leur existence aurait été remplie d'amour et de bonheur. Au lieu de cela, il se retrouvait en plein cauchemar.

Will mit ses bras sur son front et pleura.

4

Après cette nuit-là, la tension entre Will et Jenny augmenta encore. Will devint inabordable. Quels que fussent les efforts de Jenny, elle n'obtenait que quelques mots en réponse à ses paroles. Par moments, Will ne prenait même pas la peine de répondre. Désespérée, Jenny alla demander conseil à Selena.

— Je ne sais pas quoi faire, se plaignit-elle. Will n'est plus le même. J'ai l'impression qu'il ne m'aime plus.

— Je pense que, pour le moment, son cœur est trop rempli de haine.

— Est-ce moi qu'il déteste ? Ou est-ce l'enfant ? Je veux le garder, maintenant.

— Will t'aime, Jenny. J'ignore ce qu'il ressent envers l'enfant.

— Il s'implique tellement dans la Ligue pour les réformes qu'il n'est plus jamais à la maison le soir. Il a participé à toutes les réunions de Bakery Hill. Je me demande où va nous mener tout ce ressentiment contre le gouvernement. Tu as entendu dire, toi aussi, que le commissaire Rede a demandé au gouverneur d'envoyer davantage de soldats à Ballarat ?

— Oui, et je crois que c'est vrai. Rede a peur que les mineurs attaquent le camp.

— Tu crois qu'ils le feraient ?

— Je ne sais pas.

Plus d'une année avait passé depuis que Selena avait eu la vision d'une bataille sanglante. Cette bataille aurait lieu très bientôt. Depuis l'incendie, elle avait constamment cherché à faire appel à son don. Comme toujours lorsqu'elle tentait de forcer les choses, elle avait échoué. Aucune vision ne s'était produite.

— Comment te sens-tu, Jenny ? Le bébé va bientôt arriver.

— Oui. La sage-femme pense que c'est pour la semaine prochaine.

— Tu veux que je sois auprès de toi ?

— Oui, Selena, j'aimerais beaucoup. Tu es comme une sœur pour moi.

— Et toi pour moi, répondit Selena.

Mais elle avait le cœur lourd. Si la conviction qu'elle gardait pour elle depuis longtemps était fondée, si elle devait avoir un avenir avec Will, alors, Jenny allait mourir. Et Selena voulait que Jenny vive.

— Tu fais confiance à la sage-femme ? demanda-t-elle.

— Oui, entièrement. Je serai entre de bonnes mains avec elle.

Les policiers menaient leur chasse quotidienne de manière si agressive que, chaque jour, les mineurs comparaissaient en nombre devant le magistrat. Dans le *Ballarat Times*, à la fin octobre, un journaliste signala que la cour n'instruisait quasiment jamais de véritables procès criminels, alors que les cambriolages, les vols en tout genre, y compris de chevaux, étaient légion. Les forces de l'ordre étaient bien plus intéressées à arrêter les chercheurs d'or sans licence que les criminels.

Les mines étaient en état d'ébullition. Les prospecteurs étaient désormais forcés de montrer leur licence plusieurs fois par jour. Ces interruptions ne faisaient qu'augmenter la rancœur envers le camp du gouvernement. Un beau jour, les mineurs apprirent avec joie que le commissaire de police et le magistrat avaient été démis de leurs fonctions et avaient quitté les champs aurifères.

Le samedi 11 novembre, les cinq mille personnes qui avaient assisté à la réunion de Bakery Hill le 1er novembre virent leur nombre multiplié par deux.

On restait divisé sur la manière d'agir. Fallait-il employer la persuasion morale ou la force physique pour obtenir les réformes désirées ? Will était en faveur de la force, Adam était indécis. À la fin de la réunion, la Ligue pour les réformes avait établi une charte des principes et des objectifs.

Pendant que Will était à Bakery Hill en train d'écouter les discours des leaders de la Ligue, le travail de Jenny commença.

S'attardant comme toujours pour discuter en petit comité, Will ne rentra pas avant le soir. Selena le repoussa d'une main ferme.

— Le moment est arrivé, lui annonça-t-elle. Va retrouver tes frères et reste avec eux cette nuit.

Will fut saisi d'une peur subite.

— Jenny va bien ? s'inquiéta-t-il. La sage-femme est avec elle ? Combien de temps ça va prendre ?

— Jenny va bien et la sage-femme est là depuis le début de l'après-midi. Le bébé ne naîtra pas avant plusieurs heures.

— Tu m'enverras chercher, hein, Selena, quand il y aura du nouveau ?

— Bien sûr. Ne t'inquiète pas.

Will ne dormit pas cette nuit-là. Quand ses frères et Adam furent endormis, il sortit s'asseoir sur un tabouret devant la cabane, en proie à une angoisse indicible. Il arrivait que les femmes meurent en mettant un enfant au monde. Il n'y connaissait rien mais il avait entendu dire que certaines passaient de longues heures dans les douleurs. Des douleurs intolérables. Il se révoltait à l'idée que Jenny souffre ; ne voulait en aucun cas envisager qu'elle puisse mourir.

Il passa la nuit dans les affres de la peur, surveillant les ombres dans l'espoir de voir apparaître un messager venu d'Eureka. Pourquoi n'avait-il pas dit plus souvent à Jenny combien il l'aimait ? Si elle devait mourir avant d'avoir entendu ces mots une dernière fois, jamais il ne se le pardonnerait.

Quand l'obscurité de la nuit fit place à la grisaille de l'aube, Will ne put plus supporter l'anxiété qui le rongeait. Il partit pour sa cabane. Peu importait ce qu'avaient ordonné Selena et la sage-femme, il avait besoin de voir Jenny. Il avait besoin de lui dire « je t'aime », même si elle ne pouvait pas l'entendre.

À l'approche de la cabane, il l'entendit hurler. Son estomac se contracta. Il fit halte, indécis, refusant d'entendre les cris de sa femme, et effrayé à l'idée que ces cris cessent brutalement. Un voisin qui s'était réveillé de bon matin vint lui poser une main rassurante sur l'épaule.

— T'inquiète, Will. Pour sûr, tout va bien se passer. La mienne, à chacun des trois nôtres, elle a hurlé à la mort.

Un hurlement plus fort, plus plaintif, l'emplit d'une telle crainte qu'il se précipita. Un nouveau cri l'arrêta. Celui d'un nouveau-né. L'enfant de Tom Roberts. Un garçon ou une fille ? Que ressentirait-il en le voyant ? Et Jenny, que ressentait-elle ? Comment allait-elle ? Son dernier hurlement l'avait transpercé comme une épée.

Il ne put se contenir davantage. Il fallait qu'il sache si Jenny avait survécu en donnant la vie. Si, que Dieu lui vienne en aide, elle était morte, rien ne l'arrêterait plus. Il tuerait Tom Roberts.

Au moment où il allait pousser le battant, Selena ouvrait la porte.

— Will ! Je venais te chercher.

— Comment va Jenny ?

— Elle est très fatiguée. Le travail a été long. Tu n'as pas à t'inquiéter. Quelques jours de repos complet, et Jenny sera redevenue elle-même.

— L'enfant ?

— Le bébé va bien. C'est une petite fille.

— Je peux voir Jenny ?

— Encore un peu de patience, Will. Quand Mme Mac les aura lavées toutes les deux, tu pourras les voir.

Will fit les cent pas dehors. Une fille. Il était heureux que ce ne soit pas un garçon. Tom Roberts était encore plus pourri que le vieux Roberts. Un garçon pouvait tourner aussi mal qu'eux. Une fille, en revanche, pouvait ressembler à Agnes. Peut-être arriverait-il à élever une fille qui avait hérité des traits de sa tante.

Selena passa la tête par la porte :

— Tu peux entrer, Will.

Il alla tout droit vers le lit où Jenny reposait, toute pâle, de larges cernes noirs sous les yeux.

Sa bouche s'incurva dans un demi-sourire.

— J'ai une fille.

Will ne prêta aucune attention à l'enfant couchée à côté de sa mère.

— Tu vas vraiment bien, Jenny ? J'ai eu si peur que tu meures !

Il lui caressa les cheveux.

— Tu n'as pas regardé ma fille, dit-elle.

Il retira sa main.

— Tu es contente d'avoir le bébé ? demanda-t-il.

— S'il te plaît, regarde-la. Tu connaîtras ma réponse quand tu la verras.

Will s'exécuta et resta bouche bée devant ce nouveau-né aux cheveux clairs. Il vit le nez de Jenny et la bouche de Jenny. Il eut beau chercher, il ne vit rien dans ses traits qui rappelât Tom Roberts. Le bébé était le portrait de sa maman. Il comprit ce que Jenny avait voulu dire. Peut-être parviendrait-il à aimer cette minuscule réplique de la femme qui avait gagné son cœur.

— Je vais l'appeler Louisa, en l'honneur de ma mère, annonça Jenny. Et j'aimerais que son deuxième prénom soit Joanna, en l'honneur de la tienne.

— Tu peux l'appeler comme tu en as envie. Maintenant, je te laisse te reposer. Aujourd'hui, on sort ce qui reste d'or.

Il se pencha sur elle et lui baisa la joue.

— Je t'aime, Will, dit sa femme.

— Moi aussi, je t'aime.

À leur grande surprise, les quatre hommes découvrirent qu'ils n'étaient pas au bout du filon. Au fond, une veine semblait partir de l'angle nord-est.

Assis au bord du puits, ils discutèrent de leur découverte tout en dégustant les tartes cuites par Selena.

Hal souhaitait toujours quitter Ballarat au plus tôt.

— J'en ai assez de la chasse aux mineurs et des réunions de la Ligue. On a mis plusieurs centaines de livres de côté ces deux dernières années. Ça me suffit.

— Tu en as assez pour acheter ton vapeur à aubes ? s'enquit Tommy.

— On ne sait pas jusqu'où la veine continue, fit remarquer Will. J'ai bien l'impression que c'est le dépôt le plus riche qu'on ait jamais eu. Si on arrive à tout extraire sur notre concession, tu pourras être certain de l'avoir, ton vapeur à aubes.

— Et toi, Tommy, qu'est-ce que tu veux faire ? demanda Hal.

— Moi, je reste pour l'or qu'on est sûrs d'avoir. Mais je resterai pas pour creuser un nouveau puits.

Pour finir, Hal accepta de rester lui aussi. Il n'avait pas la moindre idée du prix que coûterait son bateau. Il était donc sage de retirer autant d'or que possible.

Au cours de la semaine suivante, ils trouvèrent quatre cents onces d'or supplémentaires. Will continua à passer ses nuits avec ses frères. Selena resta avec Jenny, qui n'était pas entièrement remise de l'accouchement. Tous se mirent d'accord pour que cet arrangement demeure en place jusqu'au moment où Jenny pourrait assumer les tâches quotidiennes. Will était content de laisser sa femme entre les mains expertes de Selena. Mais, à chaque visite, il trouvait que la petite Louisa ressemblait de moins en moins à sa mère.

— Tu ne trouves pas que son visage change ? demanda-t-il à Selena car il n'osait pas poser la question à Jenny.

— Elle grossit, ses joues sont plus rondes, répondit la jeune fille.

N'ayant aucune expérience des bébés, Will lui fit confiance. Espérons qu'elle ne se trompe pas, se dit-il.

Puis une nouvelle sensationnelle atteignit la mine, reléguant au second plan cette préoccupation. Bentley avait été arrêté et envoyé devant les tribunaux de Melbourne. Tous espéraient apprendre que, cette fois, justice serait rendue.

Ils attendaient également d'autres nouvelles de Melbourne.

Huit hommes avaient été arrêtés sur le lieu de l'incendie de l'hôtel. Quatre furent jugés à Ballarat et relaxés. Les quatre autres furent emmenés à Melbourne. L'un d'eux, identifié comme citoyen américain, fut relâché. Des trois autres, l'un était trop ivre pour comparaître, l'autre avait aidé Rede en essayant de sauver des flammes les biens des Bentley. Le troisième prétendait n'avoir été qu'un simple spectateur.

Quand le *Ballarat Times* sortit le samedi 25 novembre, dans tous les champs aurifères, les mineurs arrêtèrent le travail pour se rassembler autour de ceux qui étaient capables de lire le journal. Le compte rendu du procès des accusés du meurtre de Scobie fut accueilli par des applaudissements. Bentley et ses complices, Hanse et Farrell, avaient été jugés coupables d'homicide et condamnés à trois années de travaux forcés. Mme Bentley avait été acquittée.

Les auditeurs voulurent aussi connaître le sort réservé aux mineurs accusés.

— Et Fletcher, McIntyre et Westerby ? demanda-t-on.

— Coupables, avec la recommandation de leur faire grâce, lut Will.

Des murmures de protestation s'élevèrent.

— Qui c'est qui a fourni des preuves fausses contre eux ?

— Est-ce que c'est Rede ?

Les questions fusaient de tous côtés. Will leva la main pour imposer le silence.

— Mais y a autre chose ! Écoutez ce que dit le porte-parole du jury : « Le jury, en donnant son verdict contre les prisonniers à la barre, a le sentiment que, selon toute probabilité, il n'aurait jamais eu à accomplir ce devoir douloureux si ceux qui en étaient chargés au sein des services du gouvernement à Ballarat avaient accompli le leur correctement. »

Une grande clameur d'approbation accueillit cette lecture.

— Et c'est quoi, les sentences ?

Will lut :

— « McIntyre, trois mois, Fletcher, quatre mois, Westerby, six mois. Aucun avec travaux forcés. »

— Ils auraient pas dû écoper de la prison. Qu'est-ce qu'elle va faire à ce sujet, la Ligue ?

— On va demander justice, promit Will.

Il se rendrait à la prochaine réunion afin d'écouter ce que les leaders avaient à dire.

Il retourna aux Gravel Pits pour faire part de la nouvelle à ses frères. Adam était absent, parti de bonne heure pour Langsdale.

Les trois frères restèrent ensemble jusqu'au milieu de la matinée. Ils avaient épuisé tout l'or de leur puits et n'avaient donc plus de travail. Hal faisait ses préparatifs pour quitter définitivement Ballarat.

— Je vais aller dire au revoir à Meggan avant de partir, dit-il. Je pense y aller lundi, revenir mercredi et prendre la diligence jeudi après-midi.

— Bien. Et moi, je pars pour la sellerie, décida Tommy. On se revoit ce soir.

— Je vais peut-être retourner chez moi aujourd'hui, annonça Will.

Il ne pouvait pas continuer à remettre indéfiniment son retour.

Jenny était en train de donner le sein à son bébé lorsqu'il arriva. La vue de l'enfant en train de téter provoqua chez Will une sensation étrange. Après l'avoir accueilli avec un sourire, Jenny retourna à son enfant. Will remarqua la douceur avec laquelle elle tenait la minuscule menotte, le visage illuminé par l'amour maternel.

496

— Tu l'aimes, cette enfant, constata-t-il d'un ton morne.

— Oui, confirma-t-elle en plongeant son regard dans le sien. Je veux que tu l'aimes aussi. Louisa est ma fille. Elle me ressemble. Elle a mes pieds et mes mains, mon nez, ma bouche, mes yeux. C'est moi tout entière. Si tu m'aimes, eh bien, il faut que tu l'aimes aussi.

L'enfant remua, arrêta de téter. Jenny la tendit à Will.

— Prends-la, lui enjoignit-elle. Tu ne t'en es encore jamais occupé.

Will s'exécuta avec une grande répugnance. Il n'avait jamais tenu de créature aussi minuscule, pas même Ruan, et se sentait décidément très gauche.

— Tiens-la comme ceci, expliqua Jenny en lui plaçant confortablement le bébé dans les bras. Donne-lui ton doigt.

La toute petite main s'empara aussitôt de son auriculaire. Les yeux bleus du bébé se levèrent sur lui, exprimant, semblait-il, une confiance totale. Will déglutit. Comment détester une si jolie petite fille ?

— Tu as raison, Jenny. C'est ta fille, et ce sera la mienne.

Jenny lui déposa un baiser sur la joue. Elle prit le bébé et alla le coucher dans son berceau, puis revint auprès de son mari.

— Je t'aime, Will Collins.

— Et moi, je t'aime, madame Collins, dit-il en la serrant dans ses bras. On sera une famille heureuse.

— J'ai envie de quitter Ballarat, Will. J'ai envie de tout laisser derrière nous et de commencer une nouvelle vie. Louisa deviendra ta fille autant que la mienne.

Une image se forma dans l'esprit de Will, celle d'une ferme dans une vallée fertile. Il se vit travailler dans les champs pendant que Jenny et leurs enfants s'occupaient dans la cour d'une grande et confortable maison. En un éclair, il sut. Là était l'avenir qu'il voulait.

— Tu as raison. On va se trouver un endroit où vivre en paix.

La paix était devenue chose rare sur les champs aurifères. Trois jours après la promesse de Will à Jenny, le 12e régiment des forces armées coloniales traversa Ballarat avec chevaux et canons pour se diriger vers le camp du gouvernement. Cette intrusion fut accueillie avec un mélange de consternation et de colère.

— Pourquoi il a envoyé la troupe, le gouverneur ?

— Rede a peur des mineurs. Il sait qu'on a l'avantage du nombre.

— Mais nous, on n'a pas de canons.

— Peut-être que Rede veut attaquer les mineurs.

— Allons-y, les gars, on va leur montrer ! dit un homme en ramassant une motte de terre pour la lancer sur les soldats.

En quelques secondes, terre, pierres, bâtons, tessons de bouteille et tout ce qui se trouvait à portée de main s'abattirent sur les militaires. L'escarmouche fut violente et bruyante. Sans toucher à leurs baïonnettes ni à leurs mousquets, les soldats, le dos rond sous la pluie de projectiles, hâtèrent le pas.

Au moment où le dernier chariot franchissait la ravine à la fin de l'Eureka, il fut intercepté par les mineurs des Gravel Pits. La simple force du nombre le fit basculer sur le côté. Délestés de leurs fusils, les soldats ne purent empêcher leurs assaillants d'emporter les caisses de munitions et d'approvisionnement.

Cette nuit-là, un grand trouble régna sur les champs aurifères. Il y eut de vives altercations entre ceux qui avaient attaqué le convoi et ceux qui désapprouvaient les actes de violence spontanés. Will, malgré toute son action en faveur des droits des mineurs, appartenait à la dernière catégorie. Il était furieux.

— Ils sont fous ! dit-il à Jenny. Ce n'est pas la Ligue qui a préparé cette attaque. Tu entends le vacarme qu'ils font ? Je te laisserai pas seule dans la cabane cette nuit. Il peut se passer n'importe quoi, pour peu que l'alcool soit de la partie. Je me demande ce que nos chefs diront demain, à la réunion.

Les affiches avaient été placardées dans toute la ville de Ballarat.

À BAS LA TAXE SUR LA LICENCE, À BAS LE DESPOTISME, QUI NOUS RÉDUISENT À L'ÉTAT D'ESCLAVES !

MERCREDI PROCHAIN
le 29 courant, à 14 heures

UNE ASSEMBLÉE
réunissant

tous les CHERCHEURS D'OR,
COMMERÇANTS
et habitants de Ballarat en général
se tiendra
À BAKERY HILL

Pour l'abolition immédiate de la redevance sur la licence et la réalisation rapide des autres objectifs de la Ligue pour les réformes de Ballarat. La délégation qui s'est rendue chez le Lieutenant-Gouverneur pour exiger la libération des prisonniers condamnés dernièrement, et également à Creswick et Forest Creek, Bendigo, etc., fera son compte rendu par la même occasion.

Tous ceux qui réclament le droit de faire entendre leur voix dans le cadre de la loi sous laquelle ils vivent sont solennellement invités à assister à la réunion et à promouvoir ses objectifs dans toute la mesure du possible.

N.B. Apportez vos licences, elles vous seront peut-être réclamées.

Plus de dix mille personnes assistèrent à la réunion de Bakery Hill, rassemblées autour du mât de douze mètres de haut où flottait le nouveau drapeau des mineurs : une croix blanche sur fond bleu, dotée d'une étoile à chaque extrémité et d'une au centre, pour figurer les cinq étoiles de la Croix du Sud.

Will se tenait au milieu d'un groupe avec Hal, Tommy, Adam, Selena et la famille Baxter. Il avait ordonné à Jenny de rester en sécurité à la maison avec le bébé.

La délégation envoyée à Melbourne pour exiger la libération des trois prisonniers à la suite de l'incendie de l'hôtel *Eureka* rapporta que sa mission avait échoué. Le gouverneur avait reproché très fermement à la Ligue d'utiliser le mot « exige ».

Mme Baxter émit un grognement railleur :

— Les policiers, eux, ils peuvent exiger de voir les licences.

Son époux lui imposa le silence. L'Irlandais Peter Lalor, connu pour être en faveur d'une approche modérée, monta sur l'estrade pour s'adresser à la foule.

— Monsieur le président ! Camarades mineurs ! cria-t-il à voix forte pour réclamer l'attention. Je propose de tenir une réunion de la Ligue pour les réformes au théâtre Adelphi, dimanche prochain, à deux heures, pour l'élection d'un comité central. Je propose également que, par groupes de quarante, on désigne un représentant qui aura le pouvoir d'élire un membre du comité central.

Un silence perplexe tomba sur la foule. Dix mille voix se turent. La plupart voulaient de l'action, et non pas la formation d'un comité qui ne se battrait sans doute qu'avec des mots.

Le président, Timothy Hayes, appela à soutenir la motion. Au bout de quelques instants de silence, une voix près de l'estrade s'éleva :

— *Si !*

— C'est Rafaello Carboni, expliqua Will à ses compagnons. Un des leaders de la Ligue.

— Tout le monde est pour ? interrogea Hayes.

Suffisamment de personnes se prononcèrent en faveur de la motion pour qu'elle passe. Lalor fit monter Carboni sur l'estrade. Doué d'une éloquence prodigieuse, l'Italien captiva son auditoire :

— ... J'invite tous mes camarades mineurs, indépendamment de leur nationalité, leur religion ou leur couleur, à considérer le drapeau « La Croix du Sud » comme le refuge des opprimés de tous les pays de la terre.

Un tonnerre d'applaudissements accueillit ces paroles. Puis l'Allemand Frederick Vern déposa une motion. Tous l'écoutèrent attentivement.

— « La présente assemblée, convaincue que l'odieuse redevance sur la licence est un impôt et une taxe injustifiables sur la liberté du travail, s'engage à prendre des mesures immédiates pour abolir celle-ci en brûlant sur-le-champ les licences ; elle déclare que, dans l'éventualité où un participant serait arrêté pour défaut de licence, le peuple réuni le défendrait et le protégerait en toutes circonstances. »

Aussitôt, des mineurs se précipitèrent vers le feu de joie allumé par Vern pour y jeter leur licence. Will fit de même, imité par M. Baxter. Adam hésita.

— Je ne suis pas convaincu que c'est ce qu'il faut faire. Ça risque seulement d'envenimer davantage la situation avec les autorités.

Hal n'avait aucunement l'intention de brûler sa licence.

— Moi, je m'en vais jeudi prochain, déclara-t-il. J'ai jamais été arrêté et j'ai pas l'intention de l'être.

— Ni moi, renchérit Tommy. Je garde ma licence jusqu'à ce que j'en aie plus besoin.

Ils durent crier ces paroles pour couvrir le bruit des centaines de coups de feu tirés en l'air.

La petite Louisa se réveilla en pleurant. Jenny la berça dans ses bras pour la calmer. Depuis le seuil, elle voyait, au loin, l'immense foule massée à Bakery Hill. Un drapeau bleu à croix blanche flottait au sommet d'un mât qui se dressait très haut. Le drapeau de la révolte. Une volée de chapeaux s'éleva en même temps qu'une grande clameur.

Jenny ferma la porte et s'assit pour donner la tétée à Louisa. Mais elle avait l'esprit ailleurs. Tout ce qui s'était passé depuis l'incendie de l'hôtel l'effrayait. Quand Will serait rentré, elle lui demanderait de quitter Ballarat dès que possible.

Ce qu'elle fit :

— Will, j'ai peur. Il y a trop de violence ici, je ne me sens pas en sécurité.

— Mais non, tu n'as rien à craindre. C'est au camp qu'ils sont en danger. Mais si tu n'es pas tranquille, je demanderai à Hal de t'emmener à Langsdale avec lui lundi.

— Et toi, qu'est-ce que tu vas faire ?

— Je veux en faire partie jusqu'au bout. Moi aussi, j'ai des raisons pour réclamer la justice.

— Will, j'ai peur pour toi aussi. Nous pourrions partir ensemble à Langsdale.

— Non, Jenny. Je ne vais pas fuir le combat.

— Pas plus que moi si c'est pour te laisser affronter le danger. J'ai peut-être peur, mais je ne te laisserai pas seul.

Il prit son visage entre ses mains et baisa ses lèvres.

— Je t'aime.

Jenny le regarda droit dans les yeux.

— Montre-moi combien tu m'aimes. Viens te coucher avec moi.

Le cœur de Will battit un peu plus vite. Il n'avait jamais pressé Jenny, préparé à attendre qu'elle se sente prête.

— Je viendrai te rejoindre quand tu seras au lit, dit-il.

Il fuma sa pipe dehors, plus nerveux encore que lorsqu'il avait été avec une femme pour la première fois. Il n'avait jamais aimé les femmes avec lesquelles il avait eu des relations sexuelles. C'était purement physique. Mais maintenant, il aimait la femme qu'il désirait.

Il éteignit sa pipe et rentra dans la cabane. Jenny était couchée, vêtue d'une longue chemise de nuit blanche. Il s'assit sur le bord du lit.

— Tu es sûre que tu veux ? Tu as été affreusement blessée.

Jenny se mit sur le côté et lui prit la main.

— J'en suis sûre, mon chéri. J'ai besoin d'être avec toi comme une femme doit être avec son mari. Ce n'est qu'ainsi que je pourrai véritablement chasser le passé.

C'était également ce que pensait Will.

— Je te promets que je serai doux, dit-il.

— Je sais. Embrasse-moi.

Will l'embrassa. Il l'embrassa avec tendresse et avec passion. Il la caressa jusqu'à ce qu'elle tremble de désir. Leur union fut trop brève. Il avait été célibataire trop longtemps.

— Je suis désolé, lui murmura-t-il à l'oreille. Ça n'a pas été bon pour toi.

— Tu ne m'as pas fait mal, répondit-elle sans vraiment comprendre ce qu'il avait voulu dire.

— C'est ce que j'ai essayé.

Mais il ne lui avait pas donné de plaisir. Elle l'avait accepté en elle, mais n'avait rien manifesté.

— Dors, dit-il. Je retourne dans mon lit.

Les Gravel Pits étaient en effervescence. Les policiers, venus en force dans les mines pour demander à voir les licences, avaient été accueillis par des centaines de chercheurs d'or prêts à résister.

Ils repoussèrent les policiers avec des pierres, en les sifflant et en les injuriant. Plusieurs incendies éclatèrent. Les policiers tirèrent des coups de feu par-dessus les têtes. Les mineurs ripostèrent.

Hal, Tommy et Adam observaient la scène depuis leur cabane.

— Je suis content de partir cet après-midi, déclara Hal. Cet endroit est une vraie poudrière. Ça va pas tarder à péter.

— Oui, répondit Adam. Je ne vais pas faire venir Jane tant que le calme ne sera pas revenu.

Tommy donna une bourrade à son frère pour lui désigner deux policiers au milieu d'une mêlée d'une demi-douzaine de mineurs :

— Y a Tom Roberts !

— Ah, oui ! Je croyais qu'il avait quitté Ballarat, puisqu'on l'avait plus revu depuis l'arrestation de Will.

— Il avait peut-être plus envie de se frotter aux frères Collins, fit remarquer Adam.

Hal grogna :

— Heureusement que Will est pas là. Il serait en train de se battre au milieu des autres en ce moment. Oh ! Regardez ! Voilà Rede qui arrive ! Ça va être encore pire !

Rede était dans de mauvais draps. Il avait été obligé d'en appeler à la loi anti-émeutes et de demander des renforts.

On l'entendit crier à l'un des leaders de la Ligue :

— Vous voyez les conséquences de votre agitation !

À quoi le leader répondit :

— Non, ce que vous voyez, c'est les conséquences de la coercition !

Plusieurs mineurs furent arrêtés et envoyés au camp. Dans l'après-midi, une foule grandissante et agitée se réunit à Bakery Hill. Seuls Adam et Will en faisaient partie. Hal était en train de boucler son sac et Tommy se tenait à l'écart, accédant aux supplications de Mary-Anne qui lui avait arraché cette promesse.

Selena était chez Jenny, à la demande de Will qui l'avait priée de rester auprès de sa femme et du bébé.

Une fois de plus, la Croix du Sud flottait au sommet du mât. Peter Lalor, l'arme à la main, monta sur une souche et s'adressa à la foule :

— Nous jurons sur la Croix du Sud de rester fidèlement unis et de défendre nos droits et nos libertés !

Les mineurs s'agenouillèrent et levèrent la main pour prêter serment. Des milliers de voix répétèrent les paroles de Lalor : « Nous jurons sur la Croix du Sud… »

Selena observait la scène depuis la cabane.

— Jenny, ils viennent par ici avec leur drapeau…
Je me demande ce qu'ils ont l'intention de faire.

— Tu crois qu'ils vont attaquer le camp ?

— Ils ont sans doute un plan. Oh, regarde ! Ils plantent le drapeau par ici !

Jenny sortit sur le seuil. Ensemble, les jeunes femmes contemplèrent le drapeau qui flottait fièrement au vent.

— Tu vois Will ? s'enquit Jenny.

— Oui. Il se dirige vers nous.

Elles allèrent à sa rencontre. Aussitôt, Jenny questionna :

— Qu'est-ce qui se passe ? Pourquoi ont-ils planté le drapeau ici ?

— On va construire une barricade.

Alarmée, Jenny poussa un petit cri :

— Oh ! Est-ce que les soldats vont attaquer ? Est-ce qu'il va y avoir une bataille ?

— Non ! La seule bataille qu'il y aura c'est quand nous attaquerons le camp. Lalor est confiant, on va l'emporter. C'est nous les plus nombreux. Les gars viendront de partout, de Creswick et d'ailleurs. Vous n'avez rien à craindre. La barricade, c'est juste pour qu'on ait un endroit où s'entraîner à se battre comme des soldats.

Selena se mordit les lèvres, le cœur serré. Était-ce la bataille dont elle avait eu la vision ? Les mineurs allaient s'en prendre aux troupes du gouvernement… Si c'était bien cela, elle ne pouvait rien faire pour les en empêcher. Vingt mille mineurs en colère n'écouteraient jamais une fille qui avait eu une vision plus d'un an auparavant.

La barricade, constituée de bois de soutènement, de charrettes, de tonneaux et de tout autre objet utilisable, fut très rapidement érigée. S'étendant sur un hectare et demi, le camp retranché englobait plusieurs tentes et cabanes de mineurs, dont celle de Will et Jenny.

Pendant toute la journée du vendredi et du samedi, Jenny suivit des yeux les mouvements des hommes qui se formaient en compagnies, entraînés par ceux qui connaissaient un peu la chose militaire. Will lui expliqua que Lalor avait dépêché sur tous les champs aurifères des gens chargés de récolter des armes et des provisions pour le millier de combattants regroupés derrière la barricade.

Les mineurs de Creswick apparurent le vendredi, s'attendant à être approvisionnés en alcool gratuit. La plupart repartirent dès le lendemain.

Le samedi après-midi, deux cents soldats de la *Californian Rifle Brigade* arrivèrent pour soutenir les mineurs.

Rede fit poser des affiches partout. Interdiction de laisser brûler de la lumière après huit heures du soir. Interdiction de tirer des coups de feu à proximité du camp du gouvernement. Les sentinelles avaient ordre de tirer sur quiconque enfreindrait les règles.

On ne se préoccupa pas outre mesure de ces ordres. Le lendemain étant un dimanche, jour de repos où la colère n'inciterait personne à tirer, ceux qui vivaient derrière la barricade rentrèrent tranquillement chez eux pour aller se coucher bien au chaud dans leur lit. Seuls quelques-uns montèrent la garde. Adam était l'un d'eux. À huit heures du soir, conformément aux ordres, les mines et la ville étaient plongées dans le noir, et un silence rare recouvrit le tout.

Après avoir rassuré sa femme une fois de plus en lui affirmant qu'elle n'avait rien à craindre, Will s'endormit profondément.

5

Selena, brutalement réveillée, se redressa dans son lit en tremblant de tous ses membres.

Non, ce n'était pas un cauchemar. La troupe se préparait à prendre les mineurs par surprise et à attaquer la barricade, profitant du fait qu'elle n'était défendue que par une poignée d'hommes. Il fallait les prévenir, presser Will et Jenny d'aller se réfugier ailleurs !

Elle passa en hâte une jupe et une chemise et sortit de la tente des Baxter. Dehors, il faisait encore sombre, les sons étaient les bruits habituels de la nuit. Elle prit ses jambes à son cou et traversa le terrain accidenté en se repérant tant bien que mal dans l'obscurité, priant le ciel de lui permettre d'atteindre la barricade à temps pour donner l'alerte.

À la faible lueur de la nuit déclinante, elle aperçut les soldats. La troupe en tunique rouge arrivait par Grassy Flat. Elle avait pris un raccourci pour assurer l'élément de surprise. Des policiers à pied et à cheval arrivaient par l'autre côté.

Cours, Selena, cours !

Elle était en train d'escalader la barricade lorsqu'elle entendit le premier coup de feu. Elle s'immobilisa un instant. Un tir nourri riposta du côté de la tente des gardes.

Le clairon sonna au moment même où Selena atteignait la cabane de Will et Jenny. Ouvrant la porte à la volée, elle y trouva Jenny qui, réveillée, serrait Louisa contre elle.

— Où est Will ? demanda-t-elle d'une voix brève.

— Je n'en sais rien. Je croyais qu'il était ici en train de dormir.

— Vite, habille-toi. Il faut partir d'ici. Dépêche-toi.

Jenny réagit aussitôt en lui mettant le bébé dans les bras pendant qu'elle s'habillait. Selena piaffait d'impatience à la porte.

En sortant, elles tombèrent sur Will qui accourait à leur rencontre.

— Selena ! Dieu merci, tu es là. Dépêchez-vous ! Partez ! Vite !

À ce moment, Jenny poussa un cri d'avertissement :

— Will !

Ce dernier fit volte-face et se retrouva devant Tom Roberts qui levait son fusil, un mauvais sourire aux lèvres. Une seconde plus tard, Jenny se précipitait contre son mari avec une telle force qu'il vacilla légèrement. L'éclair du coup de feu jaillit. Jenny s'affaissa dans ses bras.

Will coucha sa femme sur le sol et s'agenouilla à côté d'elle.

Puis il tendit la main vers le fusil qu'il avait posé à terre.

Selena fut plus rapide. La balle qu'elle tira de son petit pistolet atteignit Tom Roberts en plein cœur.

Ensuite, le bébé dans les bras, elle alla rejoindre Will :

— Elle est gravement blessée ?

Mais c'était une question inutile. Elle n'avait nul besoin de regarder le visage de Jenny pour savoir.

— Dieu merci, elle respire, souffla Will. Il faut la transporter à l'intérieur. Selena, tu peux t'occuper de sa blessure ?

— Je vais faire de mon mieux. Il faut trouver un médecin.

— Il y en a un dans l'enceinte.

Will attrapa son fusil et alla rejoindre ses camarades qui se battaient maintenant au corps à corps avec les soldats.

Il esquiva un coup de baïonnette et tira un coup de feu mortel dans le ventre d'un soldat. Une balle passa en sifflant par-dessus son épaule.

Il se battit comme un diable. Chacun des soldats qu'il avait en face de lui avait le visage de l'homme qui avait tiré sur Jenny.

Confusément, il se demanda où était Adam.

Selena ne fit rien pour soigner la blessure de Jenny. Elle resta assise à côté d'elle et lui tint la main jusqu'à ce que le dernier soupir s'échappe de sa bouche.

Les yeux emplis de larmes, elle déposa un baiser sur la joue de son amie.

— Que Dieu te donne la paix, Jenny. J'aurais préféré mourir à ta place.

Elle remonta le drap sur le visage de la morte et, tout en berçant la petite Louisa, pleura celle qu'elle avait aimée comme une sœur.

Elle ne s'aperçut pas tout de suite que les tirs avaient cessé, remplacés par les gémissements des blessés et des mourants.

Une odeur de fumée envahit l'air. Les soldats mettaient le feu aux tentes et aux habitations de l'enceinte. Par la fenêtre, elle vit l'un d'eux s'approcher en courant de la cabane, une torche à la main.

— Arrêtez ! hurla-t-elle. Il y a un bébé !

La porte s'ouvrit à la volée.

— Prends ton bébé et fiche le camp ! glapit le soldat. Comment je vais savoir si y a pas un rebelle ici ? Et qui c'est, là, sous le drap ?

Il s'avança vers le lit.

Selena n'hésita pas. Elle ne permettrait pas à une tunique rouge de mettre le feu au corps de Jenny. Elle tira. Elle avait tué deux hommes.

Quelqu'un apparut dans l'encadrement de la porte.

— Monsieur Baxter ! s'écria Selena, soulagée, et subitement à bout de forces.

— J'ai entendu un coup de feu. Ça va ? s'inquiéta-t-il.

Puis il regarda le cadavre du soldat sur le sol.

— C'est moi qui l'ai tué, expliqua Selena. Il allait mettre le feu à la cabane. Jenny est morte. Je ne sais pas où est Will.

M. Baxter regarda la forme allongée sur le lit.

— Dieu du ciel ! Quel malheur !

— Monsieur Baxter, il faut que je retrouve Will. Il est peut-être blessé. Oh, madame Baxter, vous êtes là vous aussi ! Pouvez-vous prendre Louisa, s'il vous plaît ?

— Je t'accompagne, dit M. Baxter.

— Et lui ? interrogea Mme Baxter en désignant le soldat mort. Qu'est-ce que je vais dire si d'autres soldats arrivent ?

— On va le mettre dans le puits, décida son mari.

Aidé par Selena, M. Baxter traîna le corps du soldat jusqu'au puits et l'y fit basculer. Puis ils coururent rejoindre l'endroit où s'était déroulé le gros de la bataille.

Un horrible spectacle les y attendait. Les soldats circulaient parmi les mineurs blessés, leur administrant des coups de baïonnette. On en arrêtait d'autres. Par endroits, de petites escarmouches éclataient. Un mineur qui franchissait la barricade, sans doute à la recherche d'un camarade, reçut un coup de baïonnette dans l'épaule malgré ses protestations d'innocence.

— Monsieur Baxter, dit Selena, vous devriez retourner auprès de votre dame. Vous risquez votre vie en restant ici.

— Toi aussi, Selena, tu risques ta vie.

— Les soldats ne vont pas faire de mal à une femme.

M. Baxter hésita.

— Je sais tirer, s'il le faut, insista-t-elle. C'est moi qui ai tué la tunique rouge dans la cabane.

Le brave homme capitula en lui recommandant :

— Fais attention à toi !

Selena poursuivit ses recherches. Quelque part, elle le savait, Will était étendu par terre, blessé, peut-être même mort.

Il faisait jour à présent. Le soleil montait à l'est. Les blessés, en la voyant passer, l'appelaient à l'aide. Partout où elle le pouvait, elle s'efforçait d'apporter un soulagement.

Elle enjamba un homme au visage si affreusement tailladé qu'elle eut du mal à le reconnaître. Mais, grâce aux yeux et au nez restés intacts, elle sut qu'elle avait devant elle le corps d'Adam Winton.

En proie à la nausée, elle reprit sa marche et parcourut le champ de bataille en tous sens. Nulle trace de Will. Avait-il été fait prisonnier ? Peut-être avait-il échappé au carnage ? L'incertitude était une torture. Mais elle ne pouvait ni passer la journée à le rechercher ni baisser les bras.

Il restait un endroit qu'elle n'avait pas exploré. Un fossé formait une fortification naturelle le long d'une partie de la barricade. Un certain nombre de trous de mine se trouvaient par là.

Will était couché quasi inconscient au fond d'un puits peu profond. Du sang coulait de son épaule. Ses yeux parvinrent à se fixer sur elle. D'une voix qui n'était qu'un chuchotement rauque, il prononça :

— Selena ?

— Oui. Ne dis rien.

Elle déchira un morceau de sa chemise pour en faire une compresse. Il gémit de douleur. Avec un autre morceau de tissu, elle confectionna une bande pour lui maintenir l'épaule. Elle n'avait pas encore fini que, déjà, des soldats s'approchaient, à la recherche de rebelles cachés. Elle se coucha sur le blessé en étalant sa jupe.

Mon Dieu, faites qu'ils ne touchent pas à une femme !

Quand, du coin de l'œil, elle aperçut des pieds bottés de noir, elle éclata en sanglots plaintifs. Sa

515

comédie réussit. Les soldats s'éloignèrent. Une fois hors de vue, elle aida Will à se relever et le soutint.

Il parvint tant bien que mal à franchir la barricade. Puis il s'écroula dans le fossé, haletant, épuisé.

— Selena... Jenny... ?

— Je suis désolée...

Il enfouit sa tête au creux de son bras valide et gémit :

— Je peux plus continuer...

— Il faut te mettre à l'abri. Tu es toujours en danger ici.

Il eut un geste de refus.

— Non, j'y arrive pas. Laisse-moi ici.

— Oui, d'accord, je te laisse, mais pour aller chercher du secours. Je vais t'aider à te coucher sous ces buissons pour te cacher.

Une fois Will allongé, elle disposa des branches de façon à le dissimuler entièrement aux regards.

— Je reviens bientôt, promit-elle.

Elle repartit en toute hâte. Les soldats et les policiers étaient partout, recherchant les insurgés, chassant les gens hors de leurs habitations, incendiant les tentes. Ils semblaient déterminés à faire le plus de prisonniers possible.

Selena atteignit enfin la cabane des Collins. Nulle trace de Tommy. Était-il parti lui aussi à la recherche de Will ?

Elle courut chez les Baxter et leur annonça :

— J'ai retrouvé Will. Il est blessé, trop faible pour marcher.

— Il est où, ma petite ? s'enquit M. Baxter en attrapant son arme.

— Caché dans le ravin. Vous avez vu Tommy ?

— Il est dans la cabane auprès du corps de Jenny. J'allais repartir, maintenant que j'ai mis Mme Baxter et le poupon en sécurité.

— Mais est-ce que Tommy ne risque rien ? Il a peut-être été arrêté !

— Non, il s'est habillé en femme avec les habits de Jenny, et les policiers, tout ce qu'ils verront, c'est une femme en train de pleurer à côté d'une morte.

— Jenny ! Et Jenny, qu'allons-nous en faire ?

— J'irai chercher son corps avec la charrette. Mais on s'occupe d'abord de Will.

Selena annonça qu'il faudrait également aller chercher le corps d'Adam.

Joey, l'aîné des Baxter, sauta à l'arrière de la charrette.

— Où est Jimmy ? s'enquit Selena.

— Il essaie de trouver une nourrice pour le bébé. C'est Ma qui l'a envoyé.

La petite Louisa... Qui allait s'en occuper, maintenant que sa maman était morte ? Par bonheur, on pouvait compter sur Mme Baxter pour le moment.

Ils retrouvèrent Will à l'endroit où Selena l'avait laissé. M. Baxter et Joey le couchèrent dans la charrette, dissimulé sous des sacs de blé.

Ils accomplirent le trajet sur des charbons ardents, craignant d'être arrêtés à tout instant par les soldats, et c'est avec soulagement qu'ils pénétrèrent dans la tente des Baxter, où ils cachèrent le blessé sous le lit de Mme Baxter.

Joey donna l'alerte :

— Les policiers arrivent !

Mme Baxter attrapa Selena par le bras.

— Vite, au lit ! Mets-toi un oreiller sur le ventre, et s'ils font mine d'entrer, t'as qu'à gémir comme si t'étais en train d'accoucher.

Selena s'exécuta. Will poussa une plainte sonore. Selena en poussa une encore plus forte. Will commençait à donner des signes de fièvre. Il allait se dénoncer s'il ne gardait pas le silence. Selena poussa un hurlement de douleur simulée. Puis elle cria, pour être plus convaincante :

— Ma, Ma, le bébé arrive !

Elle eut du mal à entendre ce qui se disait à l'extérieur, aussi poussa-t-elle un nouveau hurlement pour faire bonne mesure. Mme Baxter rentra en hâte, le sourire aux lèvres :

— Tu devrais être comédienne, Selena. Ils sont partis plus vite qu'ils sont arrivés.

La jeune fille était déjà à genoux pour s'occuper de Will. Ensemble, les deux femmes le sortirent de sa cachette pour l'installer sur le lit. Des voix venues du dehors les firent se figer d'effroi.

Puis elles reconnurent Jimmy qui annonçait :

— Ma, la dame est là !

— Ah, merci, mon Dieu ! La nourrice.

M. Baxter et Joey allèrent chercher le corps de Jenny dans la cabane de l'Eureka. Ils le déposèrent sur le lit qui avait été celui du petit Johnny. Tommy ne pouvait l'emporter dans sa propre cabane car les soldats y avaient mis le feu.

Ils restèrent cloîtrés à l'intérieur, écoutant le tumulte provoqué par les soldats et les policiers qui recherchaient les insurgés, arrêtaient les gens sans rime ni raison, incendiaient les tentes et les boutiques.

Vers midi, un médecin vint recoudre l'épaule de Will.

— Je vais vous donner un remède pour qu'il ne souffre pas trop. Il a perdu beaucoup de sang.

— Mon frère va guérir ? s'inquiéta Tommy avec angoisse.

— Ton frère est un jeune homme solide. Avec du repos et une bonne nourriture, il se rétablira. Mais je pense qu'il souffrira toujours un peu de cette épaule et qu'il aura peut-être moins de force dans le bras.

Au crépuscule, ils transportèrent dans la charrette le corps de Jenny enveloppé dans une toile. Will, plongé par les calmants dans un état de semi-inconscience, fut couché sur un matelas afin d'atténuer les cahots. Tommy tenait les rênes, Selena assise à côté de lui. Ils prirent la route de Langsdale. Ils voyageraient toute la nuit.

Trois semaines passèrent avant que Will reprît véritablement conscience de ce qui l'entourait. Une fois seulement, entre deux plages de sommeil, il demanda Jenny, puis ne montra rien de ses sentiments lorsque Meggan lui dit qu'elle avait été enterrée sur la colline, derrière la propriété. Il ne s'inquiéta pas de savoir où était l'enfant.

Quand il put se lever et se déplacer seul, il alla se recueillir au pied de la tombe solitaire, surmontée d'une croix fraîchement peinte en blanc. L'inscription indiquait *JENNY COLLINS, 1832-1854*. Bientôt, sa Jenny aurait une grande pierre en marbre. Will avait demandé à Connor d'en commander une chez le meilleur tailleur de pierre de Ballarat.

Assis à côté de la tombe de sa femme, la tête protégée du soleil de l'après-midi, il fit le bilan de sa vie. Qu'avait-il fait d'important, à part être devenu relativement riche ? Et à quoi lui servait l'argent à présent ? Jenny était partie pour toujours. Hal et Tommy se faisaient leur propre place au soleil. Le passé s'était enfui, et l'avenir était dans le flou.

Dès le lendemain matin, il sellerait son cheval et partirait au gré du vent.

Une fois rentré, il informa Meggan de son projet.

— Tu ne m'as jamais demandé de nouvelles du bébé, le semonça doucement sa sœur.

Or, Will n'avait qu'une envie, oublier l'existence de l'enfant.

— Et toi, répondit-il avec mauvaise foi, tu ne m'as jamais parlé d'elle.

— Je ne connais pas tes sentiments à son égard. Est-ce que tu t'intéresses à elle ?

Avec une moue, il répondit :

— Je m'y intéresserais si sa mère vivait encore. Mais maintenant, ce bébé n'est rien pour moi.

— C'est l'enfant de Jenny. Tu ne veux pas savoir ce qu'elle est devenue ?

Will haussa les épaules. Meggan soupira.

— C'est Mme Baxter qui s'en occupe, lui apprit-elle. Elle a trouvé une nourrice.

— Bon, alors tout va bien.

— Cette enfant a besoin d'un parent. Louisa est une partie vivante de la femme que tu aimais.

Will ne répondit pas.

— Je sais que tu n'es pas le père de Louisa...

— Non ! s'écria Will. Cette enfant, c'est Tom Roberts qui l'a faite. Et Tom Roberts ne s'est pas contenté de violer Jenny, il l'a tuée aussi !

Un cri de surprise leur fit tourner la tête. Il avait été poussé par une Agnes devenue blanche comme un linge.

La jeune femme entra dans la pièce.

— Faites excuse, madame, mais j'ai pas pu m'empêcher d'entendre. C'est vrai, ce que vous dites sur Tom ?

Will sortit en disant :

— Dis-lui, toi, Meg.

Plus tard, Meggan vint le rejoindre.

— J'ai tout raconté à Agnes, depuis le début en Cornouailles.

— Tu lui as dit aussi que c'était Selena qui avait tué Tom ?

— Non, je lui ai épargné cela. Si Selena doit rester ici, il vaut mieux qu'Agnes ne le sache pas.

— Où est Selena ?

— Avec Jane et les enfants. Jane se sort plutôt bien de la mort d'Adam.

— Oui.

Faire face à Jane avait été le plus difficile. Il se sentait responsable de la mort de son mari. Adam venait à peine d'arriver sur les champs aurifères, il n'avait pas véritablement participé au mouvement des mineurs.

Will alla s'asseoir dans un fauteuil dans la véranda, à côté de sa sœur. Celle-ci n'allait sans doute pas tarder à reprendre le sujet du bébé de Jenny. Mais elle n'en fit rien et resta silencieuse, un demi-sourire aux lèvres. Enfin, elle parla, mais ce fut pour évoquer la fiancée de Tommy, Mary-Anne.

— Elle a l'air parfaite pour Tommy. J'espère pouvoir faire bientôt sa connaissance.

Peu après, Agnes, accompagnée de Larry, les rejoignit dans la véranda, et Will découvrit alors la raison du demi-sourire de Meggan.

Larry ne s'embarrassa pas de formules :

— Madame Trevannick, mon Agnes m'a tout raconté. Ce que son frère a fait, ça n'a pas de nom. Je suis vraiment désolé pour vous, Will. Y a pas un homme qui voudrait qu'une chose pareille arrive à sa femme. Agnes, elle est drôlement secouée par ce qu'il a fait, son frère.

Cette dernière intervint alors :

— J'aimerais prendre Louisa, si vous êtes d'accord, monsieur Will. Y a du sang à moi qui coule dans ses veines. Je vais l'élever comme mon enfant.

— Moi, je suis d'accord, si c'est ce qu'Agnes veut, ajouta Larry.

Will interrogea Meggan du regard. Le demi-sourire était de nouveau là.

— Louisa aura un foyer heureux. Si tu as envie, plus tard, de revoir la fille de Jenny, tu sauras où la trouver, dit sa sœur.

Le lendemain matin, aux premières lueurs du jour, Will sella son cheval.

Il ne chevaucha que pendant les heures les plus fraîches de la journée et se reposa en début d'après-midi. Un ruisseau idéalement ombragé lui prodigua son réconfort. Il mangea un morceau de pain avec du fromage, but l'eau fraîche et claire du ruisseau et se coucha sur le dos, les yeux fermés.

Il se réveilla pour les rouvrir sur Selena, habillée en garçon, assise les pieds dans l'eau. Il se redressa d'un bond.

— Qu'est-ce que tu fais là ?

Elle le regarda en penchant la tête, avec, aux lèvres, le sourire espiègle qu'il connaissait si bien.

— J'attendais que tu te réveilles.

— Qu'est-ce qui se passe ? Tu m'as suivi ?

— Oui. Je pars avec toi.

Elle se releva et vint se planter devant lui.

— Je veux faire partie de ta vie, déclara-t-elle.

Elle lui faisait face, le menton haut, prête à défier le monde avec tout ce qu'il avait à offrir. Will sentit se relâcher le nœud de désespoir au creux de son ventre. Avec Selena à ses côtés, il avait une chance de donner un sens à sa vie.

— Bon, alors, remets tes bottes. La route va être longue.

Photocomposition Nord Compo
59650 Villeneuve-d'Ascq

Achevé d'imprimer par N.I.I.A.G.
en janvier 2011
pour le compte de France Loisirs, Paris

N° d'éditeur : 62010
Dépôt légal : février 2011
Imprimé en Italie